PLANT
Y
GORTHRWM

PLANT Y GORTHRWM

gan

ANNIE HARRIET JONES
(GWYNETH VAUGHAN)

golygwyd gan Rosanne Reeves

CLASURON HONNO

Cyhoeddwyd gan Honno
'Ailsa Craig', Heol y Cawl, Dinas Powys,
Bro Morgannwg, CF6 4AH
www.honno.co.uk

Hawlfraint yr agraffiad ⓗ Honno, 2014
Hawlfraint golygyddol ⓗ Rosanne Reeves, 2014

British Library Cataloguing in Publishing Data
Ceir cofnod catalog o'r llyfr hwn yn y Llyfrgell Brydeinig

ISBN: 978-1-909983-14-4

Cedwir pob hawl. Ni ellir, heb ganiatâd ymlaen llaw gan y cyhoeddwyr, atgynhyrchu unrhyw ran o'r llyfr hwn, na'i storio ar system adennill, na'i drosglwyddo ar unrhyw ffurf neu mewn unrhyw fodd electronig, mecanyddol, llungopi, recordiad neu'r cyfryw.

Lluniau y clawr: *Deffroad Cymru* (1911), gan Christopher Williams trwy ganiatâd Cyngor Tref Caernarfon. Gwyneth Vaughan trwy ganiatâd Archifau Gwynedd.

Cysodydd: Dafydd Prys
Dylunydd y clawr: Nicola Schumacher

Cyhoeddwyd gyda chymorth ariannol Cyngor Llyfrau Cymru
Argraffwyd yng Nghymru gan Gomer, Llandysul

Cyflwynir y gyfrol hon i

Jane Aaron

am ei chymorth cyson ac allweddol dros nifer o flynyddoedd

Cardiff Libraries
www.cardiff.gov.uk/libraries
Llyfrgelloedd Caerdydd
www.caerdydd.gov.uk/llyfrgelloedd

CYNNWYS

RHAGAIR	9
DIOLCHIADAU	10
RHAGYMADRODD	11
NODYN GOLYGYDDOL	29
PLANT Y GORTHRWM (1908)	32
GEIRFA	332

RHAGAIR

Sefydlwyd Honno Gwasg Menywod Cymru ym 1986 er mwyn rhoi cyfleon i fenywod yn y byd cyhoeddi Cymreig ac i gyflwyno llên menywod Cymru i gynulleidfa ehangach. Un o brif amcanion y wasg yw meithrin llenorion benywaidd Cymru a rhoi'r cyfle cyntaf iddynt weld eu gwaith mewn print. Yn ogystal â darganfod awduron benywaidd, mae Honno hefyd yn eu hailddarganfod: rhan bwysig o genhadaeth y wasg yw cyflwyno gweithiau gan fenywod o Gymru, sydd wedi bod allan o brint ers amser maith, i genhedlaeth newydd o ddarllenwyr. Dyma a wneir yn y ddwy gyfres Clasuron Honno a Honno Classics. Crynhoir cenadwri Clasuron Honno yn rhagair y gyfrol gyntaf yn y gyfres, sef *Telyn Egryn* gan Elen Egryn:

> Fel merched a Chymry teimlwn ei bod hi'n hynod o bwysig inni ailddarganfod llenyddiaeth y rhai a'n rhagflaenodd, er mwyn cofio, dathlu a mwynhau cyfraniad merched y gorffennol i'n llên ac i'n diwylliant yn gyffredinol.

Gobaith diffuant Honno yw y bydd y gyfrol hon, a olygwyd gan Rosanne Reeves a Cathryn A. Charnell-White, yn ysgogi ymchwil pellach ac yn denu sylw beirniadol newydd i Annie Harriet Jones (1852–1910; Gwyneth Vaughan) a'i chyfraniad. Gorau oll os darganfyddir awduresau eraill y gellir cyhoeddi eu gwaith yn y gyfres hon!

Cathryn A. Charnell-White a Rosanne Reeves
(Golygyddyddion y gyfres)

DIOLCHIADAU

Cydnabyddir yn ddiolchgar gymorth y canlynol: Jane Aaron am ei hysbrydoliaeth; Cathryn Charnell-White am ddiweddaru'r testun; Nan Griffiths a Gwenda Paul am eu ffynonellau defnyddiol; staff Honno am lywio'r gyfrol drwy'r wasg mor ddiffwdan; Nicola Schumacher am ddylunio'r clawr; Dafydd Prys am gysodi a staff Gomer am argraffu'r gyfrol. Diolchir hefyd i Lyfrgell Salisbury Prifysgol Caerdydd, Llyfrgell Genedlaethol Cymru a Chyngor Llyfrau Cymru. Cedwir hawlfraint Defforad Cymru, Christopher Williams, gan Gyngor Tref Caernarfon. Gellir gweld y llun yn ye Institute Building, Caernarfon. Rahid cael caniatâd y Cyngor i ddefnyddio'r llun.

RHAGYMADRODD

Prin erbyn heddiw yw'r rhai sy'n gwybod rhyw lawer am Annie Harriet Jones (1852–1910), y ddynes ddisglair a ddaeth yn adnabyddus ar droad y bedwaredd ganrif ar bymtheg o dan ei henw llenyddol Gwyneth Vaughan. Cyn symud ymlaen felly i sôn yn benodol am *Plant y Gorthrwm* buddiol fydd rhoi braslun o hanes bywyd a gwaith yr awdur, gan na ellir, mewn gwirionedd, wahanu ei llenyddiaeth oddi wrth y digwyddiadau a ddylanwadodd arni hi a'i chyfoedion benywaidd, a dyfodd i fyny ar adeg o newidiadau arwyddocaol yn hanes eu cenedl; adeg a welodd y Gymraes yn dod allan o'r cysgodion i herio'r drefn batriarchaidd ac ysgwyddo cyfrifoldebau cymdeithasol. Fel un o'r galluocaf a'r mwyaf uchelgeisiol yn eu mysg, aeddfedodd Gwyneth Vaughan yn ymgyrchydd eofn. Esgynnodd i lwyfannau arweinwyr ei chenedl gan swyno'r miloedd â'i dawn i fynegi barn ar bynciau llosg ei dydd, amlygrwydd a gadarnheir mewn erthygl gan Vesta, yn y *Christian Commonwealth* yn 1900 lle dywedir amdani:

> A distinguished literary man of Wales, a poet and one of the chief officials of Gorsedd Beirdd Ynys Prydain, when questioned as to Gwyneth Vaughan's position in public life said 'Gwyneth Vaughan's position as a Welsh genius stands entirely by itself. We have had, and we have, women possessing bright talents, but we never had, and we have not today, such a many-sided genius, no-one so able on so many points.'[1]

1 Vesta, 'A Woman's World', *The Christian Commonwealth* (8 February 1900). (Gan mai toriad yn unig sy'n ymddangos yn yr archifau yng Nghaernarfon, ni nodir y rhifyn na rhif y gyfrol). Mae'n bosibl mai naill ai Hwfa Môn, yr Archdderwydd ar y pryd, oedd y 'distinguished man of letters', neu Dyfed y gŵr a'i ddilynodd yn y swydd.

Er iddi adael ysgol elfennol Talsarnau, Meirionnydd, yn bedair ar ddeg mlwydd oed, erbyn 1900 yr oedd Gwyneth Vaughan, merch i felinydd, yn ddynes o flaen ei hamser gan iddi fanteisio drwy gydol ei bywyd ar bob cyfle a ddaeth i'w rhan i addysgu ei hunan ymhellach. Yn dilyn ei phriodas yn dair ar hugain mlwydd oed â'r myfyriwr meddygol, John Hughes Jones, o Glwt y Bont, Pwllheli, mab y siop lle'r oedd Gwyneth Vaughan yn gweithio – cam a'i dyrchafodd i ddosbarth cymdeithasol uwch – aeth i fyw i Lundain ar adeg ffurfiannol yn ei bywyd, lle cwblhaodd ei gŵr ei astudiaethau yn Ysbyty Sant Bartholomew. Yn y brifddinas, gyda'i chof aruthrol a'i meddwl chwim, dysgodd Eidaleg, Ffrangeg ac Almaeneg; ehangodd ei diddordebau i fyd newyddiaduriaeth a materion cyhoeddus a chyfrannodd erthyglau i brif bapurau newyddion yn cynnwys y *Manchester Guardian* a'r *Daily Mail*. Cynyddodd ei gwybodaeth ymhellach drwy ddysgu digon am feddygaeth, ochr yn ochr â'i gŵr, i roi'r argraff i rai mai meddyg ydoedd hithau hefyd.

Yn anffodus, tra'n byw yn Llundain aeth ei gŵr yn gaeth i'r ddiod feddwol. Fodd bynnag, ymwrolodd Gwyneth Vaughan – a oedd wedi arwyddo tystysgrif ddirwestol yng nghapel Methodistiaid Talsarnau yn ferch ifanc – ac ymunodd â'r British Women's Temperance Association (BWTA). Yno, cyfarfu â menywod aristocrataidd, dyngarol, fel Lady Henry Somerset, Margaret Illingworth, Patricia Bright McClaren a'r Americanes enwog Frances Willard, a ddaeth â syniadau'r 'Ddynes Newydd' dros fôr yr Iwerydd, a thrwytho'i chyfeillion yn Llundain yn athroniaeth arloesol ffeminyddiaeth.

A hithau'n fam i dri o blant erbyn 1888, symudodd Gwyneth Vaughan a'i theulu i ardal ddiwydiannol Treherbert, lle bu ei gŵr, am gyfnod, yn feddyg i'r glowyr. Yno cychwynnodd areithio o ddifrif yn erbyn y ddiod feddwol, gan sefydlu yn ystod ei bywyd dros 240 o ganghennau dirwest drwy Gymru a thu hwnt. Yma, hefyd, canolbwyntiodd â'i holl egni, yn ei dull nodweddiadol, ar berffeithio'i gwybodaeth o iaith a llenyddiaeth, hanes a gwleidyddiaeth ei chenedl. Fe'i hysbrydolwyd gan amcanion y Blaid Ryddfrydol, a hynny yn ystod oes aur Cymru Fydd, mudiad Rhyddfrydol dros hunanlywodraeth i'r Cymry. Fe'i taniwyd yn arbennig gan agwedd gadarnhaol Cymru Fydd tuag at ei aelodau benywaidd, fel y mynegir mewn erthygl o'i heiddo yn *Young Wales*, misolyn y mudiad hwnnw, lle dywedodd:

> It is with a glad heart that I feel that the men of my own land are in the vanguard of reform ... The men of Wales encourage their mothers, wives, sisters and daughters in their highest aspirations ... and rejoice with them in all their achievements. We have John Bull as usual lagging behind in his own thick-headed fashion.[2]

Yn yr ysbryd optimistaidd hwnnw daeth yn un o brif ymgyrchwragedd Adran Menywod y Blaid Ryddfrydol yng Nghymru, ar lafar ac ar bapur. Yn 1891 bu'n gyd-olygydd y *Welsh Weekly* – cyhoeddiad crefyddol a chenedlaetholgar â'i fryd ar uno'r enwadau – ac wedi hynny, yn 1892, er mawr lawenydd i'r golygydd, cytunodd i gyfrannu i'r *Dowlais Weekly Gazette*, papur y Blaid Ryddfrydol. 'Gwyneth Vaughan requires no introduction to the reading public of South Wales', meddai'r golygydd:

2 Gwyneth Vaughan, 'Women and their Questions', 'Progress of Women in Wales', *Young Wales*, 3 (1897), 20. Golygwyd y cylchgrawn gan Mrs Wynford Philipps and Elsbeth Philipps.

> ...her dazzling reputation has already travelled throughout the land and vain indeed would it be for us to try and add to the very flattering comments so recently made upon this lady's literary talents, and lecturing powers, by the leading South Wales newspapers.[3]

Yn y ddau gyhoeddiad uchod, defnyddiodd ei dylanwad i gychwyn colofn 'holi ac ateb' i'w darllenwyr benywaidd a'u hannog i ddod allan o'u cartrefi, a gweithio er lles eu cymunedau, gwaith na ellid fyth ei gyflawni, yn ei barn, heb gyfraniad hollbwysig y Gymraes. Gymaint oedd poblogrwydd y colofnau hyn fel iddi ailadrodd y fformat yn *Yr Eryr*, papur lleol y Bala, yn 1894, ac yn *Y Cymro* yn 1906.

Cymerodd ddiddordeb mawr ym mharhad yr iaith Gymraeg gan ymgyfrannu'n frwdfrydig yng ngweithgareddau'r Mudiad Celtaidd ar adeg a welodd gynnydd yn ymwybyddiaeth y Cymry o ddiwylliant cyfoethog eu gorffennol. Ymunodd yn y trafodaethau am ddyfodol yr Eisteddfod Genedlaethol drwy gyfrannu nifer o erthyglau dadleuol ar ei rhagoriaethau a'i gwendidau i gylchgronau Cymru, gan awgrymu, ar nodyn pragmataidd, y gellid ailgylchu deunyddiau'r Babell fawr drwy beidio â dirisglio'r coed, fel y gellid eu gwerthu wedyn i'r glofeydd 'heb golli odid ddim yn eu pris'. Fel canlyniad, meddai, ni ddylai y Babell 'fod yn achlysur profedigaeth i neb'.[4] Yn 1895, ymunodd â Gorsedd Beirdd Ynys Prydain, braint a roddodd iddi wir foddhad, ac yn 1900 – y flwyddyn yr ymddangosodd y dyfyniad amdani yn y *Christian Commonwealth* – torrodd dir newydd yn hanes y Gymraes drwy draddodi anerchiad o'r Maen Llog yn Eisteddfod Genedlaethol Lerpwl, y fenyw gyntaf i fwynhau'r anrhydedd

3 *The Dowlais Weekly Gazette* (4 November 1893), 4.
4 Gwyneth Vaughan, 'Yr Eisteddfod Genedlaethol – Awgrymiadau i'r Pwyllgorau Lleol', *Y Geninen*, XVIII/3 (1900), 192, 194.

honno – achlysur a wnaeth argraff fawr ar '[f]ardd o fri na fu yn gwrandaw erioed' meddai, 'ar un yn cael y fath ddylanwad ar y gynulleidfa... roedd yn ysgubo'r cyfan o'i blaen'.[5] Y flwyddyn ganlynol, enillodd gadair Eisteddfod Bwlch-gwyn, Caernarfon, am ei phryddest 'Cyfeillgarwch' lle curodd bymtheg cystadleuydd arall.

Erbyn 1902 teimlodd Gwyneth Vaughan yn ddigon hyderus i gychwyn ar ei gyrfa fel awdur ffuglen gan gyfrannu'r stori fer 'Gweledigaeth y Babell Wag' am helyntion yr Eisteddfod Genedlaethol, i'r cylchgrawn *Cymru* yn 1903, i'w dilyn gan ddwy stori freuddwyd arall 'Breuddwyd Nos Nadolig' yn 1905, ac 'Y Waedd yn y Fonllech' yn 1907. Yn 1903, ymddangosodd ei chyfres, 'Bryn Ardudwy a'i Bobl', a oedd yn seiliedig ar atgofion o'i phlentyndod, yn *Yr Haul*, misolyn yr Eglwys Wladol, ac yn yr un flwyddyn cychwynnodd ar ei stori gyfres gyntaf i'r *Cymro*, cyfres a gyhoeddwyd fel nofel yn 1905, sef *O Gorlannau y Defaid*, hanes Diwygiad mawr 1859 mewn pentref gwledig yng ngogledd Cymru. Cafodd y nofel dderbyniad cadarnhaol gan ddarllenwyr a hefyd gan y beirniad llenyddol T. Gwynn Jones a ddywedodd yn *Y Geninen* yn 1908: 'Cyhoeddwyd amryw nofelau da ar ôl rhai Daniel Owen ond ni fuont mor llwyddiannus... a'i rai ef. Y mae "O Gorlannau y Defaid" gan Gwyneth Vaughan yn ystori gampus, sut bynnag, ac ar rai cyfrifon yn fwy ei medr na rhai Daniel Owen.'[6]

Erbyn i'w hail nofel, *Plant y Gorthrwm*, gael ei chyhoeddi yn 1908: yn dilyn ei hymddangosiad fel stori gyfres yn1906–7 yn *Y Cymro*, yr oedd Gwyneth Vaughan wedi ymuno ag awduron prif ffrwd y Gymru Gymraeg, gorchest a gydnabyddir gan R. Hughes Williams yn *Y Traethodydd*. 'Ymhlith nofelwyr Cymru heddyw', meddai:

5 'Mae Son Amdanynt', *Papur Pawb* (10 Chwefror 1900), 5.

6 T. Gwynn Jones, 'Chwarter Canrif o Lenyddiaeth Cymru', *Y Geninen*, I, XXVI 1908, 9.

> Saif pump ar bennau eu hunain, sef T. Gwynn-Jones, Gwyneth Vaughan, W. Llewelyn Williams, Elwyn Thomas, ac Ellis o'r Nant. Am Gwyneth Vaughan, anodd dweud ym mha beth y rhagora hi, mae ganddi wybodaeth drwyadl o fywyd gwledig Cymru, ac ysgrifenna ei nofelau mewn arddull ragorol, arddull nad yw'n perthyn i neb arall.[7]

Dyma ddatganiad sy'n cefnogi penderfyniad Honno i ail-gyflwyno llenyddiaeth Gwyneth Vaughan, ac yn ail ran y rhagymadrodd hwn, trown ein sylw at ei nofel, *Plant y Gorthrwm*, stori wleidyddol am Etholiad Cyffredinol 1868, cyhoeddiad a ehangodd ysgrifennu creadigol gan awduron benywaidd Cymru i feysydd newydd. Buddugoliaeth y Rhyddfrydwyr yw uchafbwynt yr hanesyn, i'w ddilyn gan bortread o ddioddefaint y tenantiaid a daflwyd allan o'u cartrefi am feiddio pleidleisio'n gyhoeddus yn erbyn cyfarwyddiadau eu tirfeddiannwr Torïaidd.

Fel cenedlaetholwraig Gristnogol, ar dân yn ei hawydd i argyhoeddi ei darllenwyr a'i gwrandawyr am ragoriaethau'r Cymry fel pobl waraidd a diwylliedig, hawdd deall apêl y thema hon i Gwyneth Vaughan. Yn y bennod gyntaf un, fe'n dygir i efail Llangynan, ac fe'n cyflwynir ni i'r dihirod diegwyddor, a fydd cyn diwedd y stori'n dryllio bywydau ei harwyr a'i harwresau Cymraeg – aelodau o genedl â'i hanes yn ymestyn yn ôl i oes y Tywysogion gynt, pan nad oedd y Saeson, meddai un o gymeriadau mwyaf gwladgarol Gwyneth Vaughan, 'yn ddim ond 'môr-ladron ysbeilgar' (t. 129).

Y pwnc o dan sylw yn yr efail y noson arbennig honno oedd sefyllfa anffodus tenantiaid ystad Plas Dolau – dioddefwyr y dyfodol. Yn dilyn marwolaeth Mr Wyn, gŵr

7 R. Hughes Williams, 'Y Nofel yng Nghymru', *Y Traethodydd*, 64 (1909), 123.

caredig a hoffus, a ofalai am y plasty a'i diroedd ar ran y perchennog absennol, yr oedd Mr Harris, Sais-Gymro Torïaidd, trahaus, wedi dod i gymryd ei le, a'i fryd ar lenwi ei boced ei hunan a llogell ei feistr ar draul ei denantiaid. Cynyddir ei awdurdod gan giperiaid mileinig 'o Loegr' a ddaeth gydag ef i Blas Dolau, ynghyd â Ned Williams, dyn dŵad meddw, saer ac ysbïwr Mr Harris, a anfonid ar negeseuon i'r efail yn rheolaidd gan ei feistr, i glustfeinio ar unrhyw sgyrsiau chwyldroadol.

Ac roedd gan Mr Harris le i ofidio gan fod nifer o Ymneilltuwyr goleuedig ymhlith ei denantiaid, oedd yn benderfynol o danseilio'r drefn bresennol drwy weithio a phleidleisio dros y Blaid Ryddfrydol, a oedd eisoes wedi ennill nifer o seddi yn San Steffan yn dilyn Etholiad Cyffredinol 1859. Ceir rhagwelediad o'r 'dyddiau ymaflyd codwm' oedd i ddod yn natganiad Huw Huws, gof tafodrydd, darllengar Llangynan. 'Ma'r hen wlad yma wedi bod yn gorfadd ar lawr ar wastad 'i chefn es peth ofnadwy o amsar' meddai wrth y gweithwyr oedd wedi galw mewn i glywed ei ddoethinebau diweddaraf, 'ond mae hi wedi rhoi tro ar 'i hochor a chodi ar 'i phenelin i sbio o'i chwmpas a fydd hi ddim yn hir iawn eto na neidith hi ar 'i thraed, a mi fydd yma lanast y dwrnod hwnnw'. (t. 37). Pan gyrhaeddodd y newyddion 'fel taranfollt' fod Disraeli wedi colli cefnogaeth ei Lywodraeth ac wedi galw etholiad cyffredinol, ymledodd gwefr ddisgwylgar drwy'r holl etholaeth, gwefr o lawenydd am fod dydd o brysur bwyso'n wynebu'r Torïaid, ond hefyd arswyd wrth ddychmygu dial y sgweieriaid mileinig.

Un o'r Ymneilltuwyr goleuedig a drigai ar dir Plas Dolau gyda'i wraig Gwen a'i dwy ferch Rhiannon ac Olwen oedd Robert Gruffydd. Yma yn ffermdy'r Hafod Olau, cynhaliwyd dyletswydd fore a nos i leddfu pob cur, a chyfiawnhau pob llawenydd; dyfynnwyd adnod briodol, gan mai Duw oedd yn teyrnasu ar yr aelwyd hon, a llewyrch y preswylwyr, y cnydau a'r anifeiliaid yn deillio o gred ddigwestiwn yn arweiniad y Goruchaf. Hon, o'r herwydd, oedd fferm fwyaf trefnus a llwyddiannus yr ardal, a fu yng ngofal Robert Gruffydd a'i gyndeidiau ers y dydd y'i hadeiladwyd. Ond fel ffermdy a leolwyd ar dir Plas Dolau, yr oedd teulu'r Hafod Olau mewn sefyllfa fregus, gan fod eu dyfodol yn nwylo Mr Harris.

Daeth cadernid Robert Gruffydd fel Methodist cydwybodol yn amlwg pan wrthododd aros i ginio ar ddiwrnod talu rhent ym Mhlas Dolau, am fod cwrw'n cael ei gynnig fel rhan o'r wledd (ym marn Robert Gruffydd a Gwyneth Vaughan, y ddiod feddwol oedd 'wrth wraidd bron holl drueni'r wlad'). Cynyddir y tyndra gan mai ef, fel y parchusaf ymhlith y tenantiaid, oedd y prif westai, a lledaenodd y stori ar ei hunion i efail y gof: 'Fasa rijmant o soldiars' meddent mewn edmygedd 'ddim yn gneud i Rhobat Gruffydd roi cefnogaeth i'r hen ddiodan' (t. 59), a phenderfynodd mwy nag un 'listio dan ei fanar o'. Bygythiad a sarhad oedd safiad diwyro Robert Gruffydd yng ngolwg Mr Harris, ac fe dyngodd lw i dalu nôl, a hefyd dorri tipyn ar grib ei ferch, Rhiannon, pan ddeuai'r cyfle. Dyma rybudd amserol i'r darllenwyr o agosatrwydd argyfwng anochel 'dydd y terfysg', tensiwn ar ddiwedd pennod i'w cadw ar bigau'r drain wrth iddynt ddisgwyl yn eiddgar am y bennod nesaf.

Er mwyn pwysleisio ymhellach nodweddion annymunol Mr Harris, a difaterwch sgweiar Seisnig hedonistaidd Plas Dolau – a ymwelai â'i blasty'n achlysurol er mwyn mwynhau pleserau'r tymor hela – cyflwynir ni i Syr Tudur Llwyd, perchennog Y Friog, yr unig dirfeddiannwr arall ym mhlwyf Llangynan. Sgweiar o'r hen stamp oedd Syr Tudur, trigain mlwydd oed a dibriod, yn glynu wrth grefydd a moesoldeb ei ddiweddar fam. Ni fyddai fyth yn ystyried mynd i 'loddesta oddeutu Llys Sant Iago yn y brifddinas' fel y mwyafrif o dirfeddianwyr Cymru yr adeg honno. Ei amcan ef mewn bywyd oedd sicrhau dedwyddwch ei denantiaid ac er nad oedd ei Gymraeg yn groyw, cafodd ei agwedd gadarnhaol tuag at y werin, ei feddwl agored tuag at ymlyniadau gwleidyddol ei denantiaid a'i awydd i aros gartref yn ei blasty sêl bendith Gwyneth Vaughan, i'r fath raddau fel iddi ganiatáu cyfeillgarwch clos rhyngddo â'i harwres, Rhiannon. Fe wyddai hi am holl anghenion yr amaethwyr oedd yn byw ar ystad Syr Tudur, yn wir, hi oedd ei '*encyclopaedia*'. Dyma berthynas a synnodd yr holl ardal (ac a gododd wrychyn Mr Harris wrth iddo'u gweld yn marchogaeth ochr yn ochr un bore gan drafod materion o bwys ar lefel gyfartal), ond sydd yn enghraifft o hyder newydd y Gymraes Anghydffurfiol, ac yn arwydd o'r newidiadau oedd i ddod wrth i haenau cymdeithasol bylu gan roi cyfle i aelodau'r dosbarth gweithiol (Gwyneth Vaughan ei hunan yn eu plith) i esgyn, drwy uchelgais ac addysg (neu briodas), i ddosbarth uwch.

Wrth i ddydd yr etholiad agosáu, ac wrth i'r ymgyrch fagu stêm, gwelwn Gwyneth Vaughan ar ei gorau fel areithwraig, pan ymgasglodd criw o ddynion ar groesffordd Llangynan i wrando ar anerchiad dyn o'r enw Mr Jones. Hwn oedd y llefarydd a gyflogwyd gan Mr Tatenhall, ymgeisydd y Toïaid, i siarad ar ei ran drwy gyfrwng y Gymraeg, ac i siarsio'r etholwyr heb flewyn ar ei dafod mai eu hunig ddewis hwy oedd pleidleisio i 'ŵr bonheddig ag arian' ac i ddysgu bod 'yn ddarostyngedig i bawb sydd mewn awdurdod', fel y gorchmynnwyd yn yr 'ysgrythur lân' (t. 125).

Ond ymddangosodd dieithryn huawdl gan roi taw ar Mr Jones. Sosialydd o blaid y gweithwyr oedd hwn ac fe heriodd ddadleuon ffuantus y Tori drwy dynnu sylw at ei ddwylo 'gwyn' a 'meddal'. Meddai wrtho:

> Fuoch chi rioed yn gweithio am chwe cheiniog y dydd ac yn byw ar hynny?' Os do, mi wrandawn ni arnoch chi, ond os naddo, wyddoch chi ddim am anghenion gweithwyr ych gwlad. A *shut up* amdani hi, *old boy*... brwydr ydi hon dros egwyddorion ... i roi hawl i bob Cymro fod yn ddyn yn lle rhyw bêl droed i Sais... Angen gwerin Cymru, Mr Jones, ydi dyn yn y Senedd yn medru iaith ei wlad, dyn yn deall curiadau calon gwerin ei wlad... ac yn olaf dyn nad oes arno gywilydd o'i wlad na'i genedl. (tt. 128, 130–1)

Diddorol yw nodi yn y fan hon mai cyfuniad o ddadleuon yr ILP, plaid sosialaidd annibynnol diwedd y bedwaredd ganrif ar bymtheg, a dadleuon cenedlaetholgar Cymru Fydd, yn hytrach nag athroniaeth Ymneilltuwyr 1868 a fynegir gan yr areithiwr ar y groesffordd. Nid oedd ymwybyddiaeth o Gymru fel gwlad ar wahân wedi tanio dychymyg y genhedlaeth gyntaf o Ryddfrydwyr Cymru; yn eu plith, Henry Richard, y Cymro Cymraeg o Dregaron a etholwyd fel ymgeisydd Rhyddfrydol Merthyr yn 1868. Meddai ef 'The Nonconformists of Wales are the people of Wales'[8] Dyfodol Ymneilltuaeth oedd o'r pwys pennaf iddo ef a'i gyfoedion. Bu'n rhaid aros ryw ugain mlynedd arall cyn i genhedlaeth newydd o Gymry gwladgarol ymhyfrydu yng ngorffennol godidog eu gwlad, ond manteisiodd Gwyneth Vaughan ar ei chyfle i drosglwyddo neges cenedlaetholdeb, gan ei bod yn edrych yn ôl ar Etholiad 1868 fel dynes ganol oed, a'i hysfa i fynegi barn a gwthio'i syniadau a'i phrofiadau hi ei hunan ar ei darllenwyr cyn gryfed â'i hawydd i gofnodi dioddefaint 'merthyron' 1868.

8 Gweler Kenneth O. Morgan, 'Radicalism and Nationalism', yn A. J. Roderick (ed.), *Wales Through the Ages, Vol. 2* (Llandybïe: Christopher Davies, 1960), t. 193.

Drwy gyd-ddigwyddiad, un o'r gwrandawyr a glywodd neges wladgarol y dieithryn ar y groesffordd oedd Rhiannon Hafod Olau. Hoeliwyd ei sylw gan ei sylwadau, a safodd ei thir, er mai hi oedd yr unig ferch yng nghanol yr holl ddynion. Yn wahanol i ferched eraill Llangynan, yr oedd Rhiannon wedi cael addysg dda, prawf o fanteision diwydrwydd, diwylliant a duwioldeb ei rhieni. Ond fel y mwyafrif o ferched y cyfnod, aros gartref i ofalu am ei chwaer a'i mam oedd ei thynged, dyletswydd a ysgwyddodd yn ddigwyno. Pan gychwynnodd yr ymgyrch etholiadol, fodd bynnag, a hithau'n ferch ddeallus i Ryddfrydwr brwd, dilynodd yr holl ddigwyddiadau'n eiddgar. Wrth i'w diddordeb gynyddu, felly hefyd ei rhwystredigaeth, ac yn ôl ei harfer, pan fyddai rhywbeth yn gwasgu ar ei meddwl, troes at Boba, hen wreigan oedd, drwy ei ffydd, wedi goresgyn ei galar am ei gŵr a dau fab a gollwyd ar y môr. Ffeminydd ysgrythurol, â'i syniadau am ragoriaeth y rhyw fenywaidd yn mynd yn ôl ymhell tu hwnt i ddadleuon ffeministaidd cyfoes, oedd Boba. O'r Hen Destament y cafodd hi ei hysbrydoliaeth, fel y gwelwn yn ei hymateb i ddicter Rhiannon am statws anghyfartal merched mewn etholiadau. 'Taswn i'n fachgen', meddai Rhiannon wrth Boba,

> mi fase rhyw siawns i mi neud tipyn o les yn y wlad. Hwyrach base Syr Tudur Llwyd yn fy helpu fi i fynd yn Aelod Seneddol fy hun? Mi wn i baswn i'n rhywun rywdro taswn i'n fachgen, ond dydw i da i ddim fel hyn. Mi wn i fod Syr Tudur yn meddwl y gallswn i neud hylltod o les taswn i'n fachgen. (t. 66)

Ond meddai Boba,

> Felly wir, wel rhaid i mi atgoffa Syr Tudur y tro nesa fod Deborah yn fwy angenrheidiol o ddim rheswm yn

> y frwydr fawr yn erbyn yr hen Jabin na Barac. Yn eno dyn, daetha Barac ddim i'r rhyfel hebddi hi, roedd arno fo ormod o ofn... A phaid ti â chario rhyw hen feddylia ofer fel yna... Cofia di na neith o mo'r tro y diwrnod mawr i ti ddeud wrtho Ef, na fedra' ti neud dim am ma' merch oeddet ti. (tt. 66–7)

Yn ei delweddau cadarnhaol o Boba a Rhiannon adlewyrchir unigolyddiaeth Gwyneth Vaughan fel un a roddodd amlygrwydd digyffelyb i'r Gymraes yn ei llenyddiaeth. Yn wir, gellir priodoli anallu R. Hughes Williams i'w gosod mewn twll colomen llenyddol i'r statws a rydd i'w chymeriadau benywaidd; hynodrwydd, gellir dadlau, nad oedd 'yn perthyn i neb arall'. Anodd dychymygu un o awduron gwrywaidd ei chyfnod yn caniatáu'r fath flaengarwch i ferched mewn nofel etholiadol yng nghanol y bedwaredd ganrif ar bymtheg. Ond dyna a wnaeth Gwyneth Vaughan. Merched, menywod a hen wragedd sy'n symud y plot yn ei flaen, a hwy, hyd yn oed heb bleidlais, sy'n gyfrifol am lwyddiant y Rhyddfrydwyr.

Fel merch addysgedig, wleidyddol, basiffistaidd (fel Gwyneth Vaughan mewn bywyd go iawn), arf fwyaf pwerus Rhiannon oedd ei gwybodaeth, ac mewn ymateb i her Boba aeth ati i ddylanwadu hyd eithaf ei gallu ar ddynion blaengar yn yr ymgyrch etholiadol. Un o'r rhain oedd ymwelydd dienw, 'Apostol Rhyddfrydiaeth Cymru' (pregethwr huawdl a wahoddwyd i letya yn yr Hafod Olau), cymeriad sy'n seiliedig mae'n debyg ar neb llai na Henry Richard, yr 'Apostol Heddwch' y byddai Gwyneth Vaughan wedi bod yn ymwybodol iawn o'i bresenoldeb yn ei chyfnod Llundeinig. Apeliodd Rhiannon at y gŵr pwerus hwn, â chanddo ddiddordeb mawr mewn addysg, i fynd i'r afael â chyflwr truenus merched tyddynnod Cymru oedd 'llawn mor alluog â'u brodyr a dweud y lleiaf, ond na ddaeth i galon un dyn i feddwl am roddi iddynt addysg o fath yn y byd gwerth sôn amdano?' (t. 177) Ac ar ôl gwrando ar ei hapêl, addawodd y gwron 'drio rhoi hwb ymlaen' (t. 178) i'w hachos mewn cyfarfod y noson honno.

Mor effeithiol yn wir oedd gallu Rhiannon, fel 'un o'r *Librals* yma', i ddadlau ei hachos, fel i sgweiar Y Friog, Syr Tudur Llwyd ei hunan, o dan ei dylanwad, syfrdanu'r gymdogaeth a chynddeiriogi Mr Harris, drwy bleidleisio dros yr ymgeisydd Rhyddfrydol Henry Edwards. Fel y gellid disgwyl, dilynodd yr holl denantiaid esiampl eu meistr, a'r diwrnod canlynol gwyrdrowyd cwrs gwleidyddiaeth y rhan hon o'r Gymru wledig am byth.

Cryfhawyd sefyllfa'r ymgeisydd Rhyddfrydol ymhellach gan Dyddgu, merch anghyffredin y melinydd. Gwyneth Vaughan ei hun yn ddeg oed, mae'n debyg, oedd hon. Llawer gwell ganddi hi addysgu ei hunan drwy ddarllen llyfrau amlycaf y Methodistiaid na chwarae efo 'babis' a 'dolis', ac nid yw Gwyneth Vaughan yn colli'r cyfle i ddefnyddio diniweidrwydd plentyn i ofyn cwestiynau arweiniol ar bwnc a oedd yn agos at ei chalon, fel y gwelir yn y sgwrs ganlynol rhwng Rhiannon a Dyddgu:

> 'Ydach chi'n mynd i'r lecsiwn fory, Miss Rhiannon?'
> 'Nag ydw' i. Beth 'na i yno, Dyddgu? Fedra i ddim fotio i neb?'
> 'Pam Miss Rhiannon?'
> 'Fydd merched ddim yn fotio i neb.'
> 'Pwy sy'n rhwystro chi i fotio? Chi a merched pob man?'
> Gwenodd Rhiannon, a dechreuodd feddwl mor briodol oedd y cwestiwn, cyn iddi ateb, 'Wel, y dynion, debyg gen i, Dyddgu. Y nhw sy'n deud sut mae popeth i fod.' (t. 171)

Wrth wrando ar y fath ymresymu, taniwyd Dyddgu i weithredu, ac ar ddydd yr etholiad aeth i eistedd gyda'i chert a'i cheffyl 'o dan y sycamor yn ymyl y llidiart coch', a phan gyrhaeddodd y fintai a huriwyd gan 'geidwaid helwriaeth Plas Dolau' i daflu cerrig at y '*Librals*' (t. 172), gafaelodd Dyddgu yn ffrwyn ei cheffyl a cherdded gyda'r dynion Rhyddfrydol lluddedig i ben draw'r coed. Gan fod merch yn eu plith, ni luchiwyd yr un garreg. Cafodd cefnogwyr Mr Edwards, drwy ymyrraeth geneth fach graff, rwydd hynt i fwrw eu pleidlais a mynd adref drachefn yn ddianaf, fel 'plant Israel gynt trwy'r Môr Coch' (t. 184). Yn sicr, mae'r golygfeydd niferus yn *Plant y Gorthrwm* sy'n sôn am rôl y fenyw mewn cymdeithas, a'r sgyrsiau a'r datganiadau di-ri am yr etholfraint 'yn gwadu'r syniad na cheir yn llên Gymraeg y bedwaredd ganrif ar bymtheg unrhyw ymdriniaeth gadarnhaol ag achos y bleidlais i fenywod'.[9]

Geneth bwerus arall a aeth dros ben llestri yn ei hymdrechion i danseilio gobeithion y Tori oedd Elen Tyn'ffordd, un na fyddai fyth wedi ffoi yn ddianaf heb ofal cyson y gymuned amdani, gan ei bod 'ymhell iawn o fod yn debyg i blant eraill' (t. 69). Gwnaeth Rhiannon ac Olwen eu gorau glas i sefydlogi Elin 'orffwyllog' drwy ei dysgu am Iesu Grist, gŵr y bu Elin, fel canlyniad, yn chwilio amdano yng nghyffiniau Llangynan drwy gydol ei bywyd byr, ac yn y broses, tyfodd cariad angerddol yn yr eneth tuag at y ddwy chwaer. Pan glywodd – yn ystod un o'i phranciau dirgel fin nos, ynghudd yr ochr arall i'r clawdd – am fwriad Mr Harris i ddial ar deulu Rhyddfrydol, dirwestol Hafod Olau, a thorri

9 Jane Aaron, *Pur fel y Dur: Y Gymraes yn Llên y Bedwaredd Ganrif ar Bymtheg* (Caerdydd: Gwasg Prifysgol Cymru, 1998), t. 213. Sonia Jane Aaron hefyd am yr erthyglau a ymddangosodd yn gyson ar y pwnc hwn yn *Y Frythones* ac *Y Gymraes* yn ystod ugain mlynedd olaf y bedwaredd ganrif ar bymtheg.

tipyn 'ar grib Rhiannon', fe'i cynhyrfwyd drwyddi. Er na fedrai ddarllen, roedd ganddi gof anghyffredin, a dewisodd hen dacteg menywod dechrau'r ganrif o ddial ar ddihirod,[10] gan orymdeithio drwy'r gymdogaeth yn llafarganu penillion haerllug am Mr Harris a Mr Tattenhall, a rhigymau canmoliaethus am Mr Edwards, a thorf o blant y pentref yn dynn wrth ei sodlau. Rhoddodd fwynhad rhyfeddol i'w chynulleidfa ar ddiwrnod yr etholiad drwy herio dyn a gyfnewidiodd ei fôt am chwart o gwrw: '"[O]es arnat ti eisio cwrbitsh, dyma i ti be di celpan yntê", a chyda'r gair wele fraich gref yr eneth yn ei osod yn gydwastad â'r llawr' (t. 189).[11] Ni ellid gwadu effeithiolrwydd dulliau ymosodol Elin. Fel y dywedodd y pregethwr, William Williams, wrth Robert Gruffydd, 'dydi hi ddim yn sownd yn 'i chorun, a hwyrach y bydd hi'n fwy o help nag mae neb yn feddwl yn 'i ffordd 'i hun' (t. 147).

Rhaid dod i'r casgliad fod Gwyneth Vaughan wedi dyfeisio cymeriad fel Elin am ryw reswm penodol, ac mae damcaniaeth Katie Gramich mai 'ego-amgen' Rhiannon (neu'n wir Gwyneth Vaughan ei hunan) yw Elin, yn un ddeniadol. Gwyddom fod Gwyneth Vaughan yn edmygu dulliau uniongyrchol y swffragetiaid eofn, gan gyfaddef nad oedd hi ei hun yn ddigon dewr i'w hefelychu. Ac fel y nodwyd gan Jane Aaron: 'Rhianon experiences herself as very much

10 Gweler Rosemary A. N. Jones, 'Women, Community and Collective Action: The "Ceffyl Pren" Tradition', yn Angela V. John (ed.), *Our Mothers' Land: Chapters in Welsh Women's History* (Cardiff: University of Wales Press, 1991), tt. 17–41. Dangosir sut y gellir olrhain datblygiad y newidiadau yn swyddogaeth gymdeithasol menywod Cymru yn y bedwaredd ganrif ar bymtheg drwy astudio natur a maint eu cyfraniad yng nghosbedigaethau unigolion yr ystyrid eu bod yn ymddwyn yn annerbyniol.

11 Hen air am gosfa yw 'cwrbits' a ddefnyddiwyd ar lafar yng ngogledd Cymru.

held back by men, and frequently expresses her frustration with the limitations the gender system impose upon her.'[12] Gellid dadlau fod dyheadau dwfn yn isymwybod Rhiannon a Gwyneth Vaughan yn cael mynegiant drwy gampau byrbwyll Elin, ymddygiad na fyddai'n dod yn hawdd i fenywod call, rhesymol a moesol fel hwy, ac na fyddai, ychwaith, yn gredadwy nac yn dderbyniol i'r darllenwyr. Efallai fod y tensiwn rhwng yr angerdd am bleidlais i fenywod a'r argyhoeddiadau crefyddol pasiffistaidd yn rhwystro eithafrwydd, ac i lenwi'r gwagle crëwyd Elin.[13]

Ar noson yr etholiad daeth Rhyddfrydwyr Llangynan at ei gilydd i'r Hafod Olau i aros am y canlyniad. Aeth Rhiannon a'i mam allan i edrych i gyfeiriad y Garn 'ac wele fflam yn esgyn i fyny, ac yna goelcerth enfawr yn goleuo'r byd o'i chwmpas'. Henry Edwards enillodd y frwydr gan gadarnhau cefnogaeth Duw i'r Rhyddfrydwr. '"Bendigedig fyddo enw yr Arglwydd" ebe Robert Gruffydd mewn llais yn crynu gan deimlad.'(t. 191) Ac ebe Boba, '"Amen, 'mhlant i, Amen. [M]i leiciwn inna ofyn i'r hen fynyddoedd yma, fel y proffwyd gynt, floeddio a chanu am y waredigaeth fawr hon"' (t. 192).

Ond ffwrn boeth cystudd oedd yn wynebu teulu'r Hafod Olau, dioddefaint a wynebwyd heb anobaith, trallodion y daethpwyd i delerau â hwynt yn unig drwy eu crefydd. Ond ni adawodd Gwyneth Vaughan ei darllenwyr mewn diflastod.

12 Jane Aaron, *Nineteenth-Century Women's Writing in Wales* (Cardiff: University of Wales Press, 2007), t. 173.

13 Gweler Katie Gramich, *Twentieth Century Women's Writing in Wales* (Cardiff: University of Wales Press, 2007), t. 33: 'there is a tension between the passionate nationalism enshrined in the texts and the equally passionate religious conviction which is also pacifist.' Byddai cyfnewid y geiriau 'passionate nationalism' am 'passionate feminism', yn y dyfyniad hwn hefyd yn briodol i ddisgrifio amharodrwydd cymeriadau Gwyneth Vaughan i gymryd rhan mewn gweithredu uniongyrchol, ymosodol.

Daeth tynged i leddfu poenau ac i ennyn llawenydd. Caiff y darllenydd deimlad pendant ar ddiwedd y nofel hon y byddai Rhiannon a Dyddgu yn mynd yn eu blaenau, fel Gwyneth Vaughan ei hunan, i wneud eu marc ym myd gwleidyddiaeth Cymru. Mawr oedd eu gobeithion am genedl y gallai'r Cymru fod yn falch ohoni, breuddwyd y gwelwyd gobaith o'i gwireddu yn dilyn canlyniadau bythgofiadwy Etholiad 1868, y 'bore rhyfedd... hwnnw, yr hen air "Trech gwlad nag Arglwydd" wedi ei wirio i'r llythyren' (t. 197). Ac mae geiriau gorfoleddus Gwyneth Vaughan yn dwyn i gof ddigwyddiad tebyg ar fore tebyg yn niwedd yr ugeinfed ganrif:

> O Fae Ceredigion hyd at Glawdd Offa, o lannau Môr y Werydd hyd gwr eithaf Gwyllt Walia, atseiniai buddugoliaeth fel eco trwy ei chreigiau a'i mynyddoedd. Bore gogoneddus oedd hwnnw yn hanes Cymru, a erys yn garreg filltir i'w phlant tra bo Môn a môr o'i deutu. (t. 197)

Ysgrifennodd Gwyneth Vaughan ei nofel *Plant y Gorthrwm*

> gyda'r amcan o roddi i blant Cymru ryw ddrychfeddwl am ddyddiau a fu... Pur anaml y clywir yr un gair heddiw am frwydyr fawr 1868, ac ychydig o'n pobl ieuainc ŵyr ddim amdani; eto, y frwydr honno ymladdwyd mor ddewr dros egwyddorion rhyddid benderfynodd dynged Cymru [S]ydd, a gresyn i aberth a dioddefaint ei merthyron gael eu hanghofio yn y mwynhad helaeth o'r breintiau presennol.[14]

14 Dyfynnir yn rhagymadrodd Evan Jones i *Plant y Gorthrwm* (Cardiff: Educational Publishing Company, 1908).

Gresyn hefyd i ninnau anghofio am Gwyneth Vaughan, ymgyrchydd a weithiodd yn ddiflino er mwyn gwireddu ei gweledigaeth o Gymru Gymraeg, Gristnogol, Ryddfrydol, gyfartal. Rhaid cofio mai ffurf lenyddol newydd oedd y 'ffugchwedl' yng Nghymru yn y bedwaredd ganrif ar bymtheg, a dylid talu teyrnged haeddiannol i Gwyneth Vaughan fel un a symudodd lenyddiaeth awduron benywaidd Cymru yn ei blaen, gan bontio ymdrechion petrusgar y rhai a ddaeth o'i blaen, a'r rhai mwy hyderus a ddaeth ar ei hôl. Wrth ailgyhoeddi *Plant y Gorthrwm*, gobeithir y bydd darllenwyr cyfoes yn gwerthfawrogi ei chryfderau, ac y bydd yr elfennau yn y stori hanesyddol hon sy'n berthnasol ac o ddiddordeb i ni heddiw yn cynyddu ein mwynhad wrth ei darllen.

Rosanne Reeves,
Dinas Powys

NODYN GOLYGYDDOL

Er mwyn darparu testun clir a hygyrch i ddarllenwyr cyfoes, moderneiddiwyd a chysonwyd orgraff ac atalnodi y nofel hon, e.e. 'adgoffa' (atgoffa), 'anghydmarol' (anghymharol), 'am dani' (amdani), 'am dano' (amdano), 'anneddle' (anheddle), 'arddanghosfa' (arddangosfa), 'bedi' (be'di; beth ydi), 'adseinio' (atseinio), 'camrau' (camre), 'cin' (cyn), 'cospedigaeth' (cosbedigaeth), 'crynnu' (crynu), 'cylymu' (clymu), 'cymydogaeth' (cymdogaeth), 'cynhwrf' (cynnwrf), 'cynysgaeth' (cynhysgaeth), 'chwareu' (chwarae), 'chwech-cheiniog' (chwe cheiniog), 'danghosid' (dangosid), 'dechreu' (dechrau), 'deyd' (deud), 'dipin' (dipyn), 'dyddordeb' (diddordeb), 'dyledswydd' (dyletswydd), 'ebai' (ebe), 'eisieu' (eisiau), 'ereill' (eraill), 'eu gilydd' (ei gilydd), 'boddlon' (bodlon), 'ffrynd' (ffrind), 'gewynog' (gewynnog), 'gloew' (gloyw), 'gwaeddi' (gweiddi), 'g'weld' (gweld), 'gwr' (gŵr), 'hebgor' (hepgor), 'heddyw' (heddiw), 'hyawdledd' (huawdledd), 'hylldod' (hylltod), 'ieuenctyd' (ieuenctid), 'llŷn' (llyn), 'llythyrennau' (llythrennau), 'melldithion' (melltithion), 'myn'd' (mynd), 'o honynt' (ohonynt), 'physig' (ffisig), 'serenog' (serennog), 'streuon' (straeon), 'tarawodd' (trawodd), 'tebig' (tebyg), 'teneu' (tenau), 'testyn' (testun), 'weldi' (wel'di), 'yng nghylch' (ynghylch), 'ymddanghosai' (ymddangosai), 'ym mhen' (ymhen), 'ymhob' (ym mhob). Cywirwyd gwallau argraffu amlwg yn dawel lle barnwyd bod hynny'n briodol. Nodir geiriau ac ymadroddion Saesneg mewn print italig. Fodd bynnag, ni foderneiddiwyd y testun ar draul amrywiadau hanesyddol, llenyddol a thafodieithol sy'n ymddangos yn *Geiriadur Prifysgol Cymru*, e.e. 'athraw' (athro), 'bachgian' (bachgen), 'bywioliaeth' (bywoliaeth), 'camdda' (camfa), 'ciniaw' (cinio), 'cimin' (cymaint), 'clws' (tlws), 'cwnffon' (cynffon), 'dwylaw' (dwylo), 'feallai' (efallai), 'gin' (gen), 'godrau' (godre), 'henafol' (hynafol), 'pyngau' (pynnau), 'yn'do' (onid do). Defnyddir 'gwlaw' a 'glaw' fel ei gilydd gan Gwyneth Vaughan ac, felly, cysonwyd hyn yn y golygiad hwn i 'glaw' yn unig. Cedwir hefyd ffurfiau tafodieithol unigryw, e.e. 'bynheddig' (bonheddig), 'crymywta' (c(r)ymowta), 'gofol' (gofal), 'gweinidogion' (gweision; gweision fferm), 'meulyd' (ymaflyd), 'nos dda' (nos da), 'rhogorol' (rhagorol). Ceir copi electronig o destun cyhoeddedig gwreiddiol *Plant y Gorthrwm* (1908) drwy chwilio gwefan 'Llyfrau o'r Gorffennol / Books from the Past': http://www.llyfrau.org.

Plant y Gorthrwm
(1908)

Prolog

Yr oedd hi yn nos, ond nid yn dywyll, canys gwelid sêr yn dryfrith yn y ffurfafen, a gorchuddid y ddaear gan lwydrew tenau, ysgafn, megis ôd unnos. Addurnid y coed mewn gwisgoedd ariannaidd gan yr un llwydrew oer, ond prydferthach na breuddwydion beirdd. Dan gysgod y coed derw hynafol, o gylch plas bychan yng nghesail un o fryniau'r grug, cerddai dyn ieuanc yn ôl ac ymlaen yn araf a synfyfyriol, heb deimlo oddi wrth oerfel yr hin, na phrydferthwch rhamantus yr olygfa, nac un dylanwad allanol arall. Ambell waith gollyngai ochenaid dromlwythog o'i fynwes, bryd arall sisialai wrtho ei hun, yna codai ei olygon i fyny tua'r hen greigiau tragwyddol lle treuliodd oriau lawer o'i ieuenctid dedwydd, yn gwylied y gwylain gwynion yn ehedeg tua'r mynyddoedd o flaen y glaw, yn saethu petris a'r hwyaid gwylltion, neu yn pysgota brithylliaid yn eu nentydd. Clywai sibrwd y gwynt yn y dail gwywedig wrth ei draed, a rhuad y môr oddi draw. 'A fu, neu a oes, un man ar y ddaear yn debyg, tybed?' ebe, 'a rhaid eu gadael bob yr un. Mae olwynion ei gerbydau yn dynesu bob moment, ac yfory bydd yn rhaid i mi roddi y cyfan i'w ofal ef, a chychwyn i ffwrdd. Biti, biti na chawn i dreio cerdded yn ôl troed fy nhad. A beth ddaw o'r bobl yma? Mae llawer ohonynt yn dechrau taflu eu hen syniadau i ffwrdd, a Thori rhonc yw yntau. Beth fydd y diwedd?' a griddfannai y bachgen fel un ar ddarfod amdano.

Mor denau yw clust cariad! Ni chlywid sŵn troed, eto wele'r dyn ieuanc yn rhoddi llam tua'r gamdda ym mhen pellaf y llwybr, a'r foment nesaf nid oedd efe yn unig. Sibrydwyd dau enw ar yr awel, yna bu distawrwydd gorofid cydrhyngddynt am ysbaid o amser. Ni fedd ing enaid iaith i'w draethu na geiriau i'w ddisgrifio.

Ymhen ennyd safodd y ddau gerllaw tri o feini gwynion o

dan gysgod un o'r derw, y rhai yn nyddiau dedwydd plentyndod a alwent hwy y Trioedd. Ar y goeden hon, heb fod nepell oddi wrth ei bôn, cerfiasid llun calon, ac enwau y meini gwynion, yr enwau roddwyd iddynt gan y ddeuddyn ieuanc a fwynhaent fyd mor wyn â'r meini, wedi eu cerfio hefyd yng nghylch y galon.

'Meini ein cyfamod,' ebe'r llanc yn ddistaw.

'Gobaith, Amynedd, Cariad,' atebai'r eneth.

'Pa law anweledig fu yn arwain yr eiddom ni i gerfio yr enwau fel yna, pan oedd ein bywyd mor ddigwmwl.'

'Cymylau a thywyllwch sydd o gylch yr orseddfainc, ond dywed Boba y bydd goleuni yn yr hwyr.'

'Nid yn yr hwyr y mae arnaf fi eisiau goleuni, ond yn awr pan wyf yn ieuanc i'w fwynhau. Beth a wna hen ŵr penfoel neu â gwallt gwyn â goleuni? Yn awr, a minnau yn ieuanc.'

Ysgydwodd yr eneth ei phen, a sibrydodd megis wrthi ei hun, 'Amynedd, os am i'r meini bara yn wynion, rhaid i ninnau hefyd beidio gollwng eu henwau dros gof. Amynedd! Gobaith! Cariad! Mae yn hawdd caru, nid yw mor hawdd gobeithio bob amser, ond mor anhawdd yw bod yn amyneddgar, ac eto bydd Boba yn dweud mai amynedd yw coron bywyd.' Ac edrychodd y fanon tua'r nef serennog a'i hwyneb yn goleuo fel y wawrddydd ar ben y mynyddoedd.

Sibrydodd unwaith yn rhagor 'amynedd, gobaith, cariad'. Estynodd ei llaw i'r dyn ieuanc, a diflannodd mor sydyn ag y daeth ato. Safodd yntau yn bennoeth, ei wallt yn wlyb gan ddefnynnau y nos, yn gwylied ei chamre dros y bryn gerllaw. Yna, wedi colli golwg arni, aeth i mewn i'r plas, ac i'r ystafell a alwai ei dad y llyfrgell. Ond ystafell wag oedd hi y noson honno, gwag fel ei fywyd ef. Yfory byddai yn eiddo arall, a'r arall hwnnw yn un nad ystyriai ef yn gymwys i'r oruchwyliaeth.

Pennod I
Gefail y gof

'Dal di sylw Ned, mi fydd yma fwy o altrad na 'ddyliodd 'run ohonon ni. Does 'na fawr ohono fo, ond mae o yna i gyd, hynny sy, wel'di. D'ellai aros y dynion bach yma, mi neith dyn rwbeth o bob anifal, wyddost, os bydd o dipyn o faint, ma'n well gin i o'r hanner bedoli hanner dwsin o gyffyla gwedd nag un ferlan mynydd, a dydi o ddim byd gin i weld ci mawr wrth y sodla i, ond mi fydda i'n wardio rhag cŵn bach bob amsar; a fedar dyn mawr ddim bod hanner gin fryntad, coelia di fi. Tafl lwyad o lo ar y tân yna, Wil. Cymar yn ara, fachgian. Paid â chwythu fel tasa ti am gyflog, ne mi eith y tân allan,' a gafaelodd y gof yn y fegin, a dechreuodd chwythu yn bwyllog 'wrth y *notes*' yn ôl disgrifiad Wil, gwas y Llechwedd.

Hoff gyrchfan y meibion ar ôl cadw noswyl yn ardal Bro Cynan oedd gefail y gof. Llawer awr ddifyr ac eithaf adeiladol hefyd, chwarae teg iddynt, a dreuliwyd yn yr hen efail gyda'r nos. Ambell waith am wythnos gyfan neu well byddai dadl ddiwinyddol 'ar y bwrdd,' a mawr yr helynt fu yno lawer tro cyd-rhwng Calfiniaid hyddysg yn eu cyffes ffydd, ac Arminiaid selog dros eu daliadau hwythau. A hwyrach y taflai rhyw Fedyddiwr penboeth y cwch i'r dŵr, rhyw ddyrnaid ohonynt hwy a feddem yn yr ardal, ond gwnaent i fyny ddiffyg rhif yn eu gor-sêl i berswadio pawb mai hwy oedd yn iawn, ac nid oedd obaith i undyn weled nef os na throchid ef dros ei ben a'i glustiau yn rhyw lyn neu afon yn y byd yma yn gyntaf. Pur anaml y troai un Eglwyswr i fewn i'r efail. Ychydig iawn ohonynt hwythau hefyd oedd yn y gymdogaeth. Ymneilltuwyr oedd y rhan fwyaf o'r ffermwyr, a'u holl weinidogion, ac eithrio gwas y person. Bryd arall, pynciau gwleidyddol gaent fwyaf o sylw. Derbyniai Huw Huws y gof bapur newydd wythnosol, a rhoddai hynny arbenigrwydd neilltuol iddo. Fel rheol, ceid gwell hwyl gyda materion y wlad os byddai Ned Williams y Saer yn absennol. Ofnid siarad yn nghlyw Ned ynghylch cwestiynau pwysig megis pa un ai Disraeli ynte Gladstone oedd y dyn gorau, neu yr anhegwch i Ymneilltuwr dalu'r degwm, a gorthrwm y meistr tir estronol. Sibrydid yn ddistaw mai ei chwedlau am bawb a phopeth, ac nid ei ddeheurwydd fel adeiladydd, roddodd i Ned y swydd o arolygydd gwaith coed etifeddiaeth Plas Dolau; ac yng ngeiriau Wil y Llechwedd, 'chymra 'run ohonon ni mo'n llw na fasa'r hen Ned yn gwrando'r cwbwl, ac wedi rhoi llathen ne ddwy hefyd at y stori, cyn mynd i lawr i Blas Dola i dywallt 'i sach.' Fel rheol, gwrandaw yn ddistaw byddai Ned, ond wedi i Huw'r gof draethu ei lith, y noson yr ysgrifennaf amdani, cododd Ned ei ben yn sydyn, a dywedodd,

'Wir, Huw, wn i ddim pam rwyt ti a dy gyrn o dan Mistar o hyd. Mae o'n eitha gŵr bynheddig o'n cwmpas ni, a ma' Mistras yn ledi siort neisia, dynes dda ofnadwy ydi hi, mi fydd yn darllan ei chomon prauar o hyd.'

'O, mi fyddi ditha'n siŵr o fod y tu cleta i'r clawdd, Ned, sut drefn bynnag fydd ar bobol erill. Tasa'r hen Nic yn dŵad yma'n stiward, mi a't ti o'i gwmpas o'n eitha, a tasa rhywun yn mesur ych cynffonna' chi'ch dau, hwyrach ma' dy gwnffon di fasa'r hwya', synnwn i ddim,' a gafaelodd y gof mewn darn gwynias o haearn o ganol y tân gyda'i efail, a gosododd ef ar yr engan. Yna dechreuodd ei guro â'r morthwyl oedd yn ei law dde, nes y neidiai y gwreichion eirias fel cawod genllysg o'i gwmpas. Wedi i'r oruchwyliaeth honno fynd drosodd, a'r haearn unwaith yn rhagor yn y tân, safodd y gof yn syth, ei ddwylaw yn gorffwys ar bennau ei gluniau, a chan fod ei lewys wedi eu torchi at y penelinoedd, gwelid ei freichiau cryfion, gewynnog, nad oedd eu tebyg yn yr holl wlad.

'Wel, dyna i ti, Ned, well gin i i chdi fod yn y bicil na fi. Fynnwn i er 'y mywyd fod yn dy sgidia di. Diaist i, fachgian, rhwng gwraig y Plas yn Llanrag, a dy wraig ditha'n Fatus, grogi neb ŵyr, wn i ddim be nei di.' A chwarddodd Huw yn galonnog. Yna chwanegodd, 'Ydi o'n wir bod yna gipars newydd yn dŵad i edrach ar ôl y giâm?'

'Ydi 'dwy'n meddwl. Mi glywais i Pitar yn rhegi yn ofnadwy ddoe, am bod Mistar wedi deud nad oedd o ddim yn ddigon 'i hun. Mae Pitar wedi bod yn rhyw esgus o gipar er pan oedd o'n fachgian bach, a mae o'n gimin o ddyn, mae Pitar yn meddwl ma' fo pia bob coedan sy ar y stât, a phob deryn, a wiwar, a sgyfarnog sy yn y coed hefyd am wn i. Ond dydi Pitar da i ddim yn gipar, mae o'n ormod o ffrindia hefo'r ffarmwrs i gyd.'

'Ho, neith hi mo'r tro i'r cipars newydd fod yn ffrindia hefo'r hen dynantiaid, neith hi! Wel, ma'r hen fyd yma yn newid, does dim os amdani hi. Debyg cin i bydd rhaid i ni edrach ar ych pryfad chi'n byta bwyd yn hanifeiliaid ni oddar y tipyn tir sy gynnon ni, a byddwch chi'n disgwyl y rhent bob swllt. Wel Ned, cymwch chi ofol i lawr acw, cymwch dipyn yn ara fel tasa rŵan, ma' Mistar ar Mistar Mostyn, medda'r hen air, a ma' mwy nag un Haman fab Hamedatha yr Agagiad wedi bod yn y byd yma cyn hyn. Ned bach, a waeth gin i 'ta ti yn mynd ar dy union at dy fistar i ddeud wrtho fo y bydda'n burion iddo fynta gofio hynny, dyna i ti. Ma'r hen wlad yma wedi bod yn gorfadd ar lawr ar wastad 'i chefn es peth ofnadwy o amsar, ond mae hi wedi rhoi tro ar 'i hochor a chodi ar 'i phenelin i sbio o'i chwmpas, a fydd hi ddim yn hir iawn eto na neidith hi ar 'i thraed, a mi fydd yma lanast y dwrnod hwnnw. Fydd Mrs Harris acw yn darllan tipyn o Feibil weithia, Ned, 'blaw y comon prauar?'

'Mi gwelas i hi'n mynd i'r Llan ddoe,' ebe Wil y Llechwedd. Efe oedd yr unig un o'r saith oedd yn bresennol na syfrdanwyd gan huawdledd Huw Huws, 'ac mi roedd hi mewn byd gynddeiriog yn codi 'i gown sidan o'r baw, ac fel 'dwy byw roedd gini hi bais wen amdani. Welais i 'run ddynas arall yn f'oes yn gwisgo pais wen yn nhrymdar y gaea' fel yma.'

'Welist ti fawr, Wil, a chditha wedi bod yn yr hen le yma ar hyd d'oes,' ebe Ned yn goeglyd.

'Dyma'r lle gora welast ti rioed, Ned. Beth bynnag, mi roeddat ti cyn llymad â llygodan eglwys pan ddoist ti yma, mi prynsa rhywun di'n nobl am rôt,' ebe hen arddwr Syr Tudur Llwyd. 'Dyma'r lle clysa yng Nghymru, Ned, mi ddeudodd dynion mwy na fi hynny cyn rŵan.'

'Y cyw fegir yn uffern yn uffern y myn o fod,' ebe Ned Williams. Nid brodor oedd efe.

'Tendiwch chi beidio gneud lle sy fel gardd yr Arglwydd yn uffern, Ned; rydan ni ym Mro Cynan yma wedi byw yn gysurus eitha hefo'n gilydd, a does dim yn rhwystro i ni neud hynny yto chwaith, ond i ni gael llonydd gan ryw giwad tebyg i ti ac arall. Ond mae yma stwff na ddaru 'run ohonoch chi, *lads*, feddwl os daw hi'n meulyd codwm yma ryw ddiwrnod. Rŵan, Ned, ma' gin ti lond dy gwd heno, os na fuo gin ti rioed o'r blaen,' ac edrychodd y gof ar Ned Williams a'i lygaid yn melltennu.

''Dwn i ddim be rydach chi'n lluchio *wipes* ata i heno, ma' rhyw dempar od arnoch chi i gyd,' ac ymaith â Ned Williams tuag adref. 'Ma' nhw'n dechra gneud sgriws i lawr yna fechgyn, ond ma'r hen fro yn fatsh iddyn nhw, gna'n nhw beth y fynon nhw', ebe'r gof.

Pennod II
Llangynan

Ymysg holl blwyfi Cymru nid oedd un a gynysgaeddwyd yn helaethach gan natur na Llangynan. Credai ei drigolion na fu ei debyg. Meddai filltiroedd lawer o fynydd-dir yn borfa i'r defaid, mynydd-dir a blewyn glas blasus ddigonedd arno, nid creigiau ysgythrog noethlwm. A phwy na chlywodd am ei forfa? Y gwastatir eang bras y mwynhâi y gwartheg a'r eidionau fyd da helaethwych beunydd yn ei weirgloddiau; gweirgloddiau a ymestynent hyd at draeth tywodlyd bae Ceredigion? Ymfalchïai y bobl yn eu coedwigoedd hefyd; ni fu plwyf erioed yn gyfoethocach mewn coed na Llangynan. Ceid yno y dderwen hynafol lydan, y lwyfanen dalfrig, y gastanwydden a'i blodau purwyn, yr helygen wylofus, a'r ywen brudd alarus, ynghyd â'r gelynen wyrddlas a'i cheris cochion, y ffawydd, a'r ynn, yr oeddynt oll yno, gyflawnder o bob math ohonynt. Ac ymddangosai daear Llangynan mor ffrwythlon fel y gellid dweud fod y blodau a'r dail yno ymron tagu ei gilydd wrth fynnu tyfu ym mhob man. Yn ochrau y cloddiau a'r gwrychoedd, ar fin y nentydd, yng nghilfachau yr afonydd, nid oedd un gornel neilltuedig na welid yno flodau o ryw fath yn eu hamser eu hunain.

Feallai fod dylanwad natur ar ei phlant yn fwy nag y bu i ni ddychmygu eto, modd bynnag ffynnai yr un diwydrwydd ymysg yr holl blwyfolion ag a welid yn ffrwythlondeb y ddaear o'u cwmpas. Pobl neilltuol o weithgar a diwyd oedd bron yr holl bobl. Ychydig iawn o gydymdeimlad fuasai diogyn neu ddiogen yn debyg o gael yno. Credai yr ardalwyr yn ddiysgog yn y darn hwnnw o'r ysgrythur, 'Y neb na fyn weithio, na chaed fwyta chwaith.' Ond y ffaith hynotaf oll ym mhlwyf Llangynan oedd nad ymddangosai fod yn bosibl i un peth fodoli yno o gwbl, rhaid fod dau cyn i fesur o lwyddiant gydredeg â'r antur, boed ef y peth y bo.

Dyfrheid y plwyf gan ddwy afon fawr a ddechreuent eu gyrfa o ddau lyn yn y mynyddoedd. Perchenogid y plwyf gan ddau feistr tir, ac yr oedd hyd yn oed y pentref wedi ei rannu yn ddau gan un o'r afonydd. Yn y pentref ceid dwy siop, dwy efail heb fod nepell oddi wrth y pentref, un y naill ochr, a'r ail yr ochr arall, a dau weithdy crydd, dwy ffatri wlân, dau bandy, dau weithdy saer, dau dŷ gwehydd, dwy felin flawd, pob un o'r ddwy â'i hafon ei hun at wasanaeth ei pheiriannau. A chan fod y plwyf mor eang yr oedd dwy eglwys ynddo, un ym mhob pen, a dau ddyn meddw ar gyfer dwy dafarn. Ceisiodd meddyg unwaith dorri ar y rheol ac ymsefydlodd am ysbaid yn y pentref, ond gorfu iddo yn iaith y bobl 'gymeryd ei draed' yn fuan iawn. Mynnai rhai fod yr ardal mor iach ag oedd o hardd, ac nad oedd siawns i un meddyg werthu hanner dwsin o boteli ffisig ynddi mewn blwyddyn; ond y farn gyffredin oedd y buasai'r meddyg yn debycach o lwyddo pe gwelsid meddyg arall yn ymsefydlu yr ochr gyferbyniol i'r pentref.

Hynodrwydd y cyplau yma o fasnachwyr a gweithwyr oedd na pherthynai yr un ohonynt i'r un capel â'i gilydd. Ceid fod un gof yn Fethodist selog, un arall yn Weslead penderfynol; un melinydd yn Fethodist ac un arall yn Fedyddiwr. Yr unig gwpl gyda'r un daliadau crefyddol oedd y meistri tir, ond nid elai y rhai hynny i'r un fan i addoli. Gwelid cerbyd bychan Syr Tudur Llwyd bob bore Sul yn dringo tua hen eglwys Llangynan, hanner ffordd i ben y bryniau, a'r un mor sicr byddai teulu Plas Dolau yn cyrchu tua Llanfair ym mhen arall y plwyf, yn ymyl y môr. Gwir na fyddai boneddigion Plas Dolau ond pur ychydig yn yr ardal, rhyw ddeufis yn yr haf, ac ymaith â hwy i fwynhau eu hunain, a rhenti eu tenantiaid yn eu pocedi, ond yn eu habsenoldeb y goruchwyliwr fyddai y gŵr bonheddig na feiddiai neb ei basio heb dynnu ei het iddo.

Ar hyd tymor goruchwyliaeth Mr Wyn bodolai y berthynas fwyaf hapus cyd-rhwng y goruchwyliwr a'r holl bobl, ond ychydig amser cyn yr adeg y dechreuodd yr helyntion yr ysgrifennaf amdanynt, bu ef farw yn dra sydyn, a chafodd y plwyf a phawb a drigai ynddo ar etifeddiaeth Plas Dolau golled drom. Ynghanol arwyddion o alar digymysg a pharch dyfnaf yr ardal, rhoddwyd ei weddillion i orwedd yn hen fynwent Llanfair. Gwnaed mwy nag un ymgais i gael ei unig fab fel ei olynydd, ond mynnai y tirfeddiannydd ei fod yn rhy ieuanc a dibrofiad, ac er mawr siom i'r ffermwyr yn ddiwahaniaeth, daeth dyn dieithr i'w mysg, dyn gelynol i Ymneilltuaeth, gelynol i ryddid mewn unrhyw ffurf na fyddai gydweddol â'i syniad ef am hawliau ei gyd-ddyn. Ni chyfeiliornai Ned Williams y saer pan ddywedodd fod Mrs Harris yn ddynes dda cyn belled ag y deallai hi beth oedd ystyr y gair daioni: arferai gryn lawer o ddefosiwn grefyddol, ac ni fyddai mor gul a rhagfarnllyd ei meddwl â llawer ynghylch pobl a wahaniaethent oddi wrthi hi yn eu golygiadau crefyddol. Ni ddaeth erioed i'w phen y gallai y fath beth fod â gwahaniaeth mewn golygiadau gwleidyddol cyd-rhwng meistr tir a'i denant. A Mr Harris a hithau safent yn gynrychiolaeth dros y meistr yn ei absenoldeb.

Nid heb achos y llefarodd Huw Huws y gof eiriau mor blaen wrth Ned Williams. Deallodd y bobl yn bur fuan y byddai chwyldroad lled drwyadl oddi wrth yr hen drefn yn Mhlas Dolau. Gallai Huw Huws fod yn annibynnol, ar dir Syr Tudur Llwyd yr oedd ei efail ef, ac ni phoenai yr hen fonheddwr ond pur ychydig ynghylch sefyllfa gwlad nac eglwys. Treuliai lawer iawn o'i amser ymysg ei bobl. Arferai ddweud na feddai ddigon o gyfoeth i gadw goruchwyliwr, ond y farn gyffredin oedd fod Syr Tudur yn hoffi gofalu am yr eiddo, ac nas gallai ymddiried cysur ei denantiaid i undyn. Efe oedd y pennaeth, ac yn ôl ei syniad hen ffasiwn ef ystyriai Syr

Tudur y gofynnid cyfrif ganddo ryw ddydd os na chelai y rhai a ddibynent arno berffaith chwarae teg. Ychydig o'r un stamp â'r hen fonheddwr cywir a geir yn y wlad ers llawer blwyddyn bellach. Siaradai iaith ei wlad hefyd, os nad yn rhwydd eto yn ddigon dealladwy; a'i hoff gwmni pan yn myned yn ôl a blaen ar geffyl neu ar draed o gwmpas y ffermydd a'r pentrefi fyddai geneth ieuanc un o'r amaethwyr a ystyrid yn lled gefnog yn y gymdogaeth. 'Fi gweld tipyn go lew, a hi gweld petha fi dim gweld, ac felly hi a fi gweld y cwbl,' ebe'r hen fonheddwr yn llon.

Yr hyn a synnai y bobl oedd mai merch i un o denantiaid Plas Dolau oedd 'ffefret' Syr Tudur fel ei galwent hi. Ond mor dawel fu Llangynan hyd hynny, fel nad oedd yno le i eiddigedd na chas na chwerylon, eithr trigfan ddigwmwl i bawb gweithgar a gonest.

Pennod III
Yr Hafod Olau

Ychydig gyda milltir o bentref Llangynan ar un o lechweddau prydferthaf y plwyf, yng nghysgod y mynyddoedd, y safai hen amaethdy mawr a elwid Hafod Olau, ac ni fu un anheddle erioed yn fwy cydweddol â'i enw: Hafod Olau oedd mewn gwirionedd. O godiad haul hyd ei fachludiad mwynhâi yr Hafod ei wres a'i belydrau. Wynebai y tŷ tua'r gorllewin, a throai ei gefn at y dwyrain, ac er gwaethaf yr helaethrwydd o goed ffrwythau yn y berllan yr ochr ddeheuol i'r Hafod, a'r derw a'r ffawydd cydrhyngddo a gwynt y gogledd, mynnai yr haul dywynnu ar ryw ran ohono trwy gydol y dydd.

Ni orchmynnai y feistres chwaith i neb 'dynnu'r *blinds* i lawr' dros y ffenestri, rhag i'r haul beri i'w charpedau, a'i chyrtens, golli eu lliwiau. Diben ffenestr i wraig yr Hafod oedd rhoddi goleuni i drigolion y tŷ, ac nid i fod yn fath o arddangosfa i'r bobl o'r tu allan, a'r unig gyrtens feddai hi oedd y llian main cannaid ddisgynnai yn blygion o ddau tu y ffenestri ar y mur trwy y dydd ac a dynnid yn orchudd drostynt pan daenai y nos hefyd ei mantell hithau dros wyneb y ddaear. Am garpedau, ychydig iawn o ddim ellid ei alw yn garped a welid yn Hafod Olau. Ceid ambell i groen blewog hardd yma a thraw ar y lloriau o dderw du oeddynt mor ddisglair â'r gwydr gloyw o dan ein traed; a matiau o hesg plethedig gylch y drysau a thua'r mynedfeydd o'r rhan orau i'r tŷ hyd at ystafelloedd y gweinidogion.

Eto, er ei fod mor annhebyg i'r tai diweddar a ddodrefnir yn wych gan bobl yr oes hon os yn feddiannol ar ychydig o dda bydol, hen gartref braf oedd Hafod Olau, canys teyrnasai dedwyddwch yno yn helaeth, ac nid oedd le i ddim ond tangnefedd o dan y gronglwyd. Gofalai Robert Gruffydd am les tymorol ac ysbrydol ei holl deulu hyd y gallai ef, ac nid oedd ei wraig yn llai ei hawydd am drefnu ffordd tylwyth ei thŷ. Fel dyn duwiol iawn yr arferai yr ardalwyr sôn am Robert Gruffydd yr Hafod bob amser, ac ni fyddai llaw Gwen Gruffydd un amser yn gaeedig i neb pwy bynnag a ddioddefai eisiau.

Gwnaeth teulu yr Hafod Olau ar hyd y blynyddoedd lawer o'r gwaith y dylasai perchennog y Plas Dolau fod yn ei gyflawni yn rhandir ei etifeddiaeth, felly nid oedd yn gymaint o syndod feallai fod Syr Tudur Llwyd a Rhiannon Gruffydd, merch hynaf yr Hafod, yn myned o gylch y plwyf i chwilio am le i fod yn gyfiawn tuag at y bobl beth bynnag am drugarog. Addysgwyd Rhiannon yn llawer gwell nag un o ferched Cymru yn eu sefyllfa hi yr adeg honno. Addysg, ym marn Robert Gruffydd, oedd yr unig gynhysgaeth nas gellid dweud amdani fod iddi adenydd i ehedeg ymaith, a chan fod Rhiannon hithau yn hoff o'i llyfrau, ni fu un anhawster i'w thad ei chael o'r un feddwl ag ef. Yn wir, digon prin y mae'r gair 'hoff' yn ddigon cryf i gyfleu i neb syniad priodol am y serch angerddol a goleddai Rhiannon at ei llyfrau. Pan yn beth fechan cludai ei hychydig drysorau gyda hi i bob man, gwasgai hwy i'w mynwes, a sibrydai eiriau wrthynt, tynnai ei llaw yn ysgafn ar hyd eu cloriau fel y gwna ambell blentyn pan yn anwesu ci neu gath fach.

Ymhen blynyddoedd wedi hynny, clywyd Rhiannon yn dweud fod ei llyfrau yn ddarn ohoni ei hun, nis gallai oddef gweled neb yn eu hamharchu na'u trin yn esgeulus. Yn y gaeaf gwelid hi mewn cornel o'r hen simdde fawr yn eistedd ar stôl drithroed fechan, a channwyll frwyn yn ei llaw yn darllen hen draddodiadau am y tylwyth teg, Arthur a'i dywysogion a'r Ford Gron, a llu o bethau cyffelyb, a llawer awr a dreuliwyd gyda'r nos yn yr Hafod yn gwrando ar Rhiannon yn darllen tra y byddai pawb arall yn brysur naill ai yn nyddu neu yn gweu, ynte dirwyn edafedd yn bellenni. Weithiau, nid darllen wnâi yr eneth, ond adrodd yr hanesion rhyfeddaf, a'r rhamantau tlysaf iddynt, ac ni ddeallai neb byw ond ei mam mai hi ei hun a ddychmygai y cyfan. 'Breuddwydion Rhiannon' y galwai ei mam hwy, a breuddwydio yn fynych a wnâi hi ganol dydd golau yn gystal ag yn y gwyllnos, ei llygaid bywiog yn edrych i'r pellteroedd draw, ac yn gweled gweledigaethau nas gwyddai y rhai o'i chwmpas ddim amdanynt. Nid oedd un tebygrwydd cyd-rhwng Rhiannon a'i chwaer mewn pryd a gwedd, na chwaith yn eu nodweddion. Geneth dlos oedd Olwen fechan, ei gwallt yn felynach na blodau'r banadl, ei dwyrudd â gwrid ysgafn megis lliw tyner rhosyn yr haf yn gorffwys arnynt; ei gwefusau yn gochach na'r cwrel, a'i chroen yn wyn fel yr alabaster cannaid. Am y llygaid mawrion tywyll, a'u llond o deimlad, a'r llais canu a delorai trwy yr hen Hafod Olau o fore gwyn hyd nos, amhosibl i ysgrifbin eu disgrifio hwy.

'Pe basa'r ddwy eneth yma heb weled 'i gilydd rioed, heb sôn am fod yn ddwy chwaer, fasa nhw ddim mwy annhebyg i'w gilydd, Rhobat Gruffydd,' ebe hen wraig a drigai yn un o'r bythynnod ar fferm yr amaethwr wrtho ryw ddydd. 'Ma' Olwen fach mor glws, wir, wn i ddim sut un ydi Rhiannon o ran golwg, felly, Rhobat Gruffydd. Mae mor dda gin i hi, ond debyg cin i na ddeuda neb bod hi'n glws fel Olwen.'

'Mae Olwen yn bert, Rhobat Gruffydd,' ebe Syr Tudur Llwyd, 'pan fi gweld hi fi cofio am hen Fabinogi Cymru, ac am Olwen arall lle bynnag hi rhoi troed y meillion gwyn yn tyfu, a fi meddwl blode yn pob man tan traed Olwen fach ni hefyd, ond fi cael pwlie o ofn wir i hi mynd i'r nefoedd tan trwyne ni i gyd. Hi fel angel, os angel clysach na rhyw creadur arall. Fi dim siŵr fi rioed gweld 'run f'hunan. Ple ma' Rhiannon? Fi eisio hi dŵad hefo mi i gweld Cadi William i Tyn'ffrwd. Fi dim siŵr os hen ferch eisio glo ne fawn, ne ddillad at y gaea', a dim curo ar Rhiannon gweld be pawb eisio.' Dyna fyddai'r hanes ym mhob man gan bawb: canmol

Olwen fechan brydferth, ei choledd yn dyner rhag i wyntoedd oerion byd chwythu arni, gofalu am ei lapio yn amser eira, a rhwystro i wres yr haf ei gorflino, tra y rhedai Rhiannon ar hyd y bryniau yn bennoeth, ei chroen yn rhy dywyll i wres yr haul ei amharu, ei gwallt glasddu yn chwifio yn yr awel megis cynifer o bibellau i awyr iach y mynyddoedd redeg drwyddynt i'w chorff nwyfus, a'i llygaid – y llygaid na feddyliodd neb erioed pa liw oeddynt – yn mwynhau prydferthwch Anian ym mhob gwedd arni.

Nid oedd undyn i'w feio, blodeuyn tlws a thyner oedd Olwen; carai Rhiannon hi fel ei henaid ei hun. Dywedai straeon wrth y llath, ac Olwen fyddai gwrones yr oll. Ysgrifennai a chanai benillion, fil a mwy yn sŵn y gwynt, ond mawl i Olwen fyddent bob yr un. Breuddwydiai am ddyfodol yn fyd gwyn i gyd, a phwy bynnag y mynnai ei hysbryd ieuanc i Ragluniaeth dda ofalu amdanynt, nis anghofiai am y lle gorau i Olwen. Mynych y dywedodd Gwen Gruffydd fod Rhiannon yn gofalu am bawb ond hi ei hun, 'a dwi ddim yn siŵr ydi gormod o hunanymwadiad yn peidio bod yn ddrwg ar les dyn yn y byd yma; mae'r hen fyd yn dueddol iawn, mhlant i, o roi yr un driniaeth i ni a rown ni i ni'n hunain.'

Chwarddodd ei gŵr, 'Wel, yn siŵr hefyd, Gwen, rhyw athrawiaeth 'mheuthun iawn ydi honna. Chlywes i rioed monoch chi yn edrych ar hunanaberth yn y golau yna o'r blaen, a hwyrach pe cawsai Rhiannon fam hunanol yn siampal iddi, ond be 'na i'n siarad, Gwen fach, mae Rhiannon a'i mam yn bur debyg i'w gilydd, ac fel ma' nhw mae gorau gen i'r ddwy. Am Olwen fach, rhaid gofalu amdani hi, mae Olwen yn ddigon egwan.'

A dyna'r drefn fu ar bethau, er i freuddwydion eraill hefyd gymeryd eu lle ym mhen a chalon Rhiannon yn y man. Am bob gwas a morwyn ddeuent i'r Hafod, swynid hwy gan brydferthwch Olwen i'r fath raddau nes y byddent oll dan ddylanwad ei gyfaredd. Yn yr haf plethai y gweision gangau yr helyg yn esmwythfainc i gario Olwen i'r gweirgloddiau os byddai'r hin yn boeth, a theimlent fod ei gwên, a miwsig ei llais yn diolch iddynt, yn ddigon o ad-daliad am bob trafferth.

Cyrchai y morwynion yr oll a allai Olwen fod mewn angen amdano at ei llaw cyn gofyn o neb iddynt. Rhyfedd na fuasent wedi ei difetha â gormod o garedigrwydd. Ond nid felly y bu. Mwy caruaidd y tyfai yr eneth y naill ddydd ar ôl y llall. Ni welwyd gwyneb Olwen erioed yn gwisgo gwg, ac ni chlywodd neb air anfwyn oddi ar ei gwefusau. Er mor anghymharol brydferth oedd ei chorff ieuanc, nid oedd ond adlewyrchiad gwan o'r hyn oedd yr enaid na fu yn breswylfod i un ysbryd ond ysbryd glân.

Ni feddai Robert a Gwen Gruffydd yr un mab, ond gan fod Hafod Olau yn ymyl y Plas Dolau, dim ond rhyw ddau led cae rhyngddynt, arferai genethod bach yr Hafod a bachgen ieuanc Mr Wyn chwarae llawer gyda'i gilydd yn nyddiau eu plentyndod. Weithiau byddai llu o blant y pentref gyda hwy, ac ar yr adegau hynny os byddai genethod yr Hafod mewn perygl o gael cam, bachgen y Plas fyddai yn gwneud rhan cyfathrachwr â hwy ac yn gofalu amdanynt. A bu Nisien Wyn yn lle brawd iddynt; ac nid ychydig fu'r daioni a ddeilliodd i'r bachgen oddi wrth y gymdeithas a'i harweiniodd yn ei ieuenctid iraidd o dan ddylanwad cymeriadau duwiol, unplyg fel eiddo Robert a Gwen Gruffydd. Bachgen amddifad oedd Nisien Wyn heb fam i ofalu amdano. Pan agorodd ef ei lygaid gleision tywyll ar y byd, caeodd ei fam ei hamrantau, heb allu gwneud dim dros ei hunig fachgen bach ond ei enwi fel Rahel gynt.

'Gelwch ef Nisien,' ebe hi, 'Nisien Wyn, mynnwn iddo fod yn fab tangnefedd, yn bur, a didwyll, hyd nes y caf ei gofleidio yn y wlad na bydd marwolaeth yno.' Ac er i amryw berthnasau geisio darbwyllo Mr Wyn y byddai yn amgenach i'r plentyn gael enw arall, ni chaent ganddo ef ond un atebiad, 'Nisien fydd ei enw ef.' A Nisien a fu. Nis gwyddai y bachgen am flwyddi maith paham y cafodd yr enw; ond rhyw ddiwrnod dan gysgod hen dderwen, o gwmpas yr hon y clymai yr eiddew am y gorau, daeth Rhiannon â hen lyfr chwedlau allan o'i phoced a darllenodd iddo hanes Nisien brawd Brân Fendigaid. Yfodd y bachgen yn helaeth o ysbryd yr hen ramantau ddydd ar ôl dydd, a chlywid ef a Rhiannon yn ymryson am y gorau i ddweud y storïau gyda'r nos wrth y tân mawn yng nghegin yr Hafod, ac Olwen fechan yn canu pennill yn awr ac eilwaith yn ei llais clir, melodaidd.

Ond cyn i un o'r gweision ddanfon Nisien adref y nosweithiau hyn, byddai Robert Gruffydd wedi cadw dyletswydd, a rhoddi pen ar bob stori trwy ddweud hanes Iesu Grist wrth y plant. 'Stori fwya'r byd yma 'mhlant i,' ebe fe, ac yna cenid un o benillion Pantycelyn, a rhoddai Robert Gruffydd yn ei ffordd addolgar syml ef, ei holl deulu a phawb arall yng ngofal eu 'Brawd Hynaf' dros oriau'r nos. Un o hen gartrefi duwiol Cymru oedd Hafod Olau, y rhai sydd erbyn heddiw mor brin yn ein mysg. Codi y bore a moliant i Dduw y gair cyntaf dros y wefus, a'r ymddiriedaeth yn Ei ofal tadol ar ddiwedd y dydd y gair olaf cyn myned i huno. Paratoi at y Saboth yn gynnar 'nawn Sadwrn, nid gyda chyfeddach a dawnsio fel y gwna proffeswyr crefydd y dyddiau yma, ond trwy lapio'u papurau newyddion o'r golwg, a chadw'r dröell yn y gornel, a'r hosanau yn y fasged hyd fore Llun. Pob llyfr ond y Beibl, yr Hyfforddwr, a'r *Cyffes Ffydd*, *Rhodd Mam*, a *Llyfr Hymnau*, oll yn daclus yn eu lle heb neb yn meddwl eu hagor y dydd cyntaf o'r wythnos. Dyma y fath gartref fu Hafod Olau i bawb o'i fewn, a gwyn fyd na welem eto rai tebyg iddo, yn britho ein broydd a'n bryniau. Ni fedd y Sais nac un estron arall ddim byd gwerth ei roddi yn gyfnewid i ni am y cartrefi syml, dedwydd, y magwyd ynddynt enwogion Cymru fu.

Pennod IV
Diwrnod talu rhent

Heblaw yr Hafod Olau, brithid plwyf mawr Llangynan â chryn nifer o amaethdai eraill llawn cystal eu tir â'r Hafod; os nad oeddynt yn rhoddi cymaint o ŷd a gwair, a gwahanol lysiau at gynhaliaeth dyn ac anifail, nid y tir ddylesid feio o'r herwydd, ond y dull y'i trinnid. Gwyddai pawb fod yn bosibl i Dyddyn Dafydd gnydio yn dda, ond gan y treuliai gwr y tŷ fwy o'i amser i grwydro yn ôl ac ymlaen i 'gynffonna' – yn ôl dull ei gymdogion o siarad – o gwmpas boneddigion, yn hela, ac yn ofera amser mewn gwahanol ddulliau na pherthynai i un amaethwr ymyrryd â hwy, byddai John Evans, druan, byth a hefyd yn methu cael y ddeupen i'r llinyn ynghyd. Ond dysgodd ychydig o eiriau Saesneg, y rhai fyddai'n destun chwerthin yn y fro, a phan welai y plant ef, ond odid fawr na ddechreuai y bechgyn mwyaf direidus ganu,

Yes and no, dyna fo,
Yes indeed, dyna fo'i gyd.

Ac aeth ei '*tancie*, *tancie kindly*,' yn boblogaidd iawn. Os teimlai rhywun ar ei galon ddiolch yn lled wresog am ryw gymwynas, odid fawr na chlywid ef yn dweud, '*Tancie*, *tancie kindly*, *tancie* John Evans.' Diau fod rhyw chwilen ym mhen y teulu, canys meddiennid chwaer John Evans gan yr un clefyd boneddigaidd. Dynes bwysig iawn oedd hi, fwy anhwylus i'w thrin o lawer na'i brawd. Os digwyddai i un o'i chymdogion ei galw wrth ei henw, yn ôl y dull mwyaf cyffredin o gyfarch gwragedd a merched ffermydd y dyddiau hynny, codai ei haeliau trymion i fyny, edrychai ar y creadur anffodus o'i ben i'w draed, a hysbysai ef yn ei dull mawreddog ei hun, 'Mrs Jenkins, Cefn Mawr, ydi fy enw i, a chofia ditha hynny.' Hawliai y wraig hon barch pob creadur ymhell ac yn agos, ac ni pharchai undyn ei hun os na fyddai yn dirfeddiannydd, neu yn Sais, ac yn berchen digon o arian i adeiladu plas yn yr ardal. Ar wahân i'r ddau ddosbarth yna, 'y chdi' y galwai gwraig Cefn Mawr bob creadur arall, hyd nes y cafodd wers annisgwyliadwy ryw ddydd, 'a safodd wrth ei hasennau' tra bu fyw. A haeddai hi. Gwaith anhawdd iawn lawer tro fu gwrando arni yn siarad â gwragedd parchus mwy cefnog eu hamgylchiadau nag Elin Jenkins, Cefn Mawr, fel pe buasent yn gaethforwynion iddi hi; a chan y byddai hithau mewn llawn cymaint o drafferth â'i brawd i gael ceiniog ar gyfer pob galw, nid anaml y ceid ei bod yn ddwfn yn llyfrau yr ardalwyr. Eto, cymaint oedd trwch y pres ar ei thalcen, i wneud i fyny am ei absenoldeb o'i phoced, fel na ddarfu i'r ffaith ei bod yn nyled y cymdogion syml, gonest, yr edrychai i lawr arnynt, o ben pinacl ei hurddas, effeithio yr un gronyn ar ei moesau da tuag atynt.

Digon prin y cedwid cymaint o weision yn Cefn Mawr ar gyfer y gwaith ag a ddylesid, ond cwynai y dynion fod yno brinder bwyd iddynt, er lleied eu rhif, ac ni fu un chwedl erioed mor boblogaidd â'r hanes am y pen cwningen ddaeth allan o barlwr Cefn Mawr, un dydd, yn ginio i dair o forwynion, pryd y collodd Siân ei thymer ac yr aeth yn ôl, y taflodd y pen a'r ddysgl a'r gwlych ar y llawr o flaen wyneb ei meistres, a'r merched yr arferai Mrs Jenkins eu galw yn 'ledis ifanc,' er fod eu hieuenctid wedi ffarwelio â hwy ers amser maith.

Modd bynnag, derbyniodd pob un ohonynt gyfran led helaeth o syniadau eu gweinidogion amdanynt gan Siân y diwrnod hwnnw, ac wedi iddi orffen, ymaith â hi i bacio ei bocs gan dyngu nad oedd neb yn myned i'w llwgu hi tra byddai ganddi iechyd i weithio. A gweithio yn galed iawn wnâi pawb yn Cefn Mawr, er cael rhyw lun ar ffarmio, rhag cywilydd eu gweled. Cymerai hwsmoniaid da ddiddordeb neilltuol yn y gwaith o dan eu gofal, yn yr hen amser, a theimlent yr adlewyrchai diffyg trefn gyda'r tir neu'r anifeiliaid yn anffafriol arnynt hwy; a chan nas gallai yr un dewin, heb sôn am ddyn, gael y drefn ddylasai fod yn Cefn Mawr tra'r 'twrna' – fel y galwent eu meistres yn ei chefn – yn dal yr awennau, nid yn fynych y ceid un hwsmon da yn fodlon i aros yno dros fwy nag un tymor.

Er nad oedd ar etifeddiaeth Plas Dolau ddau denant mor ddiofal ynghylch eu ffermydd â'r brawd a'r chwaer yma, eto talodd y cynffonna iddynt yn rhagorol: daethant yn fuan iawn wedi eu dyfodiad i'r Plas Dolau yn gyfeillion i Mr a Mrs Harris. Pan wedi yfed llymaid gyda digon ambell dro, clywid Ned Williams y saer yn gwawdio Twrna Cefn Mawr a John Evans, Tyddyn Dafydd, yn ddiarbed, gan ailadrodd dywediadau Mr Harris amdanynt, yng ngefail Huw Huws, 'Stwffio'u hunain ma'r ddau, does acw neb eisio gweld yr un ohonyn nhw. Ma' Mistras yn ledi iawn, nid rhyw hen hopran o beth fel Twrna Cefn Mawr. Does ryfedd yn y byd bod 'i gŵr hi wedi marw, mi godsa tafod yr hen jâd yna dyciáu ar wenci.'

'Ma' hi'n ddwrnod talu rhent acw fory, yn tydi hi, Ned?' ebe Huw Huws y go'.

'Faswn i'n meddwl 'i bod hi. Ma' Mistar wedi penderfynu bod acw ginio rhent siort noblia i fod, hefyd. Mae'r plwm pwdin, *boys*, gimin â megin Huw 'ma ond fod o'n grwn. Mi fuon yn 'i ferwi o rownd y cloc medda' nhw.'

'*Well done*, Ned, does dim curo ar gelwydd iawn pan fydd dyn o'i chwmpas hi,' ebe garddwr Syr Tudur Llwyd.

Ond yr oedd Ned ar gefn ei geffyl o dan ddylanwad Syr John Heidden, ac nid oedd ball ar ei huawdledd. 'Mae acw lond pob man o gwrw hefyd, *lads*; mi fydd Rhobat Gruffydd, Hafod Ola', yn agor 'i lygad. Arno fo roedd y bai na wela' neb ddim ond rhyw hen laeth a glasdwr yng nghinio rhent Mr Wyn.'

'Mi fasa'n fendith fawr tysa Mr Harris acw yn mynd i'r un fan â Mr Wyn am gyngor, medda' i,' ebe Huw Huws.

'Wel, dydw i 'run o bobol y glasdwr.'

'Raid i ti byth ddeud dy gredo wrth undyn, Ned William. Ma' dy lygad di yn rhy debyg i lygad pennog i neb neud camgymeriad yn dy gylch di, druan. Rhowch i mi un olwg ar lygad dyn, fydda' i fawr o dro yn deud beth ydi ddiod o.'

'Os wyt ti'n meddwl bo chdi'n broffwyd, ma'n siŵr ddyn medri di ddeud sut bydd hi yn y Senedd yna. Mi fydda'n burion gin Mistras glywad fod yr hen Babydd yna wedi 'i rwmo am fil o flynyddau.'

'Am bwy rwyt ti'n siarad, Ned?' gofynnai Huw Huws.

'Wel, am y dyn drwg yna. Be 'di enw fo? Neno'r Tad, be 'di enw fo hefyd?'

'Disraeli ma' Ned yn feddwl reit siŵr,' ebe Wil y Llechwedd, gan wincio ar Huw Huws.

'Disraeli? Na, ma' Mistras yn deud ma' Disraeli sy'n rhwystro'r dyn drwg yma i losgi, ne ladd pawb sy heb fod yn Babydd. Gladstone! Dyna ydi enw fo. Pabydd penboeth ydi o, a ma' Mistar yn mynd i ddeud wrth bob copa walltog o'r tenantiaid, fory, sut un ydi o.'

'I be, neno rheswm, deudith o hanes Pabyddion wrthon ni, Ned?' gofynnai gŵr y Frongaled oedd wedi galw yn yr efail gyda'r nos i wrando a glywai ryw newydd yno.

'Wel, i ni gyd fotio o ochr Mr – Mr – Tad annwyl be' sy ar y ngho' i heno, deudwch? Fedra i yn fy myw gofio enw hwn yto, a Mistar yn sôn amdano fo wrtha i lawer gwaith yn y dydd, Mr – be 'di enw'r gŵr bynheddig? 'Da i byth o'r fan 'ma, be 'di enw'r marchog, y fo ydwi'n feddwl?'

'Mr Tattenhall, yntê?'

'Debyg iawn, ma' gin ti go' siort ora, Wil.'

'Mi fydda gwell trefn ar dy synwyra ditha tasa ti'n dysgu cau dy geg, Ned. Fel 'dwy byw, mi roethwn i bwyth yn f'un i hefo'r nydwydd trwsio sacha, os na fasa hi'n byhafio, cyn caetha' dim ceg neud ffŵl ohona i.'

'Wel, Ned Williams,' ebe gŵr Frongaled, 'mi rydach chi'n siŵr o fod yn dallt petha i'r dim, rydan ni'n gwybod i gyd gimin o feddwl sy gin Mr Harris, y Plas, ohonoch chi. Glywsoch chi i lawr acw ryw sôn y bydd yma lecsiwn yn fuan?'

'Mi fydd y lecsiwn am yn penna ni cyn i ni feddwl, mi wn i hynny. Ma' Mistar a Mistras yn troi o gwmpas y dynion yn yr iard acw ac yn holi a stilio ych hanes chi gyd. Y chi'r fotars felly. Mi fydda yma le ofnadwy yng Nghymru tasa'r Pabydd yna'n cael 'i ffordd 'i hun. Roedd Mistras yn deud y bydda hi 'run fath ag yn amser Mari Waedlyd arnom ni.'

Chwarddodd Huw Huws y go' yn galonnog, 'Fel'na bydd merch yn deud hanes y wlad, ai e? Wel, hwyrach y gneith rhyw lyl-mi-lol fel yna'r tro tua'r Plas Dolau, ond dydi pobol Llangynan ddim yn ffyliaid i gyd, os oes yma amball un heb fod yn llawn llathan.'

'Rhaid i bawb ar y stât acw fod 'run air â Mistar, gewch chi glywad hynny fory hefyd. Mi rydw i'n gwbod fod Mistar am ddangos ma' fo ydi'r Mistar, yn lle bod yn rhyw frechdan o beth fel Mr Wyn, na feiddia fo ddangos 'i winadd i neb.'

Tarawodd Huw Huws ei forthwyl mawr ar yr engan, nes y crynai y llawr oddi tanynt.

'Ned Williams, rwyt ti yn cael d'alw "Mr Williams" medda nhw i mi, gin ambell i ffŵl, ond os wyt ti'n meddwl bod yma le o dan yr unto â mi i ddeud gair bach am Mr Wyn, tra bydd chwthiad yna i, rwyt ti wedi misio, dyna i ti. Does yn Plas Dolau 'run ohonoch chi'n ffit i ddeud 'i enw fo, heb sôn am ddatod cria 'i sgidia fo. Roedd Mr Wyn yn ddyn; 'dŵyr neb be ydach chi os na ŵyr y cythral. Mi ddyla fo nabod 'i deulu 'i hun.'

Edrychodd Ned William ar Huw Huws, a gwên wawdlyd

ar ei wyneb, ac ebe fe, 'Falla bod dy sgwrsys di yn gneud y tro i Syr Tudur, Huw, ond fasa Mistar fawr o dro yn newid dy dôn di. Mi fydd yr hen ffarmwrs yn ddigon swat fory 'dwy'n siŵr. Nos dawch i chi gyd; ma' rhaid i mi bicio i lawr i edrach fedra i roi help llaw hefo'r jobs.' Ac ymaith â'r saer yn ddiymdroi.

'Dyn a helpo Ned,' ebe Huw Huws gan droi at y cwmni.

'Picio i lawr i chwilio am lasiad arall fasa'r gwir, ma' arna i ofn. Na, dydw i ddim yn broffwyd nac yn fab i un chwaith, raid i neb gael dau lygad i weld fod Ned ar y goriwared er ma' mynd i fyny mae o hyd yn hyn. Mi deimlith Rhobat Gruffydd i'r byw gweld yr hen ddiodan wedi ynnill 'i lle yn 'i hôl ar fwrdd y rhent. 'Dwn i ddim sut gancar ma' dynion heb weld nad ydi stwffio diod iddyn nhw yn ddim ond dull y gwŷr mawr o'u cadw nhw ar lawr dan eu palfa nhw. 'Dawn i chi, Morgan Jones, roethwn i ddim lojins i 'run dafn o'u cwrw nhw fory.'

'Ma' glasiad o gwrw yn burion yn 'i le, Huw Huws.'

'Ydi, Morgan Jones, 'dwy'n ama dim, ond nid yng nghrombil dyn ma' 'i le fo. A mi fydd yn gofyn i chi fod yn symol o gwmpas ych petha hefo'r dyn bach tua'r Plas yna.'

Ni ddywedodd Huw Huws ond y gwir. Yr oedd yn ofynnol i'r ffermwyr oll fod o gwmpas eu pethau y diwrnod talu rhent hwnnw. Rhedai Ned William yn ôl ac ymlaen gan wrando ar yr oll a glywai, a chynorthwyid ef yn y gwaith gan un o'r mân chwedleuwyr o'r tu arall i'r traeth; dyn callach yn ei genhedlaeth na Ned William, ac o gymaint â hynny yn waeth, a mwy peryglus. Arhosai y ffermwyr o gwmpas yma a thraw bob yn dri neu bedwar yn ymgomio â'i gilydd hyd nes deuai eu hadeg i fyned i bresenoldeb y goruchwyliwr; rhai ohonynt yn ddigon gwynebdrist, pob dimai a feddent wedi eu crynhoi yn yr hen bwrs llian gwaith cartref, wedi ei glymu ag incil coch, a'r oll i fyned i'r meistr tir, yn ad-daliad am gael gweithio yn galed fore a 'nawn a hwyr i wrteithio a gwella eiddo y perchennog, tra y tenant, druan, yn gorfod byw yn galed ar fara haidd, llaeth enwyn, ac uwd, a blawd ceirch. Prin ddigon fyddai yr enllyn, a hynny geid ohono ymhell o fod yr hyn ddylasai. Anhawdd disgrifio i bobl yr oes hon gymaint y caledi ym mywyd beunyddiol y cewri moesol a fagwyd yng Nghymru gynt. Ni fuasent fawr haws o'r dannedd geir gan y deintydd i dorri nac i gnoi y caws, a cheid mwy o flas yr halen na dim arall yn yr ymenyn er mwyn ei gynilo. Ond er mor brin bynnag y fywioliaeth adref, rhaid oedd cael y ffyrling eithaf i'r goruchwyliwr ddydd y rhent, neu gallai'r canlyniadau fod yn andwyol, feallai chwe mis o rybudd i roddi lle i'w well.

Derbynnid y rhent gan Mr Harris mewn ystafell fechan wedi ei pharatoi yn bwrpasol at y gwaith ganddo ef. Yn y llyfrgell yr arferent dalu i Mr Wyn, ond ni fynnai y goruchwyliwr newydd wneud un peth ar y ddaear yn debyg i'w ragflaenydd, a buasai gweled esgidiau cryfion y ffermwyr, eu gwadnau yn llawn o hoelion mawr, ar garped ei lyfrgell yn ymylu ar y pechod o gysegr-ysbeiliad i Mr Harris. Aent ato bob yn un; nid oedd yn yr ystafell, ond un gadair ar yr hon yr eisteddai y bonheddwr ei hun un ochr i'r bwrdd. Safai y ffermwr yr ochr arall, a thywalltai y twr o aur melynion y bu mewn cymaint o drafferth yn eu casglu, o flaen Mr Harris, a chyfrifai yntau hwynt yn ofalus, ac yna ysgubai hwynt i'r drôr oedd yn y bwrdd â'i law. Ond cyn cael gollyngdod ymaith â'i lyfr rhent yn glir yn ei law, er eu mawr syndod, canys peth newydd oedd hyn yn eu hanes, wele Mr Harris yn edrych arnynt yn graff fel pe am ddarllen eu heneidiau, ac yn dywedyd wrth bob un ohonynt yr un geiriau megis pe yn rhoddi iddynt oll fedydd esgob y naill ar ôl y llall, ac yn myned trwy yr un wers uwchben yr oll heb dynnu ei lygaid oddi arnynt nes y deuai'r gair olaf dros ei wefus.

'Y rhent yn llawn, ie, popeth yn iawn, fel yna mae gwneud

busnes. Newch chi gofio bod y gŵr bonheddig yn disgwyl y rhowch chi bob help i'w *gamekeepers* newydd o sy'n dŵad yma o Loegr, ac nad oes yr un ohonoch chi i gael lladd y cwningod a'r sgyfarnogod yn rhagor. A newch chi ofalu na wna'r gweision a'r cŵn acw,' – nid oedd un gwahaniaeth yn null Mr Harris o siarad am y ddau ddosbarth o greaduriaid – 'ddim dychryn y *pheasants*. Adar bach ofnus iawn ydyn nhw, a mae'n rhaid i chi rybuddio pawb yn eu cylch nhw.' Cadwai Mr Harris lyfr y rhent yn ei law er fod y ffermwr yn gafael ynddo hefyd. 'Mi fydd y gŵr bonheddig yn disgwyl wrthoch chi i gyd gymeryd ei ochr ef yn y lecsiwn fawr maen' nhw'n ddeud sy yn agos atom ni. Lecsiwn bwysig iawn fydd hon. Rydan ni, pobol Cymru yma, wedi arfer bod yn *loyal* i'r meistr tir, a hynny sy'n iawn, a neith dim arall y tro i'r gŵr bonheddig chwaith, y fo sy'n gwybod beth sydd ora ar les y wlad, a mi ddeudith Mrs Harris wrthoch chi i gyd sut ddyn ydi'r Gladstone yna sy'n ceisio gneud Cymru a Lloegr mor Babyddol ag ydi'r Werddon. Ac am y John Bright yna sydd â sôn amdano fo, cwacer wedi gneud 'i ffortiwn ydi o, fedd o ddim gwaed. Un o'r werin ydi o, a mae'r sgrythur yn deud bod eisio parchu rhai mewn awdurdod. Mae rhyw sôn fod y bobol isel yna sydd yn poeni'r byd yn dŵad â dyn drwg yn erbyn Mr Tattenhall, mi fydda'n burion i chi i gyd gofio fod ych Meistr o ochr Mr Tattenhall. Rŵan ewch i nôl y cinio, y cinio rhent gorau gawsoch chi erioed,' ac o'r diwedd dyna'r llyfr yn llaw y ffarmwr, a Mr Harris yn barod i'r nesaf.

Golwg ddigon cythryblus oedd ar wynebau y rhan fwyaf o'r hen denantiaid pan yn gadael yr ystafell fach, ac ni feddai y saig o fwyd oedd yn wledd mor amheuthun i'r mwyafrif mawr ohonynt ddigon o allu i symud y cwmwl oddi ar eu gwedd. Deallodd yr oll eu bod wedi newid goruchwyliaeth, ac nid er gwell. Daeth Robert Gruffydd yr Hafod Olau i dalu'r rhent hefyd pan oedd y seremoni'n tynnu at y terfyn, a dechreuodd Mr Harris barablu yr un pethau wrtho yntau, ond torrodd Robert Gruffydd ar y baldordd trwy ofyn 'Oes yna ryw wahaniaeth i fod yn fy *agreement* i, Mr Harris? Ches i ddim rhybudd fod dim yn wahanol i'r hyn sydd yn y cymeriad ar honno i fod.'

Trodd Mr Harris ei lygaid oddi wrth wyneb cywir Robert Gruffydd, gollyngodd lyfr y rhent a dywedodd, 'Yn siŵr mae'r gŵr bonheddig a chitha yn deall ych gilydd, Robert Gruffydd. Mi gewch ginio da, ewch ymlaen at y bwrdd.'

'Diolch i chi Mr Harris, ond rhaid i mi ofyn i Mrs Harris fy esgusodi i heddiw.'

'Beth! Fyddwch chi ddim yn bwyta cinio rhent y gŵr bonheddig, Robert Gruffydd?'

'Wel byddwn, mi fyddwn i'n arfer eistedd wrth y bwrdd hefo'r cwmni bob amser, ond diolch i chi Mr Harris, fedra i ddim gneud hynny eleni.'

'Beth sydd yn galw amdanoch chi, *dear me*, mi gewch ginio heb ymdroi. Y chi ydi'r ola yntê, mi ddo' i i fewn hefo chi i'r wledd. Mi deimlith Mrs Harris, a hitha wedi bod ar 'i gore yn paratoi.'

'Na, Mr Harris, nid oes undyn byw neith 'y mherswadio i i eistedd wrth un bwrdd i wledda os bydda i'n gwybod fod yna gwrw ne ryw ddiod frag arall arno fo. Cymerwch fi yn esgusodol. Does dim dwywaith nad oes yna ginio rhent gwell na'r gorau fu ym Mhlas Dolau, a ma'n eitha gen i fel pobol eraill am bryd o fwyd blasus, ac hyd yn hyn diolch i ofal tadol fy Nghreawdwr amdanaf, gallaf ddeud i mi gael fy ngwala. Yr ydych chi a Mrs Harris yn credu nad oes dim *harm* rhoi glasiad o gwrw i'r tenantiaid hefo'u cinio rhent. Rydw innau'n credu mai'r ddiod gref yna sydd wrth wraidd bron holl drueni y wlad yma mewn rhyw ffordd neu gilydd, a fedra i ddim bod yn fraich i blant Lot.'

'*Dear me, dear me*, Robert Gruffydd, peidiwch â bod mor

stiff am dro; mi fydd ych gweld chi'n mynd adre heb ddim cinio yn destun siarad y wlad. Ac mi fydd yn chwithig iawn i Mrs Harris. Mae hi'n meddwl yn dda amdanoch chi.

'A mae gen inna barch mawr i Mrs Harris, ormod o lawer i neud dim yn groes i 'nghydwybod er mwyn ei phlesio hi. Pan fydd bwrdd Plas Dolau yn glir oddi wrth ddiod feddwol, Mr Harris, fydd neb yn barotach na mi i gyfranogi o'r wledd, hyd hynny mae'n rhaid i fy lle i fod yn wag. Dydi fy lle gwag i o bwys yn y byd i chi, ond mae cadw cydwybod dda tuag at Dduw a dyn yn bopeth i mi. Rydw i'n cofio yr adeg pan fyddai mam, coffa da amdani, yn torri pennog yn dri rhwng 'i phlant bach, ac yn torri ŵy yn 'i hanner, a mi fydda'n well gen i fyw ar y drydydd ran o bennog a hanner ŵy eto, Mr Harris, na rhoi fy nghydwybod o dan draed. Prynhawn da, syr, a diolch i chi a Mrs Harris yr un fath,' ac ymaith â Robert Gruffydd tua'r Hafod Olau. Ffromodd y goruchwyliwr yn aruthr. Ymddangosai hyn fel sarhad personol arno ef, ac am ysbaid bu yn ceisio meddiannu ei hun cyn ymweled â'r neuadd lle'r huliwyd y byrddau.

'Pa fusnes sy i ffarmwrs o'i sort o sôn am gydwybod? Cydwybod wir! 'I gydwybod o a'i debyg ydi gneud y peth fydda i'n ddeud wrthyn nhw, 'dwy'n meddwl. Mae o am dynnu torch hefo mi, yn wir fydda i fawr o dro yn dangos iddo fo beth ydi cydwybod. Y fath *impudence*! Gwrthod bwyta cinio yn y Plas am mod i'n leicio rhoi glasiad i'r dynion. A synnwn i ddim na fydd Mrs Harris yn 'i admirio fo chwaith, ma' merched yn ddigon od, y rhai gore ohonyn nhw. Rhaid i mi setlo gŵr mawr yr Hafod yna yn well na hyn.' A cherddai Mr Harris yn ôl a blaen o'r naill gwr i'r llall o'r ystafell gan siarad wrtho ei hun a thyngu llwon y dangosai efe pwy oedd y meistr i Robert Gruffydd. Eto, yn nyfnder ei galon gwyddai ef ei fod wedi dod i gyfarfod â chymeriad nas gallai bygythion na melltithion o un rhyw ei droi oddi ar lwybrau cyfiawnder, a'r wybodaeth yna gynddeiriogai y goruchwyliwr. Meddyliai ei fod yn gweled yn wyneb yr holl ddynion wrth y bwrdd eu bod yn deall paham nad eisteddai Robert Gruffydd gyda hwynt. A gwnaed pethau yn waeth fyth trwy i Mrs Harris, yr hon oedd yn cerdded o gwmpas y neuadd yn taflu golwg ar y gweinidogion yn gwasanaethu y byrddau, er sicrhau i bawb gyflawnder o'r danteithion, ofyn 'Pa le mae Robert Gruffydd, Hafod Olau, mae lle wedi gadw yma wrth y pen iddo fo?' A methai y foneddiges yn lân â deall fod yn bosibl i neb fyned ymaith heb giniawa, a thra yr holai hi am y rheswm, tybiai Mr Harris fod y ffermwyr yn edrych ar ei gilydd.

'Rêl boi ydi Rhobat Gruffydd yr Hafod, dyna i chi,' ebe Evan Roberts, gŵr Tŷ Canol, yn yr efail y noson honno, 'a mi rydw i'n cynnig fod i ni gyd listio dan 'i fanar o. Mi welis i'r hen ditw yna yn y Plas yn ceisio 'i droi o, a fasa waeth iddo fo daflu 'i het yn erbyn y gwynt ddim. Grym annwyl, mi roedd o o'i go' hefyd. Mi chwerthis i nes oedd f'ochra i'n brifo wrth fynd adra. Rêl boi, does dim dowt.'

'Wel, wyddwn i ddim beth fasa'n debyg o ddigwydd, Evan Roberts, ond mi wyddwn gimin â hyn, na fasa rijmant o soldiars ddim yn gneud i Rhobat Gruffydd roi cefnogaeth i'r hen ddiodan, a ro'n i'n bur siŵr nad oedd stiwart bach y Plas ddim yn mynd i goncro fo. Wel, dydi hi ond dechra yma yto' ebe'r gof.

Pennod V
Dan yr aden

Ar dir Hafod Olau, heb ond cwrt bychan cydrhyngddynt â'r ffordd fawr, safai dau o fythynnod gwynion a tho gwellt arnynt. Nid oeddynt fwy na dau gan' llath oddi wrth ei gilydd, ac nid oedd un gwahaniaeth yn eu maintioli, na chwaith yn eu muriau a'u ffenestri bychain. Bythynnod distadl, heb un corn iddynt, oedd y ddau, ac heb ddarpariaeth o fath yn y byd ar gyfer tân, ond ei roddi ar lawr yn ôl y dull hen ffasiwn; eto, canfyddai hyd yn oed y dieithr ddyn, ar ei daith heibio y drysau, fod byd o wahaniaeth rhwng y ddau fwthyn.

Llenwid cwrt bychan un ohonynt â blodau amryliw – blodau ar gyfer pob tymor feddyliem ni, gan na fyddai gardd fach Boba byth heb wynebau siriol y rhosyn coch, neu 'fotwm gŵr ifanc,' a 'chot y melinydd,' a llawer eraill rhy luosog i'w henwi – y blodau prydferth welid yng ngerddi bach bythynnod Cymru. Un o bob tu'r adwy fach tyfai twmpath helaeth o hen ŵr a rhosmari. Yr oedd pob llechen las yn lân oddi allan ac oddi mewn, y ford gron yn wen fel pren newydd ei ddirisglo, a dim cymaint â llwchyn i'w weled ar na chwpwrdd na thresel, ond y cyfan yn lân a thaclus: y tŷ bychan prydferthaf allasai hen wraig dduwiol ei ddymuno i dreulio 'nawnddydd bywyd ynddo. Y tu cefn i'r bwthyn yr oedd gardd gyfoethog o goed gwsberis, cyrans duon, cochion a gwynion; mefus mawr yn wely taclus, yn un gornel iddi, gwelyau eraill o riwbob a wynwyn, persli a chennin. Digon o faip a thatws, ambell i res o ffa, a phys, yma a thraw, ynghyd â choed mafon yn tyfu ar hyd ochr y cloddiau gylch yr ardd. Ac yn ei chanol y pren afalau harddaf yn yr ardal, i'n tyb ni; feallai fod ei unigrwydd yno yn rhoddi mwy o arbenigrwydd arno na phe buasai yn un o lawer ym mherllan yr amaethwr. Dyna ryw ddisgrifiad egwan o gartref yr hen Gristion a alwai pawb a'i carai yn

Llangynan, yn Boba.

Hen wraig wedi cyrraedd ei deng mlynedd a thri ugain oedd hi ei hunan, yn cydweddu i'r dim â'i hamgylchoedd. Ymwisgai ar Sul, gŵyl a gwaith mewn dillad o wlân y ddafad Gymreig, ac am ei phen fel na welid ond pur ychydig o'r gwallt gwyn, sidanaidd, wedi ei rannu ar y canol ar gyfer ei thrwyn yn union, heb un blewyn o'i le y naill ochr na'r llall, gwisgai gap o gambric mor wynned â'r carlwm, y fordor wedi ei chwicio yn ofalus. Un llyfr yn unig feddai yr hen wraig: Beibl Peter Williams. Ni fedrai Boba ddarllen yn rhugl, eto anaml y gallai undyn droi i mewn i'w thŷ na fyddai y Beibl yn agored, a hithau ac un o'i gweill yn ceisio dilyn yr adnod ar ei hyd heb golli geiriau. Wedi gorffen trefnu'r bwthyn, rhoddai ei thro beunyddiol trwy'r ardd i symud ymaith y chwyn a thaflu golwg dros y llysiau, gan dynnu ei hangenrheidiau am y diwrnod o'u mysg. Ni fyddai Boba un amser heb ei hosan yn hongian wrth linyn ei ffedog, a phob cyfle posibl gweai yr hen chwaer â'i holl egni. Yr hosan oedd ffon bara Boba, hi fyddai yn gwau hosanau gweision y ffermwyr, a hi ofalai am eu trwsio pan ddechreuai y traed fyned yn dyllau, hefyd. Wedi i wadn y troed omedd cydfyned yn hwylus â rhagor o frodiadau, torrai Boba yr hosan yn fagsen, gan mai bagsiau arferai y rhan fwyaf o breswylwyr Llangynan wisgo am eu traed tra gyda'u gwaith. Ac yn y man byddai'n amser troedio'r hosanau eilwaith. Fel yna mewn rhyw ddull neu gilydd dibynnai cysur traed y meibion, a llu o'r merched hefyd, ar yr hen wreigan dawel a breswyliai yn Tyn'rardd.

Dioddefai Boba lawer oddi wrth y cryd cymalau, ac nis gallai gerdded tua'r capel yn fynych iawn, canys goddiweddodd musgrellni henaint ei thraed a'i choesau hi ymhell cyn i'r dwylaw diwyd deimlo oddi wrtho; ond deuai'r cyfeillion caredig yno i gynnal cyfarfod gweddïo ati yn lled aml, a thraddodid pregeth weithiau er mwyn Boba yng nghegin fawr Hafod Olau, ac ni fu ysgol Sul fwy llewyrchus erioed mewn ardal na'r un a ffynnai am lawer blwyddyn o dan gronglwyd syml yr hen chwaer dduwiol yn Tyn'rardd. Nid oedd ball ar ei mwynhad o'r ysgol, a mawr y paratoi fyddai yn y bwthyn o un hyd ddau 'nawn Sul rhag fod un peth pwysig i hyrwyddo trefniadau yr ysgol wedi myned yn angof, er na fu erioed angen iddi hi ymboeni. Deuai gweision Robert Gruffydd yno 'nawn Sadwrn â chyflawnder o fawn a choed. Byddai Rhiannon ac Olwen yn cario llond basged o Feiblau a llyfrau A.B.C. yno yn y dechreunos cyn i Boba fynd i'w chadw dros y nos, ac wrth eu sodlau hwy deuai'r gweision drachefn â'r meinciau a gedwid ar hyd yr wythnos mewn cornel o'r ysgubor, a gosodid hwy yn drefnus yn eu lle ar gyfer yr ysgol. Ni adewid un peth heb ei wneud erbyn y Saboth allesid ei wneud y Sadwrn.

Galwai Syr Tudur Llwyd yn Tyn'rardd, ryw ddiwrnod ym mhob wythnos, ac ni ymadawodd oddi yno erioed heb adael swllt yn llaw Boba. 'Chi rhy hen i byta bara haidd, Boba, chi cael torth o bara gwyn wedi pobi yn cetal, a fi dŵad heibio i nôl brechdan dena chi, i fi gweld hen wraig da fel chi'n cael bara propor.'

A 'bara propor' fyddai bara Boba hefyd. Nid oedd un creadur trwy'r holl blwyf na fyddai brechdan o fara cetal Tyn'rardd yn flasusfwyd iddo. Gofalai Gwen Gruffydd anfon 'printan' o ymenyn iddi, ddigon, dros yr wythnos, a phan ysgydwai yr hen wreigan ei phen, gan ddweud nad oedd 'peth felly ddim ffit' y naill wythnos ar ôl y llall, chwarddai Rhiannon – y hi fel rheol fyddai y negesydd – a dywedai, 'Fase mam byth yn medru dechrau mynd i ben y corddiad yn y llaeth na'r menyn, heb iddi hi 'ngweld i'n dŵad â'r degwm yma'n gynta Boba.' 'Y degwm', fyddai enw Rhiannon ar bob rhodd wythnosol o laeth ac ymenyn o'r Hafod i'r hen wraig, a chofiai hi amdano llawn cystal â'i mam. Ac ni chyfyngid haelioni yr Hafod i laeth ac ymenyn. Ambell ddiwrnod byddai y cawg pren a'i lond o flawd ceirch ffres newydd ddod o'r felin, bryd arall ddarn o asen fras, neu bwys o gig biff yn y fasged ar fraich Rhiannon; ac ni fu pall ar garedigrwydd y ffermwyr oll o'r bron i Boba. Weithiau bygythiai yr hen wraig fyned i gadw siop, ond dywedai Olwen wrthi nad oedd un diben iddi lolian, y buasai traed budron y cwsmeriaid yn ei phoeni i'w bedd cyn pen y pymthegnos, a'r diwedd fyddai i'r hen wraig ollwng ei hosan ar ei glin a dweud na wyddai hi beth oedd ei Thad nefol yn weled mewn hen greadures hyll fel y hi i gymeryd gofal ohoni, bod yn bryd iddi fynd o'r golwg ers talm.

Nid anaml y clywais hen wragedd yn disgrifio eu hunain fel pethau hyllion, pryd mewn gwirionedd fod llawer un ohonynt yn myned yn harddach y naill ddydd ar ôl y llall, er fod y trwyn yn nesu at yr ên. Mae heneiddio yn naturiol yn un o'r golygfeydd prydferthaf geir ar ddynoliaeth, ac er fod deng mlynedd a thri ugain wedi gadael eu hôl ar Boba, hen wraig lân yr olwg arni oedd hi. Nid oedd ar ei hwyneb un marc wedi ei adael yno gan dymherau drwg, teimladau chwerwon, llid, enllib, a llu eraill o'r pechodau, arwyddion y rhai welir mor amlwg yn wyneb plant y tywyllwch. Bu bywyd Boba yn fywyd teilwng, ac adlewyrchai glendid bywyd yn ei hwyneb wedi i'w gruddiau rychu, a'i gwallt wynnu. Mynych y dywedai Robert Gruffydd amdani fod yn hawdd gweled 'y nod' yn nhalcen Boba.

Eithr na feddylied neb na fu i Boba, fel i'r rhan fwyaf o blant y codwm, aml a blin gystuddiau: collodd briod hoff a dau fachgen yr un dydd mewn llongddrylliad, a'u llestr yng ngolwg y lan. Gadawyd hi yn unig heb un berthynas yn ôl y cnawd ar y ddaear, am a wyddai hi, ond ni chlywodd neb mo Boba yn llefain un gair ynfyd yn erbyn y drefn. Ar hyd oes faith o drallodion, pan bron â suddo yn y dymestl, hoff air Boba fu, 'Yr Arglwydd yw Efe.' Ac ystyriai fod ganddi lawer o destunau diolch fod ei hanwyliaid bob yr un yn ddiogel 'yn y tŷ nid o waith llaw tragywyddol yn y nefoedd.' 'A dyma finnau yn fy hen ddyddiau yn morio ar eu hola nhw, ac mae'r gwynt yn dawel iawn ar fy hen gwch bach i, a mor ddiolchgar y dylwn i fod yn fy henaint fel hyn, a'r addewidion wedi eu cyflawni bron i gyd i mi. Efe sy'n gosod "yr unig mewn teulu," welsoch chi rioed fel ma' honna'n fy ffitio i? "A bydd goleuni yn yr hwyr," dyna un arall, yn dydi hi'n ola arna i os bu hi ar neb erioed yn y byd yma, 'ddyliwn i. Wel, does dim posib iddi hi fod yn dywyll, yn nac oes, Rhobat Gruffydd, a'r Gair yn dweud "Haul y Cyfiawnder a gyfyd i chwi." Dyn a helpo'r bobol yma sy'n treio ymbalfalu'u ffordd trw'r byd yma heb eu Tad nefol. Mi faswn i wedi troi a throsi a cholli y llwybr fel hen ddafad grwydr, a mynd yn sownd yn y drain filoedd o weithia oni bai mod i'n gafal mor dynn yn llaw fy Nhad, blant bach. A phan fyddwn i ddim yn siŵr ohoni hi weithia yn sŵn y ddrycin, a'r gwynt yn fy ysgwyd i nes o'n i'n mynd i syrthio; wn i ddim be naethwn i oni bai i mi glywed llais fy Nhad yn uwch na nhw bob un. "Ni'th roddaf i fyny ac ni'th lwyr adawaf chwaith, " a dyna fi ar 'y nhraed wedyn yn batlo hefo'r tywydd i gyd.'

Yn llwydni'r cyflychwyr ddiwrnod talu'r rhent, eisteddai Rhiannon ar y stôl drithroed fechan yn ymyl hen gadair wellt Boba yn ailadrodd iddi helyntion y dydd.

'A does neb ŵyr beth i ddisgwyl nesa, Boba bach, ond mi wyddon ni i gyd na thry 'nhad ar dde nac ar aswy i blesio Mr Harris na Mr Dim-byd, boed y canlyniadau y peth y bônt, os bydd o'n siŵr ma' o fydd yn iawn. Mi fydd Syr Tudur yn deud y bydd 'nhad yn 'i le bob amser hefyd.'

'Sut ma'r adnod honno yn y salm, 'ngeneth i? "Efe a'm harwain ar hyd llwybrau cyfiawnder er mwyn Ei enw," yntê, ddeudodd O, Rhiannon? Fydd O ddim yn llai na'i air. Mi fydd Rhobat Gruffydd yn bur siŵr o fod yn cerdded ar hyd y llwybyr iawn, ac felly mi fydd yr Arweinydd Mawr hefo fo bob cam o'r ffordd. Fo bia'r tân i gyd, a fydd O fawr o dro yn gneud mur ohono fo o gwmpas 'i bobol. "A'r tew gymylau sydd eiddof Fi." Mr Harris neu beidio, mi rydan ni'n ddigon saff.'

'Doedd Nisien Wyn ddim yn saff, eto roedd o'n fachgen da, Boba, Nisien ddylse fod ym Mhlas Dolau. Mi fydd Syr Tudur yn deud y gnaetha' fo'r tro yn iawn, ond Mr Harris sydd yno, ac mae o wedi troi pob man y gwrthwyneb allan. Mae pob cornel yno o chwith i mi, a ddim hanner mor daclus. Rydw i'n drysu'n lân wrth geisio iwsio fy rheswm at betha'r byd yma rŵan, a does fawr o amser pan o'n i heb wybod beth oedd poen,' ac ysgydwai Rhiannon ieuanc ei phen.

'Na, fedrwn ni ddim dallt y plania, 'ngeneth bach i, mwy nag y medra'r hen Jacob stalwm ddallt pam roedd raid i Joseph 'i fab o fynd i'r Aifft, ond yr oedd o i lawr yn y *plan*, er bod yr hen Jacob yn methu gweld yn ddigon pell, bod Joseph i gadw'n fyw bobol lawar iawn, dyna fel ma'r Beibil yn deud. Mi wn i nad oes yma 'run ohonom ni'n dallt pam bu raid i'r gŵr bynheddig ifanc orfod cychwyn o'i wlad a gneud lle i Mr Harris, ond ma'r *plan* yn ddigon sicr o fod yn iawn, Rhiannon. A mi ddown ni i weld y rheswm ryw ddiwrnod. Rhwbath digon digri i ni ydi darllen hanes plant Israel yn troi yn 'u hunfan yn yr anialwch yn ôl ac ymlaen am ddeugian mlynedd, yntê, ond mi fasan nhw a ninna'n dlotach o gryn dipyn pe heb sôn am y daith honno yn yr ysgrythur. Does dim i ni neud, 'ngeneth i, ond cadw ar y llwybyr cul, a chwilio am ôl troed y Gŵr gora, a rhoi'n troed yn hunain yn union ar ganol ôl 'i droed O. Ddyla hi ddim bod yn ormod o job i ni dreio gneud hynna. A raid i 'run ohonon ni fynd i gyfarfod croesa'r hen fyd yma. Mi roedd y gair hwnnw fel pob un o eiriau Iesu Grist yn eitha angor. Wyt ti'n cofio lle mae O'n deud "digon i'r diwrnod ei ddrwg ei hun. Na ofelwch dros drannoeth." Sut y maen' nhw?'

Gwenodd Rhiannon. 'Mi nâ'n y tro fel yna, Boba. Misio gweld petha fel yna rydw i, eto mi fydda i'n treio 'ngora, ond mae yma ryw helynt yn fan hyn,' gan roddi ei llaw ar ei brest, 'sy'n rhyfela yn erbyn trefniadau'r byd yma, a mi fydd pob dim yn drysu 'mhen i.'

'Byddan mi wranta, 'ngeneth i, ond mi nei di'n symol, welis i neb fawr well na Rhiannon am droi'r cymyla rownd a chael hyd i'r awyr las sy'r ochor arall iddyn nhw i gyd. Ac os ydi pawb yn 'u lle wrth broffwydo fod amseroedd blinion o'n blaen ni yn Llangynan, mi fyddi di'n help i bawb amser honno. Mi fyddi'n dal ymbarelo i gadw'n penna ni rhag y glaw, gei di weld.'

'Taswn i'n fachgen, Boba, mi fase rhyw siawns i mi neud tipyn o les yn y wlad. Hwyrach base Syr Tudur Llwyd yn fy helpu fi i fynd yn Aelod Seneddol fy hun? Mi wn i baswn i'n rhywun rywdro taswn i'n fachgen, ond dydw i da i ddim fel hyn. Mi wn i fod Syr Tudur yn meddwl y gallswn i neud hylltod o les taswn i'n fachgen.'

'Felly wir, wel rhaid i mi atgoffa i Syr Tudur y tro nesa fod Deborah yn fwy angenrheidiol o ddim rheswm yn y frwydr fawr yn erbyn yr hen Jabin na Barac. Yn eno dyn, daetha' Barac ddim i'r rhyfel hebddi hi, roedd arno fo ormod o ofn. A beth naetha' nhw heb Jael, tybed? Sgwn i ar y ddaear sut ddyn oedd Heber y Cenead hwnnw? Dydi ysbrydoliaeth wedi deud dim amdano fo ond i fod o, mae'n siŵr fod o'n un digon teidi ne fasa 'i enw fo ddim wedi roi lawr, ond 'i wraig o 'na'th y gwrhydri fel y cafodd y wlad lonydd am ddeugain mlynedd ar ôl iddi hi orffen 'i gwaith. Be sy'r matar ar bobol na ddarllenan nhw 'u Beibla'n iawn? Faint bynnag o anrhydedd ma'r hen fyd yma'n roi i ddynion, a dydi'r cwbl ddim ond y trecha treisied, a'r gwanna' gwaedded ran hynny, mae'r Beibl wedi rhoi mwy o'r hannar arnom ni, Rhiannon. A phaid ti â chario rhyw hen feddylia ofer fel yna. Mi gest ti ddeg talent dda yn y dechra gin dy Greawdwr, a mi helpodd dy rieni di gimin fedra nhw arnat ti i neud marchnad dda. Cofia di na neith o mo'r tro y diwrnod mawr i ti ddeud wrtho Ef, na fedra' ti neud dim am ma' merch oeddet ti. Wyt ti'n meddwl bod yr Arglwydd mor wastraffus o'i dalenta nes mae o'n taflu nhw o'i gwmpas heb hitio i ble ma' nhw'n mynd? A mae yma waith mawr yn disgwyl cael 'i neud, a hwyrach cei di neud gwaith mwy hefyd, ond fydd grwgnachwyr yn gadael fawr iawn o'u hôl, Rhiannon, cofia di. Pe basa ni yn cymyd yr amser byddwn ni'n grwgnach i dalu diolch am yn bendithion, mi fasan i gyd yn nes i'n lle. Meddwl di, 'ngeneth i, beth pe baset ti fel Elin Tyn'ffordd, a cheisia fod yn ddiolchgar.'

Neidiodd Rhiannon ar ei thraed, 'Mae'n dda i chi sôn am Elin, Boba, mi ddeudodd mam wrtha i am droi i mewn i Tyn'ffordd wrth fynd yn f'ôl. Roedd Siân acw'n deud bod hi wedi gweld Catrin William yn llawn helbul yn ceisio golchi, ac Elin yn waeth ei threfn nag arfer, wedi gwisgo rhyw ddillad rhyfedda' amdani, ac yn cerdded yn ôl ac ymlaen yn yr ardd. Mae'n drueni ei gweled, ac er bod hi yn ddigon diberygl, eto fedra i yn 'y myw beidio teimlo na ddylai Catrin William fod heb rywun heblaw hi ei hunan yn y tŷ, ond pwy erys yn y fath le?'

'Ma' Catrin ddigon di-lun ma'n siŵr, ond mae tipyn o flerwch yn rhyw ail natur iddi druan, fasa hi ddim yn hapus tasa petha'n dwt o'i chwmpas hi. Ond neith Elin ddim niwad i'w mam, nid ffordd honno mae 'i dryswch hi wrth lwc. Mi fydda i'n gofyn yn amal iddo Fo i chadw hi fel finna dan gysgod Ei adenydd, ac wedi i mi roi Catrin dan yr aden, fydd arna i ddim ofn drwg iddi. Hwyrach baswn i gyn flerad â hitha tasa Elin yma hefo mi, pwy ŵyr? Ie, dos yno, Rhiannon, mi neith gweld rhywun les i'r ddwy.'

'Noswaith dda, Boba.'

'Noswaith dda, 'ngeneth i, mi nei di'r tro pan gei di wersi rŵan ac yn y man. Tipyn yn ddiamynedd bydd plant; ie, dos i Tyn'ffordd.'

Oddi wrth fwthyn prydferth Boba cyfeiriodd Rhiannon ei chamre tua Thyn'ffordd. Er nad oedd ond megis ergyd carreg cydrhyngddynt, a bod y tŷ a'r ardd yn union yr un faint, eu hadeiladaeth mor debyg i'w gilydd, eto ni fu dau dŷ erioed mwy annhebyg. Yn lle blodau Boba gylch y drws, ni cheid ond bwcedi llawnion o ddwfr budr yn gwarchod y rhiniog yn Nhyn'ffordd. Padell bobi a thalpiau o does yn glynu ar hyd ei hochrau, a hanner llond honno o ddwfr hefyd. Diau na ddysgodd Catrin William erioed y gelfyddyd o dylino, meddyliai Rhiannon, canys gwyddai hi y byddai ei mam yn disgwyl gweled y badell heb does na blawd na dim arall ar hyd ei hochrau, na chwaith yn y gwaelod pan roddid y bara yn y popty. 'Padell lân pob wraig fedrus,' ebe Gwen Gruffydd.

Oddi fewn i'r bwthyn yr oedd popeth yn driph-draphlith: cader ar ben y ford gron, mawn yn docyn ar ganol y llawr, y crochan uwd bychan wedi ei dynnu oddi wrth ben y tân i oeri, a'r gath yn dechrau llyfu ei ymylon. Gwnaeth Rhiannon drefn ar pws, gan alw ar Catrin William yr un pryd. Wedi hel y gath allan, a chau y drws rhag iddi fyned i fewn eilwaith i ymosod ar y swper, trodd yr eneth at ddrws yr ardd, ac i fewn â hi, a phara i alw, 'Catrin William.' Yn y pen pellaf canfyddai y fam a'r ferch. Gwelodd Elin hithau hefyd, a dechreuodd gerdded tuag ati, gan wneud ystumiau rhwysgfawr, a thynnu ei hwyneb i bob ffurf oedd yn bosibl iddi, druan. A dilynodd ei mam hi gan amneidio o'r tu ôl iddi ar Rhiannon ei bod yn bur anodd ei thrin y diwrnod hwnnw.

Gwraig weddw oedd Catrin William, merch i ffarmwr cyfrifol, ei unig blentyn, wedi cael bywyd lled foethus yn ieuanc, os oedd peidio dysgu un math o waith yn foethau. Fel llawer un o'i blaen ac ar ei hôl, effeithiodd ei chalon ar ben Catrin, a dihangodd ryw fore i briodi hwsmon ei thad. Druan ohoni, bu'n edifar ganddi cyn pen un mis. Yn lle cartref cysurus, a dim byd i'w wneud iddi hi ynddo, gorfu iddi geisio dysgu golchi crysau Eben, ac ni fu un ddynes â llai o amcan sut i fyned o gwmpas y gwaith hwnnw erioed uwchben crwc golchi. Rhyw fywyd digon lletchwith fu'r canlyniad, a chlywyd Eben yntau yn melltithio ei ffolineb yn priodi yn uwch na'i sefyllfa, lawer gwaith yn y dydd, am rai blynyddau. Ceisiodd Catrin droi tuag adref, ond nid tad y mab afradlon oedd yr hen amaethwr. Caeodd y drws yn ei hwyneb, a dywedodd gan iddi hi gyweirio ei gwely fod yn rhaid iddi hi orwedd arno o'i ran ef. Ac felly y gorfu iddi hefyd.

Gadawodd ei thad y cwbl a feddai, oddigerth un swllt i'w ferch Catrin, i ryw greaduriaid gwancus am arian a heidient o'i gwmpas gan ei foli a'i ganmol, ac ni ddeallodd ef mai mawl i'w bwrs oedd y cyfan. Wedi i bob gobaith am gymorth oddi wrth ei thad ddarfod, darfu hynny o gysur oedd ym mwthyn Eben. Rhegai ef oherwydd yr anhrefn, heb gofio unwaith y gwyddai gystal ag undyn na fyddai merch ei feistr byth yn rhoddi ei llaw at un gorchwyl. Cwynai a grwgnachai hithau yn ddi-baid heb ystyried nad oedd neb i'w feio ond ei hunan, greadures ffôl, yn neidio o ganol llawnder i dlodi, heb feddu un briodoledd gymwys i fod yn fodlon ar ychydig. Ac i wneud yr helynt a'r gofid yn fwy byth, ganesid merch i Eben a Catrin William oedd ymhell iawn o fod yn debyg i blant eraill. Rai prydiau ymddangosai fel pe mewn cyflawn feddiant o'i synhwyrau: helpai ei mam fel y tyfai i'w maint gyda gwahanol oruchwylion y tŷ a'r ardd. Ond droeon eraill ni cheid un math o drefn arni: taflai y cwbl o'i chwmpas, torrai y llestri, tywalltai ddyfroedd, llosgai rywbeth nesaf ati, ac ni thyciai ymresymu â hi un gronyn.

Wedi marw ei thad, aeth yn llawer mwy aflywodraethus, a byddai Catrin William, druan, mewn helbul beunydd yn ceisio cadw Elin o fewn i ryw fath o derfynau, a chan nad oedd ganddi erbyn hyn unrhyw foddion cynhaliaeth, heblaw golchi i weision y ffermydd cylchynol, yr oedd gofalu am Elin hefyd yn faich trwm ac anodd i'w ddwyn i'r weddw. Ond derbyniai garedigrwydd mawr gan wragedd y ffermydd, a buasai byw digon hwylus ar y ddwy pe ganesid Elin rywbeth yn debyg i eraill, ys dywedai ei mam. Ambell dro ymwisgo fyddai ei gwallgofrwydd, ac felly yr oedd y 'nawnddydd y cafodd Rhiannon y ddwy yn yr ardd. Cerddai yn nhraed ei hosanau am na fynnai roddi clocsiau am ei thraed. Hongiai cwilt y gwely oddi wrth ei gwasg; ac oddeutu ei hysgwyddau, lapiai siôl orau ei mam, un o drysorau dyddiau ei hieuenctid. Ar ei phen ceid blodau a dail gymaint ag oedd yn bosibl eu dal arno; ac yn ei llaw cariai wialen hir o'r goeden helyg. Yn y ddiwyg ryfedd yma y neidiai ac y sbonciai i gyfarfod â Rhiannon.

'Bore da, Miss,' ebe hi, er bod yr haul wedi machlud a'r lleuad yn cymeryd ei lle yn y ffurfafen.

'Nos ydi hi, Elin, rŵan,' ebe Rhiannon, 'a mae hi'n hen bryd i ti fod yn y tŷ yn hwylio i dy wely.'

'Ha, ha, ha, glywi di Miss, mam? I 'ngwely, a finnau eisio mynd i'r ffair, y fi i 'ngwely! Y fi sydd i fod yn frenhines yn y ffair, dyma'r goron a'r dillad a'r cwbwl yn barod. Bore da, Miss, i chi. Ma' Syr Tudur Llwyd newydd basio, rhaid i chi dendio, Miss, ne mi fydda i wedi'ch rhedag chi.'

'Be sy matar ar yr eneth?' ebe Catrin William, gan wasgu ei dwylaw ynghyd gan faint ei gofid, 'Elin bach, Elin.'

'Be sy matar ar mam? A meddaf i wrthi hi, duwc annwyl, meddaf i, fasa chi ddim yn falch o fyw ar ben ych digon, medda i,' a rhoddodd yr eneth chwerthiniad aflafar.

Yr oedd pawb yn yr ardal yn ddigon cynefin â chrwydriadau meddwl yr eneth anffodus. Nid oedd un bonheddwr dibriod, o ba oed bynnag, na byddai Elin wedi cymeryd ffansi tuag ato ryw dro neu gilydd, ac ni wnâi neb un sylw ohoni. Edrychodd Rhiannon arni, gafaelodd yn ei braich ac arweiniodd hi i'r tŷ.

'Rŵan, Elin,' ebe hi, heb dynnu ei llygad oddi arni, 'tyn di y petha yna bob un.'

Dechreuodd y druanes wylo.

'Peidiwch Miss Rhiannon, peidiwch edrach arna i fel yna, mae arna i'ch ofn chi, oes wir,' a dechreuai luchio y dail a'r blodau a thynnu'r cwilt a'r siôl, gan ddal ei llaw ar ei llygaid. 'Ydi Miss yn edrach mam, ydi Miss yn mynd i ffwrdd, mam? Mae hi yn edrach arna i 'run fath yn union a tasa hi am 'y chwipio i mam.'

'Elin,' ebe Rhiannon yn fwynaidd ei llais wedi iddi orchfygu ysbryd gorffwyllog yr eneth, 'fydda i ddim yn chwipio plant da, fydd neb ddim, a...'

'Ond dydw i ddim yn dda, un ddrwg iawn ydyw i, Miss. Mi fydd mam yn crio am mod i mor ddrwg, a meddaf i wrth mam, duwcs annwyl meddaf i, rydw i wedi blino byw mewn baw, a mi a' i i'r ffair meddaf i.'

'Wyt ti ddim yn leicio baw?'

'Duwc annwyl, nac ydyw i, mae'r ardd yn lân, a mae well gin i yno nac yn y tŷ.'

'Pam na wnei di lanhau'r tŷ Elin? Rŵan gad i mi dy weld ti'n gneud lle glân.'

Trodd ei golwg ar Catrin William a dywedodd, 'Rŵan, Catrin, tra bydd Elin yn gneud lle glân hefo mi, mae'r uwd yn oeri yn y crochon, eisio'i fwyta, a chithau'n barod iddo fo yntê? Rŵan, Elin, mi ddechreuwn ni fan yma, côd y mawn yna bob un a gad i mi dy weld yn gneud tas fawn bach yn y gongl acw.'

Amser digon chwithig i ddechrau glanhau y bwthyn yng ngoleuni'r gannwyll frwyn oedd hi, ond tybiai Rhiannon mai digon o waith oedd y peth gorau i Elin, a dyna lle bu'r ddwy, un yn dangos y gwaith a'r ffordd orau i'w wneud, a'r llall wrthi â'i holl egni yn chwys ac yn lludded yn ceisio ufuddhau i'r gorchmynion. A Chatrin William yn eistedd yn swp yn ei gilydd yn ei chadair drithroed ar yr aelwyd. Bu aml i ymgyrch cyd-rhwng Rhiannon a'r eneth wrth fyned drwy oruchwyliaeth y glanhau. Mynnai Elin daflu y dyfroedd ar garreg y drws, ond rhaid oedd iddi eu danfon i'r ffos yr ochr arall i'r ffordd. A buwyd am beth amser yn methu cydweled ynghylch y sefyllfa mewn glanweithdra y meddai padell bobi hawl i ymgyrraedd ati. Wedi i Elin weithio hyd at flinder corff, peth hollol newydd yn hanes ei bywyd hi, cafodd seibiant a swper.

'Wel, Elin, mi gysgi di heno, a mi fydda i yma ben bore fory. Os wyt ti am le glân rhaid i ti wneud o, i fewn ac allan yn lân dy hun, a mi dysga i di,' a dyna Rhiannon yn dechrau hwylio tuag adref.

Trodd Catrin William ei hwyneb oddi wrth y tân, 'Miss Rhiannon, fyddwch chi fawr, fydda fo'n rhywbath gynoch chi gadw dyletswydd yma heno? Fuo yma 'run ddletswydd rioed am wn i yn y tŷ yma, ddim er pen ydw i yma beth bynnag, a mae yma dŷ glân heno cystal sy bosib iddo fod. Mi fasa'n burion gin i tasa chi'n gofyn bendith arno fo i Elin a minna.'

Estynnodd Rhiannon ei Beibl bychan o'i phoced, ni byddai byth yn symud hebddo i unman, a darllenodd salm; Elin yn edrych arni mewn syndod, ei llygaid a'i genau yn llydain agored. 'Duwc annwyl, ydach chi mynd i neud capel, Miss, yma?' Ond tawelodd mewn ufudd-dod i edrychiad Rhiannon, a llusgodd ar ei gliniau yn y dull rhyfeddaf ar ryw led ochr fel pe yn methu gwybod beth oedd meddwl y seremoni honno, eto yn ceisio efelychu Miss a'i mam.

Gweddi seml, hawdd ei deall, oedd gweddi Rhiannon dros Catrin William ac Elin, eto nis gallai enaid tywyll yr eneth amgyffred dim ohoni. Clywai Rhiannon yn gofyn i rywun ei rhoi hi dan gysgod Ei adenydd, a murmurai fod well ganddi hi yn ei gwely ei hun nag wedi hel fel cyw iâr dan adenydd yr un aderyn. A phan erfyniai Rhiannon am i rywun nas gwyddai hi pwy ddod i Tyn'ffordd i aros gyda'i mam a hithau, dywedodd yn uchel nad oedd yno le i neb arall yn y tŷ i aros, bod hi wedi llosgi pren y gwely arall ar ôl i'w thad beidio bod yno.

Ar hyn dyma Olwen Gruffydd yn agor y drws, wedi dod yno i chwilio am ei chwaer, a gwelodd Elin hi. Gwaeddodd nerth ei phen, 'Dyma hi wedi dŵad, Miss; y frenhines wedi dŵad, a does yma ddim lle ffit i beth mor glws â hi chwaith.' Yn ei chynhyrfiad nis adnabu hi Olwen. Terfynodd y weddi, a gwelodd Rhiannon ei chwaer. 'Elin,' ebe hi, 'Olwen ydi hon, Olwen wedi dod i weld tŷ glân wedi i ti lanhau. Ysgwyd law ag Olwen, Elin.'

Daeth Elin ymlaen heb fod yn sicr eto beth oedd yr eneth dlos, ei gwallt yn disgyn yn gawod euraidd dros ei gwisg o wlanen wen hardd, ond gwelai ei mam yn siarad â hi, a chlywai Olwen yn canmol y tŷ wedi ei lanhau, a dynesodd ati, rhoddodd ei llaw yn ofnus ar wallt Olwen, a sibrydai, 'Mae hi'n glws, duwc annwyl ma' hi'n glws, a thynnai ei llaw yn araf dros y gwallt a'i swynai.

'Elin,' ebe Rhiannon, 'plant clws ydi plant da i gyd, mi fyddi ditha yn glws os byddi di yn eneth dda.'

'Yn glws fel hon, Miss? Duwc annwyl!'

'Ie, Elin, yn glws fel Olwen. Rŵan, Elin, dos i dy wely i gysgu mewn munud, iti godi'n fore erbyn down ni yma yn y bore.'

'Ddaw hon yma fory?'

'Daw, hefo mi. Cysga di heno.'

Dywedodd y genethod nos dda, ac wedi cyrraedd y ffordd, ebe Olwen, 'Wyt ti yn meddwl y dyle Elin fod yn rhydd, Rhiannon. Ydi hi yn ddiogel?'

'Ydi, medda Boba, dan gysgod yr aden. Ro'n i'n meddwl heno, Olwen fach, gymaint o fatha ohonom ni sydd o dani hi yn ôl Boba. Y hi sy'n iawn, yntê? Rydw inna'n treio credu 'run fath â hi, mae'n anodd weithie. Fyddi di byth yn amau dim, fyddi di, Olwen fach? Fyddi di un amser ddim yn methu deall pethau'r byd yma o'n cwmpas ni, fyddi di?'

Gafaelai Olwen yn dynnach ym mraich ei chwaer tra yr atebai 'Amau? Na fydda i. Amau beth? Mae popeth yn iawn: Iesu Grist yn y nefoedd, a ninnau yn nesu ato bob dydd. Amau beth, Rhiannon?'

Ond ni ddywedodd Rhiannon air; cofiodd gyngor Goethe, 'Os oes gennych ryw gymaint o ffydd, rhoddwch i mi beth ohono, ond cadwch eich amheuon i chwi eich hunan. Meddaf ddigon ohonynt hwy.'

'Am beth rwyt ti yn meddwl, Rhiannon?'

'Meddwl a oeddwn yn deilwng i weddïo heno yn Tyn'ffordd.'

'Mae pawb yn deilwng i weddïo,' ebe Olwen.

'O! ydynt, Olwen fach, gallwn oll weddïo yn y dirgel ein hunain, a dweud ein holl hanes a cheisio datrys y drysni yno yn unig, faint ohonom ni sy'n deilwng i weddïo gyda a thros eraill sydd beth arall hollol. Ond fedrwn i ddim gwrthod Catrin, a doedd yno neb arall i neud yn fy lle i.'

Pennod VI
Goleuni a gyfyd yn y tywyllwch

Bob bore yn rheolaidd am rai misoedd ymwelai naill ai Rhiannon neu Olwen, ac weithiau y ddwy, â hen fwthyn Tyn'ffordd, a rhyfedd y chwyldroad a greodd eu hymweliadau yno. Daeth Elin i deimlo fod y cyfrifoldeb o gadw'r tŷ yn lân yn gorffwys arni hi, ac ymfalchïai ddangos i'r genethod fod y blodau yn tyfu oddeutu'r drws, a'r bwcedi wedi eu troi ar eu hwynebau yn y gornel y foment y gorffennai hi â hwy, yn lle dal y dwr budr fel cynt. A deuent hwythau â rhyw rodd fechan, megis cwpan de neu blât, iddi weithiau nes bron ei gyrru i berlewyg gan lawenydd. Unwaith daeth Olwen â drych bychan iddi, a mawr fu'r mwynhad a gafodd yr eneth fel y rhan fwyaf o ferched Efa tra yn edrych ar ei hwyneb yn y drych. Ond yr hyn a dynnai ei sylw tu hwnt i ddim arall oedd y Beibl bychan a gariai Rhiannon. Yn ei byw nis gallai Elin ddeall i beth yr agorai 'Miss' ryw bapur felly cyn dechrau siarad am ryw bobol wrthi hi a'i mam.

Deallodd Olwen ryw ddiwrnod fel y pendronai Elin ynghylch Beibl ei chwaer, na chymerai ef yn ei dwylaw am unrhyw bris er i Olwen ei ddangos iddi, a'i droi yn ôl ac ymlaen iddi weled ei fod yn berffaith ddiberygl. Rhoddai Elin ei dwylaw o'r tu ôl a dywedai yn benderfynol, 'Na, 'na i, 'na na wir, duwc annwyl, chymwn i ddim buwch a llo bach am afael yno fo, dyna i chi, Miss Olwen. Fyddwch chi ddim yn clywad fel bydd hi'n deud lot o straeon am bobol wedi boddi, a lleill yn mynd i'r tân wedi iddi hi edrach ar hwnna. A, duwc annwyl meddaf i wrth mam, meddaf i, 'dwn i ddim sut ma' Miss heb ofn y nos; a medda mam wrtha i, ma' hwnna sy'n edrach ar ôl Miss yn y nos, a fydd arni hi ddim ofn deryn corff na bwgan na dim, a duwc annwyl, mi fydd arna i hofn nhw. Llyfr witshio ydi hwnna'n 'tê? Ma' gin Margiad, Tŷ-nant, lyfr witshio hefyd, a meddaf i wrth mam, meddaf i, 'd'a i byth i Tŷ-nant i nôl wyniwns dydwy yto, rhag i mi fynd yn gi ne gath. Duwc annwyl Miss, mi droth Margiad Tŷ-nant foch gŵr Y Fron yn gŵn i gyd, medda Bet y forwyn wrtha i.'

Mawr fu helynt Olwen yn ceisio darbwyllo Elin mai anwiredd ddywedai gweinidogion y ffermydd wrthi, ac er ymresymu mewn llawer dull a modd â hi, parhau i ofni'r Beibl a wnâi, ond rhyw ddiwrnod wedi i'r ddwy chwaer ymgynghori â'i gilydd, awd â Beibl arall i Dyn'ffordd a darlun o Moses yn ei gawell llafrwyn ar fin yr afon ynddo, a merch Pharo yn sefyll yn edrych arno. Nid oedd y darlun fawr o gampwaith, ond swynodd lygaid Elin er hynny, a holai yn fanwl ynghylch hanes y babi bach clws yna, a'r ledi neis yna yn 'i ymyl o, ac nid oedd unwaith yn ddigon i'w ddweud wrthi. 'Unwaith yto, Miss, yntê,' hanner dwsin o weithiau yn olynol cyn blino ar hanes 'y babi.' Wedi hynny daeth i gymeryd diddordeb neilltuol ym mywyd Moses o flaen Pharo, neu fel y dywedai hi, 'pan oedd y babi wedi mynd yn llanc, ac yn gneud ffŵl o'r hen frenin hwnnw yntê, Miss.'

Wedi i hanes Moses ddechrau heneiddio, deuwyd o hyd i ddarluniau o'r Gwaredwr ar wahanol adegau yn Ei fywyd, yn gyntaf pan yn faban gyda Mair Ei fam a'r doethion yn Ei addoli. Yna yn y briodas yn Canaan, a byddai y gair priodas yn ddigon i beri i Elin druan deimlo ar ben ei digon. Dyna y sefyllfa gyrhaeddai eithafnod dedwyddwch yn ôl ei meddwl gwan hi, gan hynny nid oedd eisiau rhagor i'w diddori. Wedi edrych ar bob wyneb yn y darlun, a'u cyffelybu i rywrai o'i chydnabod, a holi yn eu cylch fil a mwy o gwestiynau debygai y genethod nas gallent hwy eu hateb, am fod ysbrydoliaeth wedi gweled yn dda eu cadw yn ddirgelwch, trowyd at ddarlun arall, lle y dangosid yr Arglwydd Iesu yn iacháu y ferch 'ddrwg ei hwyl gan gythraul.'

'Llun i ydi honna yntê, Miss?' ebe Elin. Ac nis gallai y

genethod yngan gair am foment, canys cynhyrfwyd hwy pan welsant fod y ferch i'r wraig o Ganaan yn y darlun yn debyg iawn i Elin.

'Be ma'n llun i da yn fanna, Miss, deudwch?'

Ofnai Rhiannon iddi wylltio, ond bu yr effaith yn hollol wahanol arni. Ymddangosai yn teimlo fod pobl wedi gwneud darlun ohoni hi yn arwydd o barch mawr iddi. Ond ceisiai atgofio pa bryd y bu hyn yn ei hanes, ac nis gallai feddwl am neb a welsai hi erioed oedd yn debyg i Iesu Grist.

'Be mae o'n ddeud wrtha i, Miss? Duwc annwyl, mi rown i rwbath am wbod be mae o'n ddeud. A be rydw i'n edrach fel taswn i'n cadw reiat fel yna hyd y llawr. Eisio i mi beidio sy arno Fo, tybad? Duwc annwyl, mam, ddaru mi edrach fel'na pan ro's i gwrbitsh i Sam? A medda fo wrtha i, medda fo "Rwyt ti wedi llyncu cythral." Amsar honno daru chi adal iddyn nhw dynnu'n llun i, mam? A finna rhy brysur i gweld nhw, duwc annwyl, taswn i'n gwbod i mi neud llygad main arnyn nhw, yntê. Ond be ma' hwnna'n ddeud wrtha i?'

Ymhen hir a hwyr, cafwyd gan Elin wrando ar hanes y ferch ddrwg ei hwyl, ac fel y bu i'w mam ddod at yr Arglwydd Iesu i geisio iachâd iddi. Cododd ei phen yn sydyn, ac edrychodd ar Rhiannon, a chan bwyntio â'i bys at Olwen, ebe hi, 'Miss, fel hi baswn i'n leicio bod. Neith O, pwy bynnag ydi O, tasa chi'n gofyn iddo Fo ngneud i fel yna? Does yma ddim baw rŵan yn tŷ ni, yn nag oes? Be arall 'blaw glanhau sy eisio i mi neud, lle bod y gibats yn chwerthin am 'y mhen i?'

Ond gwaith anodd iawn oedd esbonio i Elin fod Iachawdwr y byd yn amgen na rhyw ŵr bonheddig urddasol, tebyg i Syr Tudur Llwyd, ond Ei fod yn ieuengach, ac oblegid hynny yn harddach yn ei thyb hi. Unwaith gofynnodd i Olwen ai 'Nisien Wyn wedi tyfu locsyn' oedd, a bu hithau yn ceisio ganddi amgyffred am y nefoedd lle byddai Elin ryw ddiwrnod yn iach ac yn hardd. Dangosodd iddi y cymylau gwynion yn yr awyr, a dywedai fod y nefoedd tu draw i'r rhai hynny. Ymdrechodd roddi iddi ryw ddisgrifiad o'r gwahaniaeth cyd-rhwng y da a'r drwg yn y byd yma, a'r fath le oedd yn aros y da ar derfyn y daith. Gwrandawai Elin yn astud hyd nes i Olwen dewi, yna chwarddodd yn uchel.

'Mi wn i'n iawn, Miss, mae yn twll du byddan nhw'n rhoi pawb: mi roethon 'nhad yno, mi gwelais i'r hen glochydd yn rhoi cerrig ar 'i ben o. A fano daru nhw roi pawb sy wedi marw, yn y twll du, dyna i chi. Ac wedi i bawb fynd i ffwrdd mi fydd y bolól yn mynd yno ac yn chwalu pob man a mynd â nhw i neud colciarth ohonyn nhw, dyna i chi. Mi glywas i 'nhad yn deud wrth mam basa fo'n leicio gweld y bwgan yn mynd â hi ar 'i gefn.'

'Ond cheiff y bolól mo blant da Iesu Grist, Elin, ma' Iesu Grist yn gryfach na fo.'

''Dwn i ddim sut ma' hynny, Miss, f'aswn i byth yn gadal i neb yn lladd i os baswn i ddigon cry i rhwstro nhw, a mi glywas i'r dyn hwnnw dydd Sul, pan eis i hefo chi i'r capal, yn deud bod rhyw bobol wedi ladd O. Duwc annwyl, mi gaethan nhw un gin i taswn i'n ddigon cry dwy'n siŵr. Mi roethwn i gelpan iddyn nhw os na chawswn i lonydd, dyna i chi, Miss.'

Digon prin y buasai Elin yn gallu pasio arholiad mewn diwinyddiaeth o un math. Ei ffordd hi o setlo pob cwestiwn fyddai rhoi celpan i bawb a aflonyddai ar ei heddwch.

Ochneidiai Olwen mewn anobaith, wrth wrando geiriau yr 'eneth wirion'. Ond os oedd merched Hafod Olau wedi methu dysgu cymaint â ddymunent arni, buont yn alluog i'w dysgu i'w caru hwy gyda holl nerth ei chalon, ac un diwrnod synnwyd Rhiannon weled Elin yn ei chyfarfod yn dyfod tua'r Hafod Olau, 'i chwilio amdanoch chi, Miss. Mae arna i eisio i chi ddeud wrth yr Iesu Grist hwnnw baswn i'n leicio gwbod beth mae o'n ddeud wrtha i. Fedra i ddim byw heb wbod yn hwy. Ac os gneith O fi fel Miss Olwen yna, wel duwc annwyl, rŵan amdani hi meddaf i wrtho fo, meddaf i.'

Ni wybu neb fawr o hanes cyfarfyddiad y ddwy eneth oeddynt mor annhebyg i'w gilydd; un a'i meddwl tywyll cymysglyd, a'r llall yn uwch o'i hysgwyddau i fyny mewn gwybodaeth a diwylliant na'r rhan fwyaf o ferched Cymru yr adeg honno, ond dechreuodd gyfnod newydd ym mywyd Elin, Tyn'ffordd. Methodd Rhiannon ac Olwen, er ymdrechu eu gorau, ei dysgu i ddarllen. Nid oedd bosibl argraffu hyd yn oed y llythrennau ar ei chof gwan hi. Er hynny bu raid iddi gael Testament bychan i'w gario gyda hi, a byddai golwg ryfeddol o ddigrif arni, weithiau, yn cymeryd arni ei bod yn ei ddarllen. Ond os na chofiai Elin yr un lythyren, ar lyfr, cofiai y cwbl a glywai yn well na'r cyffredin, a gwae y neb a droseddai yn ei herbyn; cofiai y bai hyd nes y byddai wedi talu yn ôl hyd adref i'r troseddwr anffodus.

Ymhen ychydig oriau wedi i Rhiannon ac Elin ymadael â'i gilydd, daeth y newydd fel taranfollt i blwyf Llangynan fod y Llywodraeth wedi ei gorchfygu yn y Senedd, a bod y Prifweinidog – Benjamin Disraeli – wedi penderfynu apelio at y wlad ar unwaith. Yn y siop a gedwid gan bregethwr Methodistaidd yn y pentref y clywodd Robert Gruffydd, Hafod Olau, y newydd, wedi iddo droi yno i ymofyn ei bapur wythnosol.

'Sgwn i sut lun fydd ar bethau tua'r Plas Dolau, Robert Gruffydd?' ebe'r pregethwr.

'Fydd yno lun yn y byd, William Williams. Mi fydd Mr Harris yn fwy na llond 'i ddillad, a mae o wedi bod ar gefn 'i geffyl, fel byddwn ni'n deud, ers pan mae o yma ac wedi codi ofn 'i ddigio fo ar y rhan fwya' o'r bobol. Ond mae y cwestiwn sydd o flaen y wlad y tro yma yn apelio at galonnau Ymneilltuwyr, a llawer o Eglwyswyr cydwybodol hefyd, ran hynny. Mi geith pob un ohonom ni ddangos sut rai ŷm ni.

Gobeithio ein bod yn deilwng o'r Hen Dadau.'

'Pa ochor gymer Syr Tudur Llwyd, tybed?'

'Wel, Tori ydi Syr Tudur, a mi fotith i'r Tori reit siŵr. Mae'r Toris yma fel defaid; mi ddilynan y bugail aed ef y ffordd y myn. Felly Syr Tudur, ond fydd o ddim dicach wrth bobol eraill am fotio fel y gwelan nhw'n dda.'

'Mae hynna'n rhywbeth. Y drwg yn Plas Dolau, Robert Gruffydd, ydi fod y dyn bach yna yn rhoi'r fath le i gynffonwyr. Sut mae pethau cydrhyngoch chwi a Mr Harris, Robert Gruffydd, er helynt y diwrnod rhent hwnnw?'

'Mae pethau'n ymddangos yn llawer gwell na'm disgwyliad i, ar y cyfan, ond rwy'n bur siŵr nad ydi Mr Harris ddim wedi maddau i mi er hynny. Mi fydd Mrs Harris yn troi i fewn am sgwrs hefo Meistres acw yn lled fynych, ac yn gwahodd y genethod yn ôl ac ymlaen tua'r Plas, ond welsoch chi rioed fel bydd y ddwy yn dechrau hel esgusion yn lle mynd.'

'Lle mae Nisien Wyn, rŵan, Robert Gruffydd? Gresyn fod y gŵr bonheddig mor ffôl â gneud y cyfnewidiad er ei fwyn ei hun, yn gystal â'i denantiaid.'

'Wel, fedrwn ni ddim deall y drefn; mae'n golwg ni'n rhy fyr. Dyna ddeudais i yn yr Hafod acw ryw ddydd, ac roedd Rhiannon yn deud mod i 'run air â Boba. Hwyrach bod ni'n dau yn camgymeryd, ond fedra i ddim peidio meddwl rywsut, William Williams, fod yna ryw blania yn yr arfaeth na wyddon ni ddim o'u hanes nhw ar y mater yma, ne cawsai'r bachgen yna siawns i aros adre. Lle mae o, ofynsoch chi? Pan glywson ni ddiwedda, roedd o'n hwylio tua gwlad machlud haul yn bur benderfynol mynnu llwyddo i neud rhywbeth yn ei fywyd.'

'Bachgen nobl oedd Mr Nisien, bonheddwr i'r carn.'

'Ie, William Williams, bachgen da fydd Nisien Wyn, rwy'n meddwl, lle bynnag y bydd; mae Meistres a minna yn credu ei fod yn llestr etholedig. Does yr un ohonom ni yn deall sut, eto, ond mae rhyw baratoi bob amser, onid oes, ar y llestri etholedig yma, a rhyw oruchwyliaeth ddigon anodd dygymod â hi ydi'r paratoi bob amser. Pan mae'r Gŵr ei hunan yn eistedd fel purwr a glanhawr arian, tipyn o driniaeth go lew i ambell un ohonom ni, yntê, William Williams, ydi diodde llosgi'r sothach. Ond mi fydd golwg arall arnom ni ar ôl y coethi, er hynny.'

'Ie, Robert Gruffydd, ie, gobeithio na fydd y pair ddim yn rhy boeth i neb y dyddiau nesaf yma. Prin rydw i'n leicio edrych ymlaen, mae'n dda bod y dyddiau wedi eu cuddio oddi wrth ein llygaid, nes y deuant yn heddiw i ni i gyd.'

Ar hyn, dyma ddynes fechan bert yn dod o'r tŷ ac yn sefyll gan rwbio ei dwylaw ynghyd, yn ôl arfer siopwyr tu ôl i'r cownter.

'Be sy'n bod, William Williams? Fel yna y cyfarchai ei gŵr yn wastadol. 'Be sy'n bod? Mae Robert Gruffydd a chithe'n edrych fel pe base'r byd ar ben, a'r bobol ar ddarfod. Fedra i ddim dod i'r capel heno; rhaid i rywun ofalu am y siop.'

'Rhyw awr fyddwn ni yn y capel, Mary fach, a tasan ni'n cau'r drws yma am awr, fyddai'r golled fawr o beth.'

'Felly'n wir, William Willams, hynna wyddoch chi am siop. Yn wirionedd i, Robert Gruffydd, mi fase William Williams wrth 'i fodd gweld y drws ynghaead ar hyd yr wythnos, ond sut mae dyn i fyw? Mae'r siop arall yna i fyny a phopeth mor flaenllaw; mae'n anodd iawn i ni fyw yn y fan yma a bod wrthi hi'n gore glas.'

Un o frodorion sir Flint oedd Mary Williams. Paham y gofynnodd dyn mor gall â William Williams iddi ddod oddi yno erioed i gyd-fyw ag ef, sydd ddirgelwch nas deallodd neb yn Llangynan. Ni feddai yr un cymhwyster i fod yn wraig pregethwr, canys nis gallesid cymhwyso yr adnod newydd honno a ddywedwyd gan un fu'n mesur gwragedd pregethwyr â'i lathen yn ddiweddar, 'Arian a guddia liaws o bechodau,' at Mary Williams. Yr oedd hi mor amddifad o arian ag ydoedd o ddoethineb. Diau i William Williams lawer gwaith deimlo nad oedd Mary fawr o gymorth iddo, ond chafodd neb arall erioed gymaint â gair ar y pwnc ganddo. Ac ni chlywyd ef yn ystod ei fywyd yn dweud un gair cas wrthi hithau chwaith. Pan fyddai rhywbeth wedi effeitho i gynhyrfu Mary, gwrandawai William Williams ar y cyfan yn ddistaw a'i wyneb yn hollol dawel. Wedi i bethau fyned drosodd, troai at Mary, a gwenai arni yn serchog.

'Wel, Mary fach, os ydi'r lluchio'r cylchau yma wedi darfod mae arna i flys treio rhoi pwt o bregeth wrth 'i gilydd.'

Er yr holl helynt yn ceisio rhoddi'r pregethau wrth ei gilydd, ni chafodd neb achos i gwyno o'u herwydd, oblegid pregethau tra rhagorol fyddai rhai William Williams bob amser. Ac nid oedd gwell areithiwr ar bynciau'r dydd i'w gael yn unman. Tipyn yn gyffrous yr edrychai Mary Williams y 'nawnddydd hwnnw. Ni hoffai firi etholiadol.

'I bobol fel ni sy'n byw ar y wlad, Robert Gruffydd, doethineb ydi byw'n heddychol hefo pawb. Mi fydda i'n deud wrth William Williams, 'tawn i rywfaint haws am beidio tynnu'r byddigions yma yn 'i ben. Maen' nhw'n talu am y cwbl i ni, ac mae Mrs Harris Plas Dolau, wedi prynu llawer iawn yma. Fynnwn i er dim 'i digio hi, mae hi'n gwsmer da i ni. Glywes i chi'n sôn am Mr Wyn ifanc, rŵan? Lle deudsoch 'i fod o, Robert Gruffydd?'

'Wedi mynd yn rhyw fath o athraw a chydymaith i fab un o'r gwŷr mawr yna mae Nisien Wyn, Mary Williams. Bydd llawer tro ar fyd cyn y daw ef eto i Langynan.'

'Bydd, mi wranta, os daw o rywbryd. Ond gan mai Mr Harris sydd yma rŵan does dim ond i ni neud y gore ohono fo. Dyna'r ffordd galla' i ni i gyd. Neno diar mi, mae'r Toris yn eitha am dalu beth bynnag, a 'dwn i am ddim, gwell na hynny ar gyfer pobol sy'n ceisio cael tipyn o fywioliaeth yn y byd yma.'

'Wel, mae hi'n tynnu at amser dechrau tua'r capel, fydda well i ni droi tuag yno, tybed, Robert Gruffydd?' ac wedi iddynt fyned allan gyda'i gilydd, ychwanegodd William Williams, 'Pur ychydig ŵyr Mary am anghenion y wlad, Robert Gruffydd, ond mae hi'n deall i'r dim beth sy'n eisiau i gadw tŷ wrth 'i gilydd. Yn wir, wn i ddim sut lun fasa arna i yn trin y siop hebddi hi. A mae Mrs Harris wedi bod yn prynu yn lled helaeth hefo ni ers tipyn rŵan, ond mi wyddoch chi nad oedd Mary yn cynrychioli neb ond hi ei hunan yn ei siarad.'

'Gwn yn eitha, William Williams,' a safodd Robert Gruffydd yn sydyn, rhoddodd ei law ar ysgwydd y pregethwr, ac ebe fe, 'Mi wn i y byddwch chi a finna yn rhywle yn ymyl yn gilydd pan fydd eisio dal y tân, a ma' rhaid i ni fod. William bach, neith hi mo'r tro i ni feddwl am ddim ond egwyddorion rhyddid y diwrnod hwnnw, ac mae o yn ymyl i ni. Mae yma amryw byd o'n cwmpas ni yn rhyw gloffi rhwng dau feddwl, a mae hi'n bwysig i ni sefyll yn ddiysgog, doed hi fel y delo. Mi wn i mod i wedi fy marcio, ac nad oes un drugaredd i'w disgwyl o Blas Dolau. Rydw i wedi pwyso'r cyfan yn y glorian. Feallai y bydd rhaid cefnu ar Hafod Olau, hen gartref fy nhadau cyn y diwedd; ond mae Gwen o'r un farn â mi. Rhaid cadw cydwybod dda. Fedra i ddim byw yn gaethwas; dyn rhydd ydi'r enedigaeth-fraint a gefais i gan fy hynafiaid, ac fel dyn rhydd bydda i byw.'

'Mae'n anodd meddwl, Robert Gruffydd, y meiddia Mr Harris erlid llawer arnoch chi; ond rydw i fel chitha yn benderfynol o ddangos fy ochor y tro yma, eto yn gobeithio fod oes y merthyron wedi mynd heibio.'

Noson seiat y bu llawer o sôn amdani fu'r noson honno. Ymwasgai y disgyblion yn agos iawn at ei gilydd, nid oedd eisiau cymell neb i ddweud gair o brofiad, ond yn hytrach ymddangosai pawb â rhyw adnod ar eu meddyliau, ac yn ddigon parod i roddi hynny o gysur ellid dynnu o'r addewid i eraill. Ni fu un gair o sôn am y frwydr oedd yn eu hymyl, eto ceid profiadau ganddynt fel gan bobl ynghanol tywydd mawr, a'r cymylau eto yn llawn glaw uwch eu pennau. Pan ddaeth yn amser diweddu'r cyfarfod, ni ofynnodd Robert Gruffydd yn ôl ei arfer i un o'r brodyr ddod ymlaen, ond gafaelodd yn y *Llyfr Hymnau* ei hunan; daliodd ef yn ei law, ond nis agorodd y llyfr, a dechreuodd ledio'r pennill hwn oddi ar ei gof:

Gwasgara'r tew gymylau
    Oddi yma i dŷ fy Nhad;
Datguddia i mi beunydd
    Dy iachawdwriaeth rad;
A dywed air Dy hunan
    Wrth f'enaid clwyfus, trist,
Dy fod yn maddau 'meiau
    Yn haeddiant Iesu Grist.

Canwyd y pennill lawer gwaith drosodd, yna gweddïodd Robert Gruffydd. A gweddi oedd ei weddi ef, nid dim arall: gweddi am nerth yn awr y brofedigaeth, am ffydd Abraham, Moses, a Daniel; gweddi am arweiniad y cwmwl niwl y dydd, a'r golofn dân y nos, ac am bresenoldeb y Diddanydd Mawr i roddi iddynt dangnefedd mewn pob drycin; tangnefedd nas gŵyr y byd ddim amdano. Yna atgofiodd mai 'Yr Arglwydd sydd yn teyrnasu,' ac mai Efe yn unig, a'u bod hwy yn ymddiried ynddo Ef, ac yn credu yr hen addewid, 'Goleuni a gyfyd yn y tywyllwch.' Cododd pawb oddi ar eu gliniau, megis wedi eu gwisgo â'r nerth o'r uchelder y gweddïodd Robert Gruffydd mor daer amdano, ac er i'r wybren fyned yn dywyll iawn i lawer ohonynt cyn pen nemawr o ddyddiau, ni chollodd yr un ohonynt yr olwg ar y goleuni trwy'r cwbl, a gwybuant Ei fod Ef eto yn myned o flaen Ei bobl trwy y Môr Coch, os byddai raid, ar hyd holl drofeydd yr anialwch, a thros yr Iorddonen i wlad yr addewid.

* * *

Yr un noson, am ychydig funudau, gwelodd un o weision y Plas Dolau angel mewn gwisgoedd gwynion, meddai ef, yn cerdded yn gyflym oddi tan y coed derw yn ymyl y Plas, ac yna yn diflannu. Rhedodd ei hun allan o wynt, ac erbyn cyrraedd cegin y gweinidogion, nis gallai yngan gair am beth amser. Ofer oedd i neb geisio dweud yn amgenach wrtho, mynnai ef mai angel neu ysbryd a welodd, a chan fod cryn ofergoeledd yn bodoli yn y wlad, dychrynodd ei stori y gwasanaethyddion eraill hefyd, ac nid aethai yr un ohonynt yn feibion na merched yn agos i'r fangre honno wedi iddi ddechrau nosi.

Pennod VII
Agos yw dydd terfysg

Dyddiau prysur, llawnion at yr ymylon o waith, fu y dyddiau a'r wythnosau o flaen Etholiad Cyffredinol 1868 trwy yr holl Deyrnas Gyfunol. Yng ngeiriau Huw Huws y gof, yn hen efail Llangynan, dyddiau yr 'ymaflyd codwm' oeddynt cyd-rhwng bonedd a gwerin, yn enwedig yng Nghymru. Hyd y flwyddyn honno – er bod y werin wedi dechrau ymysgwyd a gwingo tipyn o dan iau y caethiwed, digon i ddangos ei bod yn meddu ar ryw fath o fywyd, pa mor ychydig bynnag – y boneddigion reolent y cwbl oedd a wnelai â llywodraethiad y wlad. Un ohonynt hwy fyddai Marchog y Sir; ni feddai neb arall ddigon o arian nac amser i deilyngu yr anrhydedd. Ac ni feiddiai neb o'r werin bobl yngan gair ynghylch priodoldeb y dewisiad. Fe allai mai ynfytyn heb un cymhwyster, ond ei bwrs a etholid i'r swydd mewn ambell fan. Bryd arall creadur digon hirben feallai, ond mor anfoesol ei gymeriad ac aflan ei fuchedd fel nas haeddai barch neb yn unman. Pwy bynnag fyddai dewisddyn bonedd y sir, nid oedd a wnelai y bobl ag ef. Wedi rhoddi eu pleidlais iddo a moesgrymu yn isel o'i flaen ef a'i gyfeillion ddydd yr etholiad, darfyddai pob perthynas cydrhyngddynt hwy ag ef, ac ni ddeuai i feddwl y dynion y gallai mân bryfetach distadl a di-nod fel hwy feddu un hawl i ofyn i'r gŵr a'u cynrychiolai yn Senedd eu gwlad i roddi cyfrif iddynt o'i oruchwyliaeth.

Peidied neb â meddwl fod ein hynafiaid yn llai eu hamgyffredion, yn fwy amddifad o alluoedd meddyliol cryfion, na chwaith yn ddiffygiol mewn gwroldeb o'u cymharu â phobl ein gwlad heddiw, canys nid felly yr esboniwn y sefyllfa orau. Profodd ein tadau i ni eu bod yn wroniaid na fuasai raid i na thywysog na llywydd gywilyddio o'u plegid yn awr yr ymgyrch. Ond peth araf yw datblygiad mewn cenedl yn gystal ag ym mhopeth arall, ac oherwydd fod pob moment o'u hamser mor llawn o waith i geisio trefnu eu ffyrdd a thalu i bawb yr eiddo, o'r meistr tir hyd at yr hen wreigan a werthai'r burum i godi'r toes, nid rhyfedd fod yn anodd symud yn frysiog iawn gyda phethau y tu allan i'w cartrefi. Modd bynnag, na fydded i ni eu beio, eithr yn hytrach eu hefelychu yn y rhinweddau hynny yr oeddynt yn anghymharol uwch ynddynt nag yr ydym ni yn yr oes hon. Gallem ddysgu gwersi oddi wrth eu bywyd diwyd a gonest, i fyw yn ôl ein sefyllfa heb fod yn nyled neb o ddim, gan ymddwyn rywbeth yn debyg yn ein hymarweddiad oddi allan i rai yn proffesu crefydd a duwioldeb. A phan yn mesur ac yn pwyso gwybodaeth y tadau a'r mamau, purion peth fyddai i ni gofio na fagwyd dewrion erioed mewn moethau, mwy nag y tyf y grug mewn gardd. Nid ar esmwythfeinciau mewn parlyrau y bu fyw yr hen ddewrion enwog a drigent gynt yng ngwlad y bryniau.

Yn nwylaw y boneddigion yr oedd y cyfan allesid ystyried o dan yr enw rhyw fath o lywodraeth leol, ac hefyd bob ffurf ar lywodraeth eglwysig a olygent anrhydedd ar wahân i waith. Ni fu yr un bonheddwr erioed yn glochydd, gan y byddai'r gŵr hwnnw yn gorfod torri'r beddau â'i raw yn ogystal â chanu'r gloch at blygain a gosper, heblaw darllen bob yn ail â'r person yn y llan. Ac eithrio y swyddi gofynnol i chwysu tra yn eu cyflawni, eiddo y mawrion oedd yr oll hyd y flwyddyn nodedig yn hanes ein gwlad, pan 'ddrylliwyd eu rhwymau hwynt, ac y taflwyd eu rheffynnau oddi wrthym.' Mwynhâi y bobl ryddid crefyddol i fesur lled helaeth cyn hyn, er fod aml i reol a deddf gyda chladdu y marw, a mannau addoli i'r byw, yn gwasgu yn ddigon caled arnynt, eto rhaid cydnabod fod brwydr fawr rhyddid cydwybod i addoli eu Creawdwr yn y dull a'r man y mynnent, wedi ei hymladd a'i hennill ymhell cyn i un gŵr ddychmygu am y fath beth â rhyddid dinesydd gwladol; ac nid yw y ffaith yn annheilwng o sylw diwygwyr gwladol di-dduw y dyddiau olaf hyn. Wedi gwrando ohonom ar lais yr Arglwydd, pa un bynnag ai fel cenedl ynte yn bersonau unigol, y mae yr addewid i ni y dychwel Efe ein caethiwed ac y gwna i ni farchogaeth ar uchelder y ddaear; ond y bobl a anghofiant y Duw a'u lluniodd, cenedl ynfyd ydynt, oddi wrth y rhai y cuddia yr Arglwydd Ei wyneb, ac y bydd tywyllwch yn eu tir. Dyna'r paham yr enillodd ein tadau i ni yr holl freintiau sydd yn ein meddiant heddiw, am eu bod yn credu yn ddiysgog fod y Brenin Tragwyddol Ei hunan yn eu harwain yn y frwydr dros ryddid ac iawnderau. Fel pawb fu o'u blaen a yrrasant fyddinoedd yr estroniaid i gilio, ac a wnaethpwyd yn gryfion mewn rhyfel, dynion yn ofni yr Arglwydd ac yn ufuddhau i'w orchymynion oeddynt. Ceid hwy ym mhob ardal yn ein gwlad, yn bobl ewyllysgar pan ddaeth yr alwad.

Ac ni fu Llangynan yn ôl i unrhyw blwyf arall. Am dridiau neu bedwar, ymddangosai pethau yn lled dawel: ymwelai Mr Tattenhall, yr ymgeisydd Toriaidd, a Mr Edwards, yr ymgeisydd Rhyddfrydol, â rhannau eraill o'r sir yn gyntaf; y rhannau mwyaf poblogaidd, gan mai hwy oedd y pwysicaf. A diau y credai Mr Tattenhall a'i gefnogwyr na fyddai llawer o drafferth ymysg y ffermwyr yn yr ardal y teyrnasai bonheddwr mor gryf ei fraich wleidyddol â Mr Harris. Ac ni chollodd y gŵr hwnnw yr un foment o amser ei hun. Gwahoddodd ato ei holl ddeiliaid teyrngarol, megis John Evans, Tyddyn Dafydd a'i chwaer Twrna Cefn Mawr – canys credai Mr Harris yng ngallu gwraig i siarad, beth bynnag am bleidleisio – ac amryw eraill y teimlai efe yn sicr ohonynt ymysg Ymneilltuwyr ac Eglwyswyr yn ddiwahaniaeth. Rhedai Ned William o'r naill fan i'r llall yn chwys a lludded, gan roddi ambell ebychiad cyd-rhwng ei gamre pan ddeuai i fysg pobl, a seinient yn debyg i 'Mistar Tattenho ffor efar.' Chwarddai y plant am ei ben, ac wedi iddo droi ei gefn gwaeddent hwythau nerth eu pennau, '*Mistar Edwards for ever*.' Gwylltiai Ned, a bygythiai hwy a'u teuluoedd, ond rywfodd nid oedd y cyfan yn cael fawr o effaith ar y rhai bychain. Ac nid cwestiwn annoeth oedd hwnnw o eiddo Mr Harris i'w gynffonwyr, 'Be mae'r plant yn weiddi? Mi rydd hynny amcan go lew i ni sut mae'r gwynt yn troi.'

Aeth Mrs Harris, Plas Dolau, yng nghwmni Twrna Cefn Mawr,' i ymweled â holl denantiaid y Plas Dolau, a'u hysbysu y fath amser pwysig oedd y presennol, yr hyn a ddeallai y bobl gystal â'r ddwy ddynes yn eithaf. A phan geisai y gwragedd egluro paham – am fod Mr Gladstone yn Babydd mor benboeth, ac wedi penderfynu difetha yr Eglwys Brotestannaidd yn yr Iwerddon, yn gyntaf, er mwyn y Pabyddion, ac wedi hynny am dreio ei law yng Nghymru – cawsant wrandawiad astud, er fod y dyn oddi mewn yn y tenantiaid yn gwrthryfela yn erbyn y fath anwireddau ac anwybodaeth, pa un bynnag ai ffug ynte rhywbeth arall oeddynt i'r gwrageddos. Pa ryw farn feddai y pleidleiswyr ar y pwnc ni ddatguddiwyd iddynt, a chan eu bod hwy yn traethu cymaint eu hunain, digon tebyg eu bod heb sylwi fawr ar dderbyniad eu cenadwri, ac nid rhyfedd iddynt fyned yn ôl a llonni calon Mr Harris trwy ddweud 'Fod y dynion yn *all right*, pob un wedi eu derbyn hwy yn *first rate* a gwrando arnynt yn hollol fel y dylsent.'

Ymhen tua deuddydd wedi hynny penderfynodd Mr Harris anfon Ned William a bonheddwr ieuanc o gyfreithiwr, nai iddo – ddaethai yno i helpu ei ewythr yn ystod ymgyrch yr etholiad – am dro i gadarnhau y ffermwyr yn y ffydd Doriaidd.

Wedi teithio o'r naill dŷ i'r llall, a Ned fawr haws i ddeall yr ymddiddanion gan mor ofalus oedd y ffermwyr i gelu eu cyfrinach hyd y byddai'n bosibl, daethant at ffermdy lle y preswyliai hen bererin yn tynnu tua chymdogaeth y pedwar ugain mlynedd. Ond hen ŵr pur anystyriol oedd Siôn Poole, a'i reg neu ei lw yn wastad ar flaen ei dafod. Hen ŵr tal a golwg urddasol arno oedd ef, a chan ei fod yn lled gefnog yn y byd, meddai gryn lawer o'r annibyniaeth hwnnw a rydd aur ac arian i'w perchennog.

Wrth weled Ned William a dyn dieithr yn nesu at y tŷ, aeth yr hen ŵr i'r drws i'w cyfarfod, a'i ffon yn ei law yn ôl ei arfer. Ni welodd neb erioed Siôn Poole yn unman heb ei ffon ond yn ei wely, a byddai o fewn cyrraedd gafael iddo tra yn hwnnw.

'Pnawn da, Siôn Poole,' ebe Ned, 'mae hi'n bnawn braf.'

'Be ti'n ddeud, Ned?' ebe Siôn Poole. Dywedai Jane Poole, y ferch, y clywai ei thad bopeth nad oedd eisiau iddo eu clywed yn eitha, ond y medrai fod yn fyddar iawn os mynnai.

'Deud bod hi'n braf ro'n i, Siôn Poole,' gwaeddai Ned nerth esgyrn ei ben.

'Wel ydi, ond mi wn i hynny'n eitha. Ddoist ti ddim ddwy filltir o ffordd i ddeud sut dywydd ydi hi wrtha i ddoist ti?' a chwarddodd yr hen ŵr yn galonnog. 'A phwy ydi hwn sy hefo chdi? Mae o'n edrach yn gomplêt iawn fel tasa fo newydd ddŵad allan o *fanbox*. Diaist i, wn i ddim p'run a' Sais ynta Cymro ydi o chwaith,' a chwarddodd fwy fyth.

'Nai Mr Harris, Plas Dola, ydi'r gŵr bynheddig, Siôn Poole!'

'Nain Mr Harris y Plas iti wir, paid ti â dŵad a dy siarad spâr i fan yma, os myn di, ne mi rhoi di o flaen dy well yn gynt na 'dyliast ti rioed.'

'Nai,' llefai Ned yn uwch fyth. Chwarddodd Siôn Poole a gofynnodd,

'Wel, be sy arnoch chi'ch dau eisio yma, fydd yma neb yn dŵad heb ryw neges; hel at beth rydach chi'ch dau?'

'Mr Harris sydd eisio gwybod ydi Mr Tattanho'n siŵr o'ch fôt chi, Siôn Poole?'

'Ho, Ho, ro'n i'n meddwl ma'r dwrnod polio bydda pawb yn rhoi fôt.'

'Ia, ia, Siôn Poole, ond roeddan ni'n dŵad yma i roi rhyw dipyn o gyfarwyddyd i chi sut i fotio.'

Cododd yr hen ŵr ei ffon uwch ben Ned a gwaeddodd yntau hefyd, 'Duwc, duwc, dos adra, dos adra gynta medri di, rydw i wedi fotio cin d'eni di a'r nai yma pwy bynnag ydi o.' A throdd yr hen Siôn Poole ar ei sawdl, ac i fewn i'r tŷ ag ef gan gau y drws ar ei ôl.

Rhoddodd y siwrnai at Siôn Poole derfyn ar ymweliadau Ned William â'r ffermwyr i ymholi ynghylch eu pleidleisiau. Dyn ieuanc lled ddeallgar oedd nai Mr Harris, ac ni bu ond ychydig o gwmpas gyda'r saer heb amgyffred y sefyllfa yn yr ardaloedd yn lled gywir. Y canlyniad oedd i Mr Harris farnu yn ddoeth fyned ei hunan i edrych ansawdd meddwl tenantiaid Plas Dolau, yng nghwmni rhyw fonheddwr o Dori neu gilydd o'r cymdogaethau cylchynol. Gwaith anodd iawn iddo yntau hefyd fu penderfynu ar ba ochr y safai y mwyafrif. Gadawent iddo ef a'i gyfaill draethu eu llên ar y pwnc, a gwrandawent hwythau yn barchus arnynt yn hollol ddistaw heb unwaith gymaint â rhoddi awgrym yn ôl na blaen, beth oedd eu barn hwy am yr ymgeiswyr a'u gwahanol gredoau. Hyd eithaf eu gallu er mwyn hunanamddiffyniad ceisiai y ffermwyr ymddwyn yn dawel a digyffro heb roddi achos tramgwydd i Mr Harris, er y byddai ei ddull ef o gamddarlunio yn brofedigaeth iddynt anghofio eu hunain er eu gwaethaf. Un bore pan yn prysur farchogaeth o'r naill amaethdy i'r llall, cyfarfu Mr Harris â Syr Tudur Llwyd yntau hefyd ar ei geffyl. Arafodd y goruchwyliwr gan dynnu ffrwyn ei anifail, a chyfarchodd Syr Tudur yn fwy moesgar nag arfer, yna dywedodd ychydig eiriau ei fod yn gobeithio fod Syr Tudur yn cyfarwyddo y bobl pa fodd i weithredu yn yr argyfwng oedd yn agos atynt.

Ond atebodd Syr Tudur ef yn bur gwta ei fod ef yn gwneud a allai i roddi cysur allanol i'w denantiaid, a boed rhyngddynt hwy â'u cydwybodau ynghylch yr hyn a ddewisant gredu. 'Fi pob math o pobol yn tenants i fi: rhai ohonyn nhw'n meddwl, Mr Harris, nhw byth mynd i'r nefoedd os nhw peidio mynd yn syth trwy llyn y felin gynta. Llyn *wicket gate* digon digri, ond fi dim grymblo, nhw talu rhent, pob dime goch yn iawn. Fi lot o Wesles hefyd, nhw credu nhw i fyny ac i lawr fel *football* un bob 'n ail, lot o gras heiddiw, dim tipyn bach fory, ond nhw i fyny bob dydd talu rhent, fi hitio dim blewyn os nhw leicio rhyw *games see-saw* felly, dim pwys i fi. A fi lot o Methodists hefyd, nhw pobol wedi hethol pob un i'r nefoedd nhw meddwl, a fi clywed pobol deud nhw'n canu ara deg iawn, a symud ara deg, a dal pen yn cam, ond nhw reit union yn cyfri rhent i fi a byth yn rhy *slow* na rhy hwyr, Mr Harris. Fi gadael rhwng pobol o cydwybod a busnes eu hunain. Nhw fawr dim arall yn *property*, nhw cael fo o'm rhan i. Chitha pŵer callach chi gneud fel fi. Fi helpu nhw, fi byth robio un o tenants fi o dim ar y ddaear. Fi hidio fawr pwy yn *M.P.* chwaith, nhw dim *use* yn y byd yn Parliament, fi troi fewn yno ambell dro a hanner nhw cysgu! Fi clywed rhywun deud Twrna Cefn Mawr eisio mynd i neud trefn ar pawb yno a pob man, ond hynny gormod *job* i hen jâd hefyd, hi dim cael fawr o drefn ar Cefn Mawr, dyn helpo hi. Hi dysgu trin fan honno cynta, yntê?'

Ar hyn clywid carlamiad ceffyl arall yn dynesu, ac wele Rhiannon yn troi'r gornel ar gefn ei merlen a Syr Tudur Llwyd yn tynnu ei het ac yn ei chyfarch gyda moesgarwch boneddigion yn yr hen amser tuag at y merched a barchent. Yna trodd at Mr Harris, 'Chi ecsiwsio fi bore yma, Miss Gruffydd dŵad hefo mi am *ride round*; dim curo arni hi am agor llygad fi. Fi galw hi eli llygad. Hi dallt pobl i'r dim a ceffyl hefyd. Dyna i chi eiste yn *saddle* yntê Mr Harris! Chi gofyn i Miss Gruffydd os chi eisio gwbod popeth, hi deud i chi, hi *encyclopaedia* fi.' A gwenodd Syr Tudur yn llawen ar Mr Harris.

Ond ni ofynnodd y goruchwyliwr yr un cwestiwn, eithr ymaith ag ef gynted ag y gallai, ei nai yn ei ddilyn, ac yn holi ei ewythr ynghylch y feinwen alwasai Syr Tudur Llwyd ei *encyclopaedia*. Nid ymddangosai Mr Harris yn awyddus i ateb cwestiynau chwaith, canys ni chymerai un sylw o ymadroddion y dyn ieuanc, marchogai ymlaen gan fwmian wrtho ei hun. Ymhen ysbaid cododd ei ben yn sydyn ac edrychodd ar ei nai, ac ebe wrtho yn sarrug,

'Pwy ydi'r *lady* yna, ddaru chi ofyn, Francis? Wel, y cyngor gora fedra i roi i chi ydi mynd i ofyn i'r hen ffŵl yna sydd wedi gwirioni 'i ben hefo hi, os oes arnoch chi eisio gwybod.' Gwasgodd Mr Harris ei ddannedd wrth ei gilydd, yna megis wedi anghofio fod neb ond ei hunan yno, ebe efe, 'Mi dora i dipyn ar 'i chrib hi cyn hir os ydi 'thad hi'n mynd i gambihafio.'

Ni chlywodd Mr Harris na Francis Glyn y sŵn rhyfedd yr ochr arall i'r clawdd gwrych, digon tebyg na fuasent yn dychmygu ei fod yn werth cymeryd sylw ohono pes clywsent. Eto i gyd, fel y myn mân bethau bywyd gario y dylanwadau mwyaf nerthol er gwae neu er gwynfyd a ninnau heb ystyried, felly y bu y waith hon. Bychan feddyliodd Mr Harris fod yr ychydig eiriau a lefarodd i'w ddilyn tra byddai byw. Wedi iddynt gyrraedd adref i Blas Dolau, a rhoddi eu ceffylau i ofal y gweision, ymneilltuodd y ddau fonheddwr i'w hystafelloedd i drwsio eu hunain yn briodol erbyn yr awr ginio. Cinio cynnar am un o'r gloch fynnai Mr Harris oddigerth pan ymwelid â'r lle gan foneddigion y dymunai ef eu hanrhydeddu hwy ar draul ei gysur ei hun. Nid ystyriai ei nai yn ddigon pwysig i wneud un gwahaniaeth yn nhrefniadau arferol y tŷ er ei fwyn, felly erbyn un o'r gloch disgwylid gweled y teulu yn gryno wrth y bwrdd y bore hwnnw. Ni bu Francis Glyn yn ei ystafell prin ddeng munud. Efe fel rheol fyddai'r olaf i ddod i mewn. Heddiw, efe oedd y cyntaf, a phan gyfarfyddodd ei fodryb yn y neuadd, aeth ati yn chwareus; rhoddodd ei law drwy ei braich, dywedodd ei fod yn meddwl ei fod yn hwyr, denodd Mrs Harris am dro allan i'r ffrynt i aros yr amser i ben ac heb yn wybod iddi cafodd gymaint o wybodaeth a feddai hi am Syr Tudur Llwyd a merch Robert Gruffydd yr Hafod Olau. Ac yn ystod yr ymddiddan daeth sôn am Olwen, yr eneth a anwylid gymaint gan yr oll o'i pherthnasau a'i chyfeillion. Yn ôl arfer gwŷr doethion, cadwodd Francis Glyn yr holl wybodaeth iddo'i hun, ac ni soniwyd gair tra yn ciniawa am y cyfarfyddiad â Syr Tudur a daflodd Mr Harris gymaint oddi ar ei echel, ond pan ddywedodd Mrs Harris fod Mrs Jenkins, Cefn Mawr, yn barod i ddyfod i ganfasio gyda hi y 'nawnddydd hwnnw, atebodd yntau yn swta,'Na, well i chi beidio mynd hefo hi i nunlle, cadwch hi yma a rhowch de iddi hi a chadwch ych clust yn agored i glywed beth fydd hi'n ddeud, ond mi neith fwy o ddrwg nag o les allan. Twrna Cefn Mawr ydi henw hi 'ddyliwn i, a does neb yn malio beth fydd hi yn ddeud. Rhaid peidio 'i digio hi er hynny, a fedrwch chi ddim plesio Mrs Jenkins yn well na thrwy neud te iddi yn y Plas. Gair i gall, dyna chi.' A chododd Mr Harris. Dilynodd ei nai ei esiampl.

'Oes eisiau i mi ddod i rywle'r prynhawn yma, f'ewyrth?'

'Waeth i mi fynd i Ddinbych dan un i chwilio am help Francis os na fedrwch chi edrych ar ferched y lle yma heb holi a stilio yn 'u cylch nhw. Mae merched ym mhob tŷ yn yr ardal yma.'

'Oes mi wn, f'ewyrth, mae merched ym mhob ardal arall hefyd, ond fyddan nhw ddim i gyd yn mynd allan i farchogaeth gyda Syr Tudur Llwyd. Mi feddyliais i mai rhyw berthynas iddo ef oedd Miss Gruffydd. A digon prin rydw i'n meddwl y dylech chi gymeryd sylw o'r peth f'ewyrth. Rydw i wedi gadael wyth ar hugain oed, ac heb boeni dim ar fy mhen hyd yn hyn ynghylch merched neb yn unman. Siawns nad ellir fy nhrystio i yn symol mewn lle gwledig fel hyn.'

'Wel, o'r gore, feallai mai Syr Tudur oedd wedi netlo tipyn arna i, Francis. Sut bynnag mae'n rhaid i ni neud y dynion yma yn sâff i Mr Tattenhall, aed Syr Tudur a'i debyg i'w crogi. Rydw i wedi addo wrth y *Squire* na fydd yma ddim *votes* i'r un *Whig* na neb arall oddi ar stad Plas Dolau.'

'Ydych chwi ddim yn meddwl, f'ewyrth, fod yr addewid yna yn mynd yn rhy bell? Fedrwch chi, mwy na'r hen frenin hwnnw ers llawer dydd, ddim comandio'r môr i droi yn ôl, ac mae llanw Rhyddfrydiaeth wedi codi'n uchel iawn trwy'r wlad i gyd. Chymrwn i lawer am roi fy ngair i dros un rhanbarth ohoni. Mae dyddiau'r unbennaeth ar ben trwy'r byd i fesur, ac nid yw ond cwestiwn o amser mewn gwirionedd gweld y gwledydd o dan lywodraeth werinol.'

'Francis Glyn, raid i mi wrando ar fab fy unig chwaer yn traethu y fath heresi? Gwerinlywodraeth! Beth nesaf, tybed? Y byd ar dân, a gorau po gyntaf hefyd. Sut drefn fyddai ar y fath fyd? A beth ddeuai ohonom ni?'

'Wel, f'ewyrth, gwyddoch y ddihareb, "*Turn about is fair play*". Synnwn i ddim nad oes llawer o'r werin wedi gofyn cwestiwn tebyg ers blynyddau. Beth ddaw ohonyn nhw os ceiff boneddigion y wlad yma barhau i'w gormesu am byth.'

'Gormesu, Francis, pwy sydd yn cael eu gormesu? Does nelo'r werin â llywodraeth na dim arall, i hynny y crëwyd y mawrion, eu busnes ydi bod yn foddlon ar 'u sefyllfa'u hunain, llafurio tir y *Squire* yn dda, a thalu'r rhent amdano.'

'Hwyrach bod tipyn o wahaniaeth ym marn y werin bobl a chwithau, f'ewyrth, beth ydyw llywodraethu gwlad yn iawn. Synnwn i ddim nad ydynt weithiau yn meddwl fod eu sefyllfa hwy yn un lled bwysig yn y wlad, ac y byddai'n anodd i ni wneud hebddynt, yn anos yn wir o gryn lawer nag iddynt hwy wneud hebddom ni, a chan hynny fod ganddynt hawl i fanteisio ar gyfoeth y wlad i ryw fesur, yn gymaint â bod ganddynt hwy fwy o law yn ei gynhyrchu na neb arall.'

'Francis, does bosib fod rhaid i mi wrando arnoch chi yn troi holl sylfeini cymdeithas wyneb yn isa fel yna. Debyg mai'r peth nesaf ddeudwch chi ydi fod o'n beth iawn datgysylltu'r Eglwys yn Iwerddon 'run fath â Gladstone yna, ac fel basa'r capelwyr yma yn leicio datgysylltu Eglwys Cymru hefyd tasa nhw'n medru. Y gwir ydi, Francis, gormod o ryddid o lawer mae'r werin wedi gael. Does dim rheswm ar y ddaear pam maen' nhw at 'u rhyddid i godi capeli ym mhob man, ac eglwysi'r plwyf yma yn ddigon gwag bob Sul. Dydi o ddim yn beth i fod.'

'Wel, f'ewyrth, rydych chwi ac arall yn credu fod yr holl bobl yma, tlawd yn gystal a chyfoethog, yn meddu eneidiau. Dydw i ddim yn siŵr o'r pwnc fy hun, ond os oes, os ydi'r Duw rydych chwi ac eraill yn credu ei fod – dydw i ddim yn siŵr fy hun ai yr un yw eich Duw chi a fy Nuw i, os oes gennyf un – ond os ydi'ch Duw chi wedi trystio enaid i bob un o'i greaduriaid, rydw i'n rhyw led feddwl mai eiddo'r creadur ei hun yw ei enaid, ac yn sicr fe ddylai fod at ei ryddid i addoli ei Dduw, y Duw y mae ef yn credu ynddo yn y dull a'r man y mynno. Am Eglwys Cymru, lle mae hi? Eglwys Loegr yng Nghymru feddwn ni heddiw, cofiwch, ac mae'r gwahaniaeth yn fawr iawn.'

'Francis Glyn, rydw i wedi synnu atoch chi, faswn i byth yn credu fod yn bosibl i neb yn perthyn dafn o waed i mi fynd i'r fath dir pell. Ddim yn siŵr oes eneidiau gan bobl, ddim yn siŵr oes Duw yn bod, ac yn deud na feddwn ni 'run Eglwys yng Nghymru. *Dear me, dear me*,' a sychai Mr Harris y chwys a gynhyrchodd ei eiddigedd duwiol oddi ar ei dalcen. 'Francis Glyn, ai *atheist* ydi fy nai i? Beth ddaw ohonom ni cyd-rhwng

Pabyddion fel Gladstone ac atheistiaid fel chwithau?'

'Mi ddylai dyn fel chi wybod yn eitha, f'ewyrth, na wneiff taenu straeon celwyddog ynghylch Pabyddiaeth Mr Gladstone mo'r tro. Mae'r bobl yn gwybod gwell pethau, ac yn chwerthin yn eu llewys am eich pen chwi a'ch gweision. Dydi Gladstone ddim yn Babydd mwy nag yr ydwyf finnau yn *atheist*. Dyn yn gweled dipyn ymhellach na'i drwyn ydi Mr Gladstone, a mi fydd wedi dangos y weledigaeth i eraill hefyd yn y man. Ac mor belled a mae fy nghred i'n mynd, mae yn ddigon i mi ddeud mod i'n credu mewn dau beth yn gryf: cyfiawnder a gwirionedd.' Chwarddodd Mr Harris yn goeglyd, ac ebe fe, 'Cyfreithiwr geirwir, Francis?'

'Ie, f'ewyrth, gobeithio, ond peidiwch â cholli'ch tymer wrth i mi geisio rhoddi golwg i chwi ar yr ochor arall. Mae dwy ochor i bob cwestiwn, onid oes?'

'Os na fedrwch chwi gadw eich syniadau hereticaidd i chwi eich hun, Francis, well i chwi fynd â'ch dwy ochor i rywle o'r fan yma. Rydw i wedi tyngu mynna' i ennill, dyna i chi.' Ysgydwodd Francis Glyn ei ben.

Pennod VIII
Yng nghysgod y pinwydd

Tra y cynhyrfid trigolion tawel hen blwyf Llangynan nes eu cwbl ddeffro o'u cysgadrwydd gan ymweliadau mynych y bonheddwr o Blas Dolau, ynghyd â rhyw wirfoddolwr Toriaidd o gyfaill yn llefaru beunydd aml eiriau esgymundod a bygythion uwchben pawb ym mhob man na chredent yn anffaeledigrwydd yr Iddew, Benjamin Disraeli, teithiai bachgen ieuanc glân yr olwg arno ymysg golygfeydd mwyaf rhamantus natur ymhell o fro ei enedigaeth. Ond nid yn rhy bell i dderbyn cenadwri fechan weithiau oddi wrth gyfeillion mebyd, a mawr y mwynhad a roddai ambell lythyr neu bapur newydd o Gymru iddo pan ei goddiweddent ar ei daith. Yr oedd Robert Gruffydd yr Hafod Olau yn llygad ei le pan ddywedodd mai bachgen da oedd Nisien Wyn, bachgen a defnydd dyn a wnâi ei ôl ar y byd ryw ddydd, os cynysgaeddid ef â bywyd ac iechyd.

Y 'nawnddydd yr ysgrifennaf amdano cerddai yn ôl ac ymlaen yng ngodrau y mynyddoedd cribog, mynyddoedd nas medd Cymru fechan eu tebyg er mor fynyddig yw hi. Codai ei lygaid i fyny tuag atynt, gan edmygu eu cadernid oesol, eu huchder megis yn dyrchafu tua'r nen, eu pennau gwynion yn colli o'r golwg yn yr eangder mawr. Yna yn nes i lawr eu hochrau, ar y coed pinwydd ardderchog a dreulient eu bywyd ym myd y cymylau yn tyfu i fyny uwchlaw pob coeden arall ar y silffoedd creigiog mewn mannau nas aflonyddir arnynt gan neb o breswylwyr y ddaear. Golygfa anghymharol ei phrydferthwch oedd, ac nid rhyfedd i Nisien Wyn deimlo ei enaid yn gynhyrfus o'i fewn wrth syllu ar fawrion weithredoedd Duw yn Ei greadigaeth. Eisteddodd y bonheddwr ieuanc i lawr mewn cornel neilltuedig a distaw, y mwsog gwyrdd yn esmwythfainc iddo yn agen y graig ysgythrog, a thynnodd lythyr o'i boced, a darllenodd ef drosto lawer gwaith a murmurai wrtho ei hun, 'Yno y dylwn i fod yn sefyll wrth ochr y dynion, ond i beth, beth allwn i, dyn a'm helpo, neud wedi'r cwbwl? Mae Mr Harris yn dechrau dangos ei gilddannedd, feddyliwn, eisoes,' a darllenai air neu ddau yma a thraw yn y llythyr wedi hynny. Yna cododd ei olygon tua'r mynydd, megis, fel y Salmydd gynt, yn disgwyl am gymorth oddi wrthynt hwy, a sibrydai wedi hynny wrtho ei hun, 'Mae'r hen fynyddoedd yn aros yr un trwy bob tywydd, a ninnau greaduriaid egwan y naill genhedlaeth ar ôl y llall yn dioddef wrth eu traed. Ai tybed yr aflonydda Mr Harris ar yr hen gerrig – cerrig ein cyfamod – mor wir oedd ei geiriau hi y noson olaf honno, 'Mae'n hawdd caru, nid yw mor hawdd gobeithio bob amser. Mor anhawdd yw bod yn amyneddgar, eto amynedd yw coron bywyd. Ac mae'n anodd bod yn amyneddgar, yn anodd iawn.'

'Nisien, Nisien, beth sydd wedi digwydd i chwi, yr ydym wedi eich colli ers amser,' a chyda llam wele fonheddwr ieuanc rywbeth yn debyg i'r un oed â Nisien Wyn, neu feallai ychydig yn ieuengach, yn sefyll yn ei ymyl, ei bwys ar goeden.

'Beth,' ebe eilwaith, 'nid ydych yn mwynhau breuddwydio yn y fan yma yn well na'r cwmni diddorol o gylch y gwesty?'

'Dywed y gŵr doeth fod amser i freuddwydio weithiau onid oes, Charlie, ac mae ambell i olwg ar fawredd y mynyddoedd yma yn rhoddi i mi ryw fath o nerth wyf mewn mawr angen amdano yn aml.'

'Nisien, yr wyf wedi sylwi fod llythyrau neu newyddion o Gymru yn effeithio yn ddwys arnoch bob amser. A ydych mewn gwirionedd yn hiraethu am yr hen wlad fach honno ymysg golygfeydd fel y rhai hyn?'

'Na, nid wyf yn hiraethu, Charlie, er fod popeth sydd yn annwyl i mi yno, yn gorwedd yn ei daear neu yn byw ar ei bryniau.' Trodd at ei gyfaill ieuanc ac ychwanegodd, 'dylwn ddweud, ac eithrio eich cyfeillgarwch chwi, Charlie, nid gwaith hawdd i un bachgen ieuanc mor unig â mi ydyw darganfod y fath gydymaith a disgybl o'ch bath chwi, a gwn hynny yn dda. Ond y gwir yw, mae'r newyddion oddi cartref heddiw yn peri llawer o boen i mi. Pendefig Rhyddfrydig eang ei galon, a llydan ei syniadau yw eich tad, ac nis gellwch chwi ddeall, yn wir ffurfio un drychfeddwl, am ystranciau maleisus Torïaeth tuag at weiniaid tlodion y wlad. Gwyddoch hanes bore fy oes i, clywsoch fi lawer gwaith yn sôn am yr hen ardal hyfryd a'r bobl syml, rhai ohonynt yn bobl dduwiol iawn, a drigent yno. Erbyn heddiw mae'r fangre lonydd wedi ei throi yn rhyw *arena* i ymladdau, rhai yn crynu, eraill yn gryfion yn dal breichiau y gweiniaid, ond tangnefedd wedi ei ymlid ymaith o'u mysg. A'r cyfan am na fyn y dyn gafodd le fy nhad i neb gael rhyddid i farnu'n wahanol iddo ef.'

'Dyna ddywed fy nhad yw un o erthyglau cred Torïaeth: llethu rhyddid barn a llafar.'

'Un o ddynion rhogorol y ddaear yw eich tad, Charlie, diau iddo ddweud llawer o eiriau doethineb heblaw y rhai yna, ond ni ddywedodd eu cywirach erioed, yr oll sydd gyferbyniol i ryddid, dyna yw Torïaeth. Ond mae'r dyddiau yn ymyl pryd y cânt ddeall mai dynion ydynt ac nid Duw, ac fel mai byw fy enaid i, rhaid i mi helpu i ddysgu y wers honno iddynt. Dynion ieuainc ydym ni ein dau heddiw, Charlie, a fedrwn ni wneud fawr fwy na gloywi'n harfau, a dysgu y modd gorau a mwyaf effeithiol i'w trin, a dyna raid i ni wneud bob dydd o'n hoes hyd nes y daw ein cyfle ninnau i gymeryd ein lle yn y fyddin.'

Tra y siaradai Nisien, taflodd yr haul ei belydrau gogoneddus ar y mynyddoedd gwynion a'r pinwydd gwyrddion, gan lapio y ddeuddyn ieuainc yn ei oleuni fel mantell drostynt.

Gwenodd Nisien, ei wyneb megis yn adlewyrchu gogoniant

y cawr nefol uwchben. 'Gwelwch,' ebe ef, 'dyma i ni yr hyn alwasai eich mam yn *good omen*, Charlie; goleuni yr haul yn bendithio'r llw o ffyddlondeb i faner rhyddid. Byddai Gwen Gruffydd, gwraig dda yng Nghymru fu yn fam i mi am nad oedd gennyf fy mam fy hunan, yn dweud wrthyf am beidio deisyfu fy einioes pan fyddwn i yn gweled ambell i ddiwrnod y disgwyliwn amdano yn hir yn dod. Rwy bron â methu peidio gwneud hynny heddiw. Teimlaf gymaint o awydd bod â'm cleddyf yn fy llaw yn sefyll gyda'r bobl fu mor garedig i mi yn nyddiau fy mhlentyndod. Ond,' ebe, mewn llais isel tyner, '"amynedd yw coron bywyd," a rhaid i mi dreio credu hynny hyd nes y daw'r awr a'r adeg, a minnau yn barod iddynt.'

'Nisien, Nisien,' ebe ei ddisgybl ieuanc yn chwareus, 'nid yw y daliadau rhyfelgar yna yn gydweddol â'ch enw chwi. Oni ddywedasoch mae ei ystyr yw, "mab tangnefedd"?'

'Ie, ond rhaid ennill y tangnefedd gorau yn aml trwy frwydr galed, Charlie. Os am ddymchwelyd gormes rhaid trechu y gormeswr unwaith am byth. Ac, fel rheol, ni ddeallant hwy – gorthrymwyr pobl – fawr fwy na'r rheiny y soniai fy hen ffrind Robert Gruffydd amdanynt nad oedd ond synnwyr pen pastwn yn bosibl iddynt. Ac wedi hynny ceir tangnefedd parhaus.'

Bu distawrwydd cydrhynddynt am rai munudau, ac estynnodd Nisien ei law a thynnodd flodyn bychan egwan o liw lilac, a dyfai wrth ei draed, ac ebe efe, 'Welwch chwi hwn, Charlie, dyma'r unig flodyn bychan sydd eto yn ddigon cryf i dreiddio trwy'r eira yn uchder y mynyddoedd yma. Ddarfu chwi sylwi mor gryf, y fath nerth bywyd sydd yn y gloch fechan? Gwelsom un ohonynt uwch ein pennau y dydd o'r blaen wedi i ni ddringo mor uchel ag y meiddiai ein harweinydd fyned, a dyma gannoedd ohonynt yn y gornel neilltuedig yma eto; a gwelais fwy ohonynt ddoe ymysg y blewyn glas blasus ym mhorfeydd y defaid a'r gwartheg. Ar i fyny y mae popeth yn tyfu onidê? Y fath egni i wneud eu gwaith hwy raid fod yn y blodau bychain yma! Mae ein dyled ni yn fwy, gofynnir mwy gennym.' Edrychai unwaith eto tua'r nen, yna at y mynyddoedd. 'Charlie, byddai Robert Gruffydd yn dweud fod cyfiawnder yr Arglwydd fel mynyddoedd cedyrn: paham y mae Efe yn edrych o'i breswylfa yn y nefoedd ar anghyfiawnder Ei greaduriaid egwan yn y byd yma?'

Trodd ei lygaid tua'r llechweddi, ar y rhai y tyfai y pinwydd, y coed hardd na cheir eu tebyg, weithiau yn ffurfio coedwig heb nemawr goeden arall yn eu mysg; dro arall un yma ac un acw yn neidio i fyny megis o ddannedd y graig, eu dail yn cuddio nid yn unig eu brigau a'u canghennau, ond hefyd ysgythredd eu cwmpasoedd. Y coed y rhaid eu hedmygu pan yn dywyll a thrist yn y cyfnos, pa faint mwy pan wisg yr haul hwynt gyda'r fath ddisgleirdeb nes ymddangos i lygaid dynol yn fynych fel pe byddent yn oleuni eu hunain? Rhoddodd Nisien Wyn ei law ar ysgwydd ei gyfaill ieuanc, ymddangosai ei wyneb wedi ei sirioli, ac ebe fe, 'Charlie, yma unwaith eto, wele fi yn penderfynu trwy bob anhawsterau fynnu gwneud a allaf fi i symud Torïaeth oddi ar war fy mhobol. Tyst ydych chwi imi.' Disgleiriai yr wyneb ieuanc hardd, ysgydwodd y ddeuddyn ieuainc ddwylaw, a throesant eu cefnau ar y mynyddoedd ac aethant yn ôl tua eu llety yn y gwastadedd.

Pennod IX
Pentref y capeli

Heb fod nepell oddi wrth hen eglwys Llangynan, oddi wrth yr hon y cafodd y plwyf ei enw, yr oedd pentref bychan rhyfeddaf, a adnabyddid fel Pentref Bryn Eiddig. Pa gysylltiad fu cyd-rhwng y fro a'r gŵr hwnnw anfarwolwyd gan Ddafydd ab Gwilym, nid oes un gair ar gof a chadw i'n hysbysu, nac un garreg filltir yn unman oddeutu'r cwmpasoedd i'n rhoddi ar ben y ffordd i olrhain yr hanes chwaith. Yr unig wybodæth yn ein cyrraedd yw mai dyna enw'r pentref bychan tawel yng nghysgod y bryn, a'r llyn y dywedai'r plant na feddai yr un gwaelod, yn llechu yng nghesail y graig ryw ganllath oddi wrtho. Dywed hen lên gwerin yr ardal y bu i eiddig a Morfudd ddod yno ar eu hynt ryw dro i ymweled â Phlas Cynan, hen anheddle un o bendefigion Cymru Fu – nad yw heddiw ond ffermdy cyffredin – a bod prinder llety i'r fintai bobl a ddaethant gyda hwy yn y Plas; i'r pendefig letya rhai ohonynt yn y tafarndy, yr hen Dyn'llan, sydd wrth borth y fynwent, ond fod eto rai yn aros heb obaith am gymaint â man i daenu'r hesg arno dros y nos. Yn y benbleth edrychodd gŵr y Plas o'i gwmpas, a sylwodd ar y llecyn cysgodol yng ngodre'r bryn, a gorchmynnodd godi pebyll yno ar gyfer y gweddill, yr hyn a wnaed ar y gair. Yr un pryd bedyddiwyd y lle yn Bentref Bryn Eiddig, oherwydd mai i'w gymdeithion ef y codwyd mannau i gartrefu ynddynt y tro cyntaf erioed ar y smotyn hwnnw. Faint bynnag o sail sydd i'r chwedl, rhaid ei rhestru ymysg y rhai nas gallwn obeithio mwy fod yn y golau yn eu cylch, ac er mor ddiddorol yw olrhain hanes enwau ein pentrefi i'r gorffennol draw, medd aml un ohonynt gysylltiadau mwy diddorol a dynnant ddagrau gloywon o lygaid llawer Cymro a Chymraes a garant ddilyn ymdrechion glew eu hynafiaid dros grefydd a rhyddid yng Ngwlad y Bryniau.

Un o'r pentrefi yna oedd Pentref Bryn Eiddig. Nid oedd dim gwahaniaeth yn ei olwg allanol oddi wrth bentrefi bychain prydferth eraill ganfyddid yma a thraw, mewn cornelau wrth draed y mynyddoedd uchel. Tai bychain, cegin a siamber, a dim llofft iddynt, oedd y mwyafrif. Ceid ambell un â darn o lofft un ochr iddo, a dau neu dri yn dai 'dai uchdwr' fel y gelwid y tai hynny feddent lofft dros yr holl dŷ. Ni pherthynai i'r trigolion un peth a'u hynodent oddi wrth eu cymdogion yn y pentrefi cylchynol chwaith. Preswyliai crydd yn un o'r tai; efe ofalai am esgidiau a chlocsiau yr ardal, a medrai wneud bwtsias y llongwyr a *bluchers* y llafurwyr gystal â'r crefftwyr gorau yn unrhyw wlad. Crydd heb ei ail oedd Sam yn ôl barn ei gwsmeriaid, ac efe ei hunan. Cafodd yr anrhydedd o golli ei goes pan yn ieuanc ym mrwydr y Crimea, a threuliwyd llawer awr yn y gweithdy gyda'r nos gan weision y ffermwyr yn gwrando ar Sam yn dweud hanes ei wrhydri. Gallesid meddwl nad oedd dim ar y ddaear yn rhoddi y fath urddas ar ddyn â meddu coes bren. Heblaw bod yn grydd, yr oedd Sam yn glochydd hefyd, a mynnai ei gyfeillion mai efe oedd y darllenwr gorau a fu mewn un llan erioed. Yn ddiau clywir bob dydd ugeiniau os nad cannoedd o rai llawer gwaelach na'r hen Sam.

Yn y bwthyn nesaf at dŷ'r crydd trigai hen wraig weddw ac un mab iddi. Pobai Deborah y wics gorau allan; rhaid cydnabod mai dyna oedd barn pawb fu yn eu profi ryw dro. Byddai ganddi dri math ohonynt: un a ambell gyrant yma a thraw ynddi, tua hanner dwsin ym mhob wicsen feallai; math arall â hadau carwe ynddynt, wics poblogaidd iawn oedd y rhai hyn; ac yn olaf y wicsen blaen, heb ddim yn gymysgedig â'r toes rhagorol a baratoai Deborah fel nas gallai neb arall: hon oedd wicsen cleifion yr ardaloedd. Am wicsen blaen Deborah y rhedai pawb os cymerid rhywun yn sâl; a dyma'r wics arferai gwragedd y ffermydd fyned â gwerth chwech ohonynt yn eu basgedi pan yn talu ymweliadau â theuluoedd eu cymdogion. Canmolid wics Deborah am lawn ddeng milltir rownd i'r bwthyn bychan gwyngalchog, os nad ymhellach lawer. Bachgen heb fod yn gryf oedd ei mab. Emrys. Nid oedd obaith iddo ef allu byth gynnull yr ŷd, na chario pyngau blawd, neu aredig y tir, nac unrhyw waith caled arall. Ond gyda llawer o boen ac ymdrech ddiflino ei hunan, diwylliodd Emrys Puw ei feddwl ymhell tu hwnt i'r mwyafrif o fechgyn Cymru yr adeg honno. Dysgodd rwymo llyfrau, ac ni rwymodd yr un llyfr ddygwyd iddo gan ei gymdogion heb ei ddarllen ei hun, os gwelai fod y llyfr yn werth y drafferth. Pan heb waith rhwymo llyfrau, helpai ei fam i wneud cyfleth, a byddai cryn lawer o'r minceg a werthid yn siop Deborah yn waith cartref Emrys. Cyd-rhwng y cwbl meddai y ddau fywioliaeth ddigon twt er ei bod ymhell o fod yn un foethus.

Tu hwnt i'r siop wics, yng nghwr pellaf y pentref, rhyw ychydig gamre i lawr yr allt arweiniai tua'r môr, y ceisiai y saer Owen Prys a'i wraig, Beti Dafydd, gael y ddau pen llinyn ynghyd trwy weithio yn hwyr ac yn fore, a magu llond tŷ o blant yr un pryd. Tipyn o ddrain yn ystlysau taclus Deborah oedd yr hylltod plant a gyrchent o gwmpas ffenestr ei siop fechan ddel hi, ac a faeddent y cwareli gwydr bychain wrth bwyso eu trwynau arnynt, neu eu llyfu â'u tafodau, a llawer math o gyffelyb arferion nas gŵyr un dewin paham y cynhyrfir plant i'w cyflawni.

Yng nghwr eithaf y pentref, yr ochr arall, y bu'r hen Ddoli Rhobet, a Siani Morus, yn trigo yn eu bythynnod am lawer o flynyddoedd meithion, un yn gwau hosanau, ac yn trin gwlân, ac yn helpu gyda thipyn o bopeth ar hyd y wlad, a'r llall yn golchi i'r gweision, yn trin a thrwsio eu dillad, hel cocos a'u piclo, piclo penwaig a wynwyn hefyd, a thyfu hadau bresych (*cabbage*), yna eu gwerthu yn blanhigion bychain wrth y cant i'r ffermwyr. Siani fyddai'n gofalu am gadw hadyd i'r holl wlad o'i hamgylch. Ac hefyd enillodd iddi ei hunan enwogrwydd nid bychan am ei bod yn arfer trin a bwyta treipsen yr anifeiliaid a leddid gan y ffermwyr. Anfonai pawb at Siani pan benderfynid lladd ŷch neu fochyn, a byddai hithau yno yn disgwyl am y dreipsen, a ffwrdd â hi tuag adref megis un wedi cael ysglyfaeth lawer, a mawr yr helynt yn ôl disgrifiad y cymdogion, y gwelid Siani ynddo yn trefnu'r dreipsen. Ni chlywsai yr un ohonynt am y fath ddysglaid o ddanteithion â *tripe and onions* y Saeson, ac edrychent ar Siani Morus dipyn yn isel am ei bod yn bwyta'r dreipsen. Ond pan ddaeth yno Hwntw i gadw ysgol, taflwyd Siani a'i saig i'r cysgod yn lân: yr oedd hwnnw yn arfer bwyta'r ysgyfaint. Ac er eu bod yn ymddwyn yn eithaf parchus tuag at yr ysgolfeistr o flaen ei wyneb, rhaid addef na chafodd yr un gair o addysg a gyfrannodd erioed gymaint o ddylanwad ar y bobl syml o'i gwmpas â'r ffaith ei fod mor ffiaidd ei archwaeth, yn eu tyb hwy, ag ymostwng i fwyta ysgyfaint. Ceisiodd ef a'i deulu ymresymu â rhai ohonynt ar y pwnc, ond ni fu hynny o ddim diben tra y bu yn trigo yn eu mysg. Os teimlai rhywun fod eisiau diraddio yr ysgolfeistr, nid oedd un ffordd i'w chymharu mewn effeithioldeb debyg i'r un o wneud y ffaith yn hysbys ei fod yn byw ar ysgyfaint.

Ynghanol y pentref y safai y tŷ mwyaf ohonynt oll. Meddai Morus Siôn ddwy fuwch, a dau neu dri o foch, ac o ganlyniad ddigon o dir i'w cadw, yn gystal â gardd helaeth. Edrychid arno ef fel dyn uwchlaw angen, er nad oedd ganddo fawr wrth gefn. Ond yr hyn a roddai fwyaf o arbenigrwydd ar Morus Siôn oedd ei fod yn flaenor seiat yng nghapel y Methodistiaid, ac yn fanwl iawn yn gofalu am ymarweddiad yr aelodau. Ofnai pawb Morus Siôn, ac ni charai neb ef. Ni allodd undyn ei berswadio fod unrhyw gysylltiad cyd-rhwng gwleidyddiaeth a chrefydd, ac ni theimlai ddim diddordeb yng ngweithrediadau y Senedd, nac ym mhersonoliaeth y gwahanol arweinwyr i'r naill blaid na'r llall. Paratoi i fynd oddi yma i fyd gwell oedd syniad Morus Siôn am y bywyd sydd yr awron, beth allai fod ei syniad am nefoedd erys yn ddirgelwch; ychydig iawn o nefoedd gafodd neb yn ei gymdeithas ef. Edrychai ar chwerthin yn bechod ail i smocio, ac ni welid gwên byth ar ei wyneb ef.

Rhai fel yna oedd preswylwyr Pentref Bryn Eiddig, ac ni roddai eu gwahanol nodweddion feallai un hynodrwydd i'w pentref allesid ystyried yn werth sylw. Eto perthynai i'r lle arbenigrwydd neilltuol sef yr enwau ar y tai. Gelwid enw tŷ Siani Morus, Capel Newydd, preswyliai Doli Rhobet yn y Capel Bach, gweithiai'r saer yng Nghapel yr Allt, a phobid y wics yng Nghapel y Fawnog. Deuai esgidiau Sam o'r Capel Isa, a disgyblai Morus Siôn y gymdogaeth o'r Capel Ucha. Dyna synnai bawb ddigwyddai glywed rhyw gymaint o hanes Pentref Bryn Eiddig mai capel oedd enw pob tŷ yno. Ac wedi olrhain yr hanes hwnnw yn ôl deuent i ddeall fod pob un o'r tai bychain wedi bod ryw ddydd yn fan gorffwys i Arch yr Arglwydd yn eu tro, wedi i bebyll unnos pendefig Plas Cynan fyned i ebargofiant.

Ni feddai neb ond Morus Siôn bleidlais ymysg preswylwyr Pentref Bryn Eiddig. Ni pherthynai yr un lathen o Fryn Eiddig i Sgweiar Plas Dolau chwaith, eto ni fynnai Mr Harris basio yr un bleidlais heb fyned i ddangos ei ddyletswydd i'w pherchennog. Gan mai ysgol y llan oedd ar gwr y pentref, ei gam cyntaf fu trin achos Morus Siôn gyda'r ysgolfeistr. Ceisiodd hwnnw argyhoeddi Mr Harris ynghylch yr annoethineb o ymyrryd â Morus Siôn 'i agor ei lygaid.' Ond meddai y gŵr o Blas Dolau gryn lawer o'r cyndynrwydd a briodolir yn gyffredin i'r mul a'r mochyn. Wedi iddo ef wneud ei feddwl i fyny, ni thyciai na chyngor na cherydd i'w droi oddi ar ei lwybr, ac yn unol â'r cymeriad hwnnw wele ef ryw ddydd pan oedd hi yn hwyrhau, yn troi pen ei geffyl tua phentref y capeli i chwilio am Morus Siôn, a Mr Tattenhall, yr ymgeisydd Torïaidd gydag ef, y ddau wedi blino, a'u tymherau yn dechrau myned yn afrywiog yn ôl arfer plant dynion pan yn lluddedig a newynog.

Arferai Deborah ddweud nad oedd dim trefn ar y dull y megid plant y saer; nad oeddynt yn cysgu hanner digon, na chwaith yn deall blas y wialen fedw gymaint a wnaethai ddaioni iddynt. Diamau y cytunai mwyafrif trigolion y pentref â hi, canys buasai cysur yr oll ohonynt yn llawer helaethach pe gallasai Beti Dafydd weled ei ffordd yn glir i hwylio ei phlant i'w hun a'u heddwch ychydig yn gynharach, yn lle eu goddef i redeg o gwmpas yn llwydni'r cyflychwyr yn dyfeisio cynlluniau i chwarae mân driciau a boenent y rhai oeddynt wedi hen anghofio dyddiau eu plentyndod eu hunain. Ond gwaith lled ddifendith oedd ceisio hyfforddi Beti Dafydd mewn taclusrwydd. Cytunai â'r oll o'r cynghorion, eto byddai y creaduriaid bychain yn gwibio o gwmpas nos drannoeth yn union yr un fath: 'yn droednoeth, goesnoeth, ac ar hanner tynnu amdanyn, yn union 'run fath â'r sipsiwn yna yn cyflawni gweithredoedd y tywyllwch,' ebe Deborah, yn ei ffordd hi o ddisgrifio dull y plant yn difyrru eu hunain.

'A naw wfft iddyn nhw os bydd hi'n noson loergan lleuad. Ma' nhw fel petha wedi 'u gollwng o'r carchar yn union,' ebe Doli Rhobet, yr hon a gytunai â phob gair leferid gan ei chyfeilles Deborah.

Nid oedd y lleuad wedi codi pan drodd y ddau fonheddwr eu hwynebau tua phentref y capeli, ond gwelid aml i seren yn y nen; a da hynny, gan fod yn hawdd i bobl anghyfarwydd â'r lle gamgymeryd yn y groesffordd, ac yn nhywyllwch y gwyllnos fyned i'r llyn feddai'r cymeriad o fod yn ddiwaelod – 'yn cyrraedd i lawr hyd yn uffern' – ac nid i'r pentref bychan, tawel, nas aflonyddid arno un dydd mewn blwyddyn gan neb ond plant Beti Dafydd. Mor ddistaw oedd y pentref, fel y meddyliodd Mr Harris fod yr holl drigolion wedi myned i orffwys, eto prin y gallai gredu fod hynny yn bosibl, er iddo glywed rhai o hen bobl Llangynan yn dweud mai'r ffordd i fyw yn iawn oedd myned i glwydo 'run pryd â'r ieir, a chodi 'run amser â'r ceiliog. Beth ond cwsg neu angau allasai roddi cyfrif dros y fath dawelwch yn y fangre lonydd? Nid oedd cymaint â golau cannwyll frwyn i'w weled trwy yr un o'r ffenestri.

Tra yr edrychai y boneddigion o'u deutu, clywent rywbeth tebyg i sŵn siarad heb fod nepell oddi wrthynt, eto nis gwelent neb. Disgynnodd y ddau oddi ar eu ceffylau, a dechreuasant glymu yr anifeiliaid gerfydd eu ffrwynau wrth lidiart y llwybr arweiniai i dŷ Morus Siôn. Ond pan oedd y ddau ar fedr cychwyn tuag yno, gwaeddodd llais plentynaidd, 'Does yna neb yn Capel Ucha. Ma' Morus Siôn a phawb yn y cyfarfod gweddi yn Capel Llwyd. Ma' Meri Catrin Tomos wedi marw, a ma' pawb wedi mynd yno i ofyn i Iesu Grist neith o beidio ei thaflu hi i'r tân mawr.'

Dyna esboniad y plentyn ar yr arferiad o gadw gwylnos, ac wedi aros am ennyd i edrych oedd siawns cael ceiniog gan y 'byddigions' am yr eglurhad, ymaith â geneth fechan heibio iddynt, fel ysgyfarnog yn rhedeg i'w gwâl.

Bu tipyn o ymgynghori cyd-rhwng Mr Harris a Mr Tattenhall ynghylch y cwrs gorau i'w gymeryd. Teimlai y ddau yn newynog a sychedig, a mawr ddymunent fod yn eistedd wrth y bwrdd ym Mhlas Dolau yn adfywio eu cyrff lluddedig gyda gwin a'r danteithion o'r fath a garent. Eto, gan eu bod wedi trafferthu i ddyfod i fyny i'r pentref, nis gallent ymfodloni ar droi yn ôl heb wneud eu neges, a pheth dibwys iawn yng ngolwg y ddau oedd cyfarfod gweddïo yr Ymneilltuwyr; ac nid ystyrient fod aflonyddu ar greaduriaid anllythrennog ac anwybodus a feiddient gyfarch y Goruchaf yn eu geiriau eu hunain, heb gymorth offeiriad na *Llyfr*

Gweddi, ond peth y meddent berffaith hawl, os dewisent, i'w wneud. Ffolineb mawr, yn ôl barn Mr Harris, oedd pasio Deddf Goddefiad. Anghofiodd ef, druan, mai angenrhaid fu ar ein seneddwyr i wneud hynny er eu gwaethaf! Onis gellir olrhain yr holl ddeddfau a basiwyd yn y wlad o blaid y werin bobl i'r un rheswm? Deddfau wedi mynnu eu cael ydynt; nid rhai wedi eu rhoddi o wirfodd calon er budd deiliaid y deyrnas.

Eithr yr oedd yr etholiad wrth y drws, a Mr Harris a'i gyfeillion yn amcanu bod yn wên deg tuag at bawb hyd nes y gorfodid hwy i droi y tu min at y rhai na fynnent blygu iddynt; felly ystyriai y ddau fonheddwr mai doethineb ynddynt fyddai parchu y cyfarfod gweddïo, yn enwedig gan mai gwylnos oedd, a'r bobl yr amser hwnnw yn meddwl cryn lawer o'r nesáu at orsedd gras y noson olaf y byddai cyrff eu rhai annwyl o dan gronglwyd eu cartrefi cyn eu hebrwng i briddellau y dyffryn.

Cychwynnodd y ddau tua'r Capel Llwyd, bwthyn Catrin Tomos, merch yr hon a fuasai farw, yn arwain eu ceffylau yn araf, gan obeithio, wedi cyrraedd, allu anfon cenadwri at Morus Siôn eu bod hwy allan yn disgwyl amdano.

Wedi dyfod at y tŷ, gwelsant ei fod yn orlawn o bobl, a rhywun yn gweddïo yn uchel iawn ar ei liniau ynghanol y llawr. Ni chlywodd Mr Tattenhall yn ei fywyd sôn am y fath beth â hyn. Gwyddai amcan sut fath oedd yr *Irish Wake*, ond dyma rywbeth newydd a thra gwahanol; ac er na ddeallai yr un gair o'r iaith a ddefnyddiai y gweddïwr, eto ni fynnai i Mr Harris fyned yn nes na'r ffordd tua'r bwthyn. Troesant eu hwynebau yn ôl, gan benderfynu gadael Pentref Bryn Eiddig yn llonydd am y noson honno, a myned tua Phlas Dolau i fwynhau eu swper a cheisio dadflino gorau y gallent.

Er eu syndod a'u braw, ni fedrent hwy na'u ceffylau ymryddhau o ganol rhyw lyffetheiriau a'u hamgylchent. Yr oeddynt megis gwybed yng ngwe y pryf copyn; waeth pa fodd y tynnent hwy, tynnai rhywbeth arall yn groes. Dechreuodd yr anifeiliaid wylltio a chicio, fel mae arfer ceffylau. Bloeddiodd Mr Harris am help; rhegodd Mr Tattenhall eu ffolineb yn dod i'r fath bentref rheibiedig heb oleuni'r haul i'w diogelu. Daeth amryw o'r bobl nesaf at y draws allan o'r Capel Llwyd i edrych beth oedd yr helynt. A bu cynnwrf mawr, canys ni chiliasai ofergoeledd yn llwyr o'r wlad, a meddyliodd rhai o'r bobl ddiniwed mai y diafol oedd yno yn ymladd am enaid Meri, merch Catrin Tomos, a rhedasant yn eu holau i'r tŷ, eu hwynebau wedi glasu gan ofn, a'u dannedd yn clecian yn ei gilydd. Yng ngolau gwan y sêr, nis gallent weled yr ymgyrch yn y ffordd fawr; ond gan ei fod yn parhau, â'r dwndwr a'r gweiddi yn myned waethwaeth, nes yr oedd cadw cyfarfod gweddïo yn hollol amhosibl, penderfynodd y rhai dewraf ymysg y meibion yr aent tua'r fan i geisio dehongli yr helynt, a goleuwyd yr hen lusern ddefnyddiai Catrin Tomos a Meri i fyned a dod o'r capel ar nosweithiau tywyll.

Mynnai Morus Siôn mai rhai o weision yr un drwg oedd yno, os nad efe ei hun. Pwy arall fuasai yn meiddio torri ar dawelwch yr wylnos ddylasai fod yn gysegredig oherwydd galar hen fam wedi ei gadael yn unig?

'Ia,' meddai un o'r merched 'ma'n siŵr ma' rhai o'r hen Doris yma sy'n crymowta o gwmpas. Ma' nhw'n hwyr ac yn fora ym mhob man; fedr neb gael munud o lonydd gennyn nhw. Torri ar dawelwch, wir; mi dorran y cwbwl yn dipia mân grybibion, dwy'n meddwl, os na thendiwn ni.'

Ond yr oedd y dynion a'r llusern wedi cychwyn, a haws dychmygu na disgrifio eu syndod pan welsant ddau fonheddwr o safle mor uwchraddol â'r ymgeisydd seneddol, a Mr Harris, Plas Dolau, yn ymdreiglo yn y llwch, wedi eu dal mewn rhaffau neu rwydau, ymron diffygio wrth geisio dod allan o'r fagl, a'r ceffylau hwythau mor analluog â'u meistri i gael eu traed yn rhyddion. Ceisiwyd chwaneg o oleuni, rhedodd rhywun i ymofyn sisyrnau a chyllyll i dorri y llinynnau, ac un arall i dŷ'r ysgolfeistr, gan feddwl mai efe oedd y mwyaf cymwys i siarad â'r boneddigion yn eu helbul. Wedi mawr drafferth, cafwyd hwy ar eu traed, ac arweiniwyd hwy i'r Capel Bach, bwthyn Doli Rhobet, i'w hymgeleddu, tra y gofalai eraill am y ceffylau, druain, oeddynt wedi brawychu ymron hyd wallgofrwydd, ac yn ymddangos yn hollol anghymwys i undyn feddwl am eu marchogaeth rhag y byddai iddynt redeg i rywle a thaflu'r bonheddwyr i ochr y clawdd neu eu llusgo â'u traed yn y gwrthaflau nes eu lladd. Beth ellid wneud? Ni chofiai neb mai Torïaid oedd y ddeuddyn anffodus erbyn hyn, eithr cydgreaduriaid wedi eu maeddu a'u bywydau mewn perygl.

Tra yr oeddid yn ceisio dyfalu pa un fyddai y dull gorau i'w helpu, wele'r ysgolfeistr yno, a'i gwestiwn cyntaf ef oedd, 'Pwy ddaru faglu'r byddigions? Mae hi wedi mynd os na ellith dau ŵr bynheddig nobl fel hyn fynd trw'n pentref ni gyda'r nos.'

Ond nid oedd gan neb yr un llewyrch o oleuni ar y pwnc i'w roddi iddo; yn yr wylnos yr oedd y bobl pan glywsant am y ddamwain.

'Lle mae plant Capel yr Allt? Synnwn i ddim nad oes nelo nhw rwbeth â'r gwaith,' ebe Sam y crydd.

'Ma' nhw'n ddigon rhydd i bob drygioni, ma'n wir,' ebe Deborah yng nghlust Siani Morus, 'ond ma' rheswm ar beth ellith plant drwg hefyd neud. Ddaru ti sylwi, Siân, fod yna gryn lwyth trol o raffa, heblaw rhwyd bennog gimin ag un Wil Mike. Na, chwara teg, mi wn i cystal â neb beth fedr plant Beti Dafydd neud. Ond dydyn nhw ddim i fyny â hyn chwaith,' ac ysgydwai Deborah ei phen.

'Pwy bynnag fu wrth y gwaith, mi fydd yn difar i'w senna fo,' ebe'r clochydd, 'mi gaetha dyn 'i saethu gan y General am lai peth na hyn.'

'Rhaid dal y pry cyn sôn am dalu iddo fo Sam,' ebe Emrys Puw yn dawel.

'A duwc annwyl, fedar Sam ddim gneud hynny,' a chwarddodd Elin yr eneth wirion. 'Yn'd oedd golwg arnyn nhw! Dyna'r sioe ora welis i rioed. Hwyrach ma' nid hwn ydi'r tro ola syrthian nhw. "Duwc annwyl," meddaf i wrth mam, "yn tydyn nhw'n llancia," pan oeddan nhw'n cychwyn. Pwy fasa'n meddwl ma' nhw ydyn' nhw' rŵan?" A chwarddodd Elin yn uchel unwaith ac eilwaith.

'Mae yma ryw wers i ni yn hyn i gyd,' ebe Morus Siôn, yn ddifrifol. 'Y neb sydd yn sefyll, edryched na syrthio.'

Chwarddodd Elin yn uwch fyth. Nid oedd arni hi ddim ofn Morus Siôn. Trodd ato yn sydyn, a dywedodd, 'Duwc annwyl, arnoch chi ma'r bai, Morus Siôn. Chwilio am rwbath sy ginoch chi roeddan nhw. Debyg bod nhw'n meddwl fasan nhw ddim yn medru dwyn ych petha chi heb i chi gweld nhw yn dydd, a mi ddaethon yn y nos, y lladron diffath.'

'Taw, Elin, taw,' ebe Deborah yn ddistaw.

'Duwc annwyl, tewi i beth? A meddaf i wrth mam, "Duwc annwyl, lladron ydi pawb fydd yn dwyn, ac yn jêl ma'u lle nhw," meddaf i. A does gan Morus Siôn ddim i spario; ma' gin ŵr y Plas fwy o lawar. "Duwc annwyl," meddaf i wrth mam, meddaf i, "piti bod o wedi priodi. Mi fasa yno le iawn i mi dreio amdano fo; mi fasa'r hen leidr yn cael amal i gwrbitsh gin i." Duwc annwyl, welsoch chi mor fudr oedd o?' A chwarddodd Elin yn aflafar, nes atseinio'r bryniau.

Rywbryd cyn hanner nos, cyrhaeddodd y boneddigion Blas Dolau, ond yr oedd yr archwaeth am fwyd a diod wedi ymadael ers oriau. Heblaw a siaradwyd ymysg y trigolion, ni chlybuwyd am yr helynt ym Mhentref y Capeli, a chafodd Morus Siôn wneud a fynnai a'i bleidlais o ran Mr Tattenhall a gŵr y Plas.

Pennod X
'Dihareb a gair du'

Eisteddai Boba ar ei stôl drithroed fechan o flaen y drws yn gwau hosan fel arfer, ac yn mwynhau pelydrau haul Hydref a droai ddail y coed yn felyn fel efe ei hun cyn canu ffarwél â hwy. Telorai y fwyalchen ar frig y pren helyg o flaen y bwthyn, a chleciai gwiaill Boba i gadw amser i'w hoff aderyn. 'Mae o mor ffyddlon, 'mhlant i,' ebe hi wrth enethod Hafod Olau, 'fydd y deryn du pigfelyn byth yn cymyd 'i denydd pan fydd yr ha' yn mynd i ffwrdd, fel y bydd y gog a'r wennol a'r rheina. Gras prin iawn yn y byd yma ydi'r gras o fod yn driw, welwch chi, a mi fydd yn dda gin i weld o mewn deryn bach. Mi rydw i'n ffond iawn o robin goch am yr un rheswm: fydd arno fynta ddim ofn oeri 'draed yn yr eira wrth ddŵad i roi tro amdana i, a fydda i'n meddwl y bydd o'n diolch o'i galon i mi am y briwsion. Yn wir, mi fydda i'n ddiolchgar dros ben i'r un bach am ddangos sut un ydi o, a mi fysa'n dda gin i tasa bosib dysgu gwers i foda' rhesymol yn y byd yma oddi wrth y deryn du a robin. Newch chwi ddweud wrth ych tad y bydd y cwbwl yn barod at y cyfarfod gweddi yn brydlon. Synnwn i ddim na ddaw yma dipyn at ei gilydd. Roedd Huw Huws yn deud y bydd arnyn nhw lai o ofn dŵad yma na fasa arnyn nhw i fynd i'r capel mawr, dyn a'n helpo.'

'Llai o ofn, Boba, beth oedd Huw Huws yn feddwl? Fydd neb yn ofni mynd i'r capel, Boba,' ebe Olwen.

'Rhyw amsar rhyfadd iawn yn yr ardal yma ydi hi Olwen fach, amser i'w gofio fydd o mae arna i ofn garw. A hwyrach mai meddwl am betha fel'na barodd i mi sôn am ffyddlondeb y deryn du yma. Mae ar y bobl, druain, ofn 'i gilydd, does neb ŵyr pwy dyr wddw'r naill y llall yn 'i gefn rŵan, fel ma' gwaetha'r drefn.'

'Reit wir, Boba,' ebe Huw Huws y go', yr hwn ddaethai

yno heb i neb sylwi arno a haearn cwic yr hen wraig yn ei law, 'dyma fo, Boba, mi gwicith hwn y fordor dan gamp. Ond sôn roeddach chi am y drefn sydd yn yr ardal yma. Mae hi'n union fel tasa Satan wedi'i ollwng yn rhydd yma, a'r rhan fwya' o'r bobol yn bell iawn yn'i afael o hefyd. Ma'n gofyn i bawb fod yn bur ofalus ne mi fydd rhyw adyn neu gilydd yn nelu at ddwyn 'i damad o. Dyna i chi betha'r Siop Goch yna, does dim digoni ar'u gwanc nhw, ma' nhw'n ddigon drwg i gyd fel ma' nhw yno, ond mae John Tomos 'i hun yn crafangio'r cwbwl, a'i lygaid ar y slei i weld beth sy'n hwylus iddo fo lyncu.'

'Mae o'n aelod eglwysig yn tydi o, es tipyn, Huw?'

'O ydi, Boba, mi 'ddyliodd basa hi'n talu iddo fo fod, a rhoi gwedd go *respectable*, fel byddwn ni'n dweud, ar y mesur byr a'r pwysa ysgafn, ac heblaw hynny mae'n haws iddo fo draflyncu eiddo cymdogion tra bydd o'n cymyd arno fod yn ots o dduwiol, wyddoch. Does fawr, wyddoch, er pan fedrodd o gael ffarm Wmffra William i gyd iddo'i hun, er pan mae o'n cynffonna i Mr Harris, ac yr oedd y tipyn tir sydd yn mynd hefo'r siop yn helaeth ddigon iddyn nhw. Mae rhai ohonom ni yn meddwl fod 'i lygad o ar damad arall o dir yto, ran hynny. Cydrhyngo fo a John Evans, Tyddyn Dafydd, mi fydd yma olwg od ar y lle yma a 'dŵyr yr un ohonyn nhw ddim sut i ffarmio mwy na'r lloeau ma' nhw'n geisio fagu, rhad yn'u cylch.'

'Diar, diar, Huw bach, ma'n biti bod yma bobol ddrwg yn y byd yma, a rywsut fydda i ddim yn gweld llawer o fendith fy hun ar yr un ohonyn nhw chwaith.' Dododd yr hen wraig ei llaw denau wedi caledu wrth weithio yn hwyr ac yn fore, ar law ieuanc Rhiannon, a dywedodd, 'Fydd 'y ngeneth i ddim yn gweld 'run fath â fi bob amser chwaith. Mae hi'n misio disgwyl awr y talu.'

'Does ryfadd yn y byd, Boba,' ebe Huw Huws, 'digon ara

deg mae'r hen olwyn fawr yn troi, yn enwedig yng ngolwg y bobl ifanc, ond pan rydd hi dro mae hi'n gwasgu'r sorod fydd wedi crynhoi yn y cocos, ac yn lluchio'r sothach fydd wedi ymguddio yn y llwya'. Rydach chi'n cofio'r hen air,

Hwyr yr erys Duw cyn taro,
Llwyr y dial pan y delo.

Mi ddeudais i wrth walch y Siop Goch yna ddoe na waeth iddo fo heb ledu 'i safn ddim, na chaiff ynta ond 'i hyd a'i led yn y diwedd. Ond wir, Boba, wyddoch chi beth, mi fydd yn 'y mrifo i orfod credu fod yn bosib i bobol fod mor ddrwg. Aelod eglwysig wir, ac yn chwennych eiddo'i gymydog, ac yn lladrata mor ddigywilydd a phetasa fo'n mynd i mhoced i.'

'Lladrata, Huw bach, well i ti gymryd yn ara machgen i.'

'Ia, Boba, lladrata ydi peidio talu'u harian i bobol; a'r lladrad gwaetha', yn ôl 'y marn i ydi cadw eu heiddo oddi ar blant amddifaid. Wyddoch chi am blant Hywal y Siop, wel mi adawodd 'u taid a'u nain geiniog fach ddel fasa'n dipyn o help i'r plant yn eu cyfyngder cyn dŵad i ennill arian eu hunain, ond fel 'dwy byw, mae John Tomos yn gomedd talu eu cyfran i'r plant, yn ceisio taflu anfri ar goffadwriaeth eu rhieni trwy ddweud na adawsant ddigon o arian i gyflawni eu hewyllys, a phethau tebyg. Gŵyr pawb ei fod yn dweud anwiredd noeth, ac mae rhai ohonom ni yn gwbod ma' arian tad y plant sydd wedi cadw busnes John Tomos wrth 'i gilydd ddyddiau a fu. Ond wrth lwc 'dwy'n meddwl fod o wedi taro wrth 'i fatsh hefyd y tro yma.'

'Wel, wel, 'ddylias i rioed ma' un fel yna oedd John Tomos' ebe Boba, ei gwedd yn newid gan deimlad. 'Mae'n rhaid fod dyn yn ddrwg iawn, ie, yn neilltuol o ddrwg, i dwyllo plant amddifaid.'

'Mi ddeudais i wrtho fo basa arna i ofn gneud fy hun, a mi

ro's y ddwy adnod honno o flaen 'i drwyn o, "Na ddos i feysydd yr amddifad: canys eu Gwaredwr hwynt sydd nerthol; ac a amddiffyn eu cweryl hwynt yn dy erbyn di."'

'Hen lyfr nobl ydi'r Diarhebion, ie, ie, a mi fydda i'n synnu sut bydd ar bobol beidio bod ag ofn arnyn nhw gymryd yr enw rhagorol arnyn nhw, a gweithio gwaith y gelyn bob dydd o'u hoes. Yr efrau ymysg y gwenith o hyd, o hyd. Dyn bydol iawn fyddwn i'n arfer feddwl oedd John Tomos, ond 'ddylias i rioed fod o mor ddiegwyddor a chreulon.'

'Boba bach, tasa rhywun yn cynnig grôt y pis i John am gyrff marw 'i rieni, fasa fo'n syndod yn y byd i mi 'i weld o'n gneud am y fynwent a'i raw ar 'i gefn i dreio clensio'r fargian.'

'Huw, Huw,' sisialai Boba gan ysgwyd ei phen.

'Dydi Huw ddim ymhell o'i le, Boba,' ebe Rhiannon, be fasech chi'n feddwl o ddyn fuasai yn gomedd benthyg ceiniog i brynu llefrith i faban bach tri mis oed, yn crio bron â llwgu, a'r creadur bach hwnnw yn nai i John Tomos ei hun? Mi wn i fod hynna yn wir, mi glywes 'i fam yn deud hynny dan wylo, ac roedd bonheddwr caredig wedi taflu sofren iddi yn ei hangen, ac wedi rhegi John Tomos i'r cymylau, fel basa Huw yn deud. Mae yna dipyn o ddefaid duon wedi dod o'r Siop Goch, a gwae i neb ddod i gysylltiad â nhw. Felly bydd mam yn deud, a mi ŵyr pawb mor brin ei geiriau fydd hi, os na fydd eisiau canmol tipyn arnon ni. Does dim posib cael gan John Tomos neidio o ben y clawdd, medda 'nhad, i ddangos 'i ochor, ac felly does dim modd dibynnu arno ef mewn cysylltiad â dim, ond yr hyn ddaw ag arian i'w boced, neu dir i geisio 'i drin. Mae sôn fod o'n mynd i briodi, Huw.'

Chwarddodd Huw Huws y gof yn iach. 'John Tomos yn mynd i briodi! Wel, mi glywas i rywun rywdro yn deud tasa dyn yn lladd 'i wraig, ac yn cario'i phen hi tan 'i gesail y basa rhyw ddynes yn siŵr o fod yn ddigon gwirion i fentro i gymryd o er y cwbwl. Braidd nad ydw i run farn â fo wir. Mae meddwl am Jac Tomos yn cymryd arno garu neb ond y fo 'i hun yn ormod i greadur 'i ddal.' A chwarddodd y gof unwaith yn rhagor, yna ychwanegodd. 'Rhyw hen lolan o ddynes fach ddigon smala ydi gwraig William Williams y Siop Isa, ond yn wir fedra i ddim peidio madda lot iddi hi tra mae'r lleill yna yn yr un pentra. Adawan nhw ddim siawns i neb arall fyw ond y nhw rwsut. Soniwch am y d—, a dyma fo,' ac yn ddi-os dyna lle yr oedd John Tomos y Siop yn hwylio'i gamre tua gefail y gof.

'Well i mi roi'r troed gora mlaen,' ebe Huw, 'swybod ar y ddaear na fydd o wedi gweld 'i wŷn ar rwbath os bydd o acw o mlaen i. Mae o'n meddwl fod pawb yn lladron, a lleidar weiddith lleidar gynta wyddoch, a mi fydda i'n leicio cadw 'ngolwg ar y bobol ddrwgdybus yma os medra i sut yn y byd.'

Ac ymaith â'r gof, a Boba yn ysgwyd ei phen eto arno. 'Wel, blant bach,' ebe hi, gan droi at y genethod ieuainc. 'Mwya yn y byd sydd o eisio gweddïo yma yntê, os fel hyn ma' petha yn ein plith ni. Wir, am wn i nad ydw inna hefyd, fel Huw, yn teimlo fod gorfod credu'r fath betha am bobol yn 'y mrifo i. Ddeudsa Huw Huws ddim petha o'r fath chwaith, mi wn i yn o lew sut un ydi o, ond fod gynno fo grownds pur dda, fel byddwn ni'n deud.'

'Sgwn i sut y trydd y lecsiwn?' ebe Rhiannon yn fyfyrgar, 'mae 'nhad yn bur anesmwyth, mae mor anodd deall gymaint o waith goleuo sydd ar y bobol. Mi es i ddoe i Foel y Ci i edrych beth oedd eisiau neud i'r simdde dros Syr Tudur, ac yn ystod yr ychydig ymddiddan â'r wraig, gofynnais iddi a oedd y gŵr am fotio i Mr Edwards, fod pob un o denantiaid Syr Tudur yn rhydd i wneud fel y mynnent heb ofni gwg. Edrychodd y ddynes arnaf, a dywedodd yn erfyniol, "O, Miss Rhiannon, peidiwch â gofyn iddo fo, peidiwch wir â gofyn iddo fo, does arna i ddim eisio colli 'nhipyn dodrefn. Does gin i ddim llawer, mae'n wir, a dydyn nhw fawr o bethau fel mae'r byd yn mynd, ond y ni pia nhw, a ma' nhw'n gwneud y tro i ni yn eitha." Edrychais arni yn ddigon hurt mae'n debyg, a gofynnais beth oedd yn feddwl colli'i dodrefn os fotiai ei gŵr i Mr Edwards. "Wel mi fuo Mrs Harris y Plas a Twrna Cefn Mawr yma, a mi ddeudson os fotiai Will i Mr Edwards na fydda eiddo neb yn saff, bod yna ryw ddyn yn Llundain am ddwyn eiddo'r eglwys ac eiddo pawb,"' a chwarddodd Rhiannon yn llon.

Cododd Boba ei dwylaw tua'r nef, ac ebe hi, 'Bobol bach y fath anwybodaeth gresynus, 'mhlant i, mewn gwlad efengyl, fel basa'ch tad yn deud. Chlywas i rioed y fath beth. Diar, diar. Yn wir mae'r twllwch yn fwy nag o'n i'n feddwl.'

'O, dydi hi ddim mor ddrwg â hynna ym mhob man Boba. Ond mae rhai fel yna yn ddigon i droi'r fantol, a dyna sy ar 'nhad ofn. Heblaw hynny mae rhai o weision Mr Harris yn gwylio camre 'nhad i bob man, ac yn mynd ar 'i ôl o i geisio dad-wneud y gwaith.'

'Oes, mi wn, ond mae hi'n ormod o job i'r un ohonyn nhw neud dyn celwyddog o Rhobat Gruffydd. Dydi cáritor ych tad, 'nethod bach, ddim at drugaredd neb ar y ddaear wrth lwc. Nac ydi, nac ydi. Peth mawr ydi medru sefyll i fyny o flaen y wlad a herio undyn i ddangos sbotia duon arnom ni. Ie, peth mawr a gwerthfawr iawn.'

'Beth barodd i chi ddeud bod ar y bobol ofn mynd i'r capel, Boba?' gofynnai Olwen, 'mi dorrodd Huw ar yn sgwrs ni.'

'Wel, 'mhlant i, ma' rhai o gynffonwyr y Plas Dola yna yn ffeindio'u ffordd i bob man, ac yn glustia i gyd yn gwrando ar bob gair all rhywun ddeud yn ochor egwyddorion rhyddid, a fedar neb fod yn rhy wyliadwrus beth i ddeud wrth 'i Dad yn 'i gyfyngder, 'mhlant i. Fyddwn ni'n cofio am neb ond Fo a ninna amser honno. Digon o waith y clywan nhw ddim am gyfarfod gweddi yn Tyn'rardd a mi gawn lonydd fel yr hen ffyddloniaid stalwm mewn cornelau distaw heb yr un o sbiwyr Mr Harris i'n difrïo ni. Newch chi gofio diolch i'ch mam am y brintan 'mhlant i, does dim diwedd ar 'i chofion hi amdana i. A dyma'r bowlan bach i chi i fynd adre. Sut bynnag dywydd fydd hi arnom ni mae'n Tad wrth y llyw, a deiff yr un llong byth yn dipia os bydd O 'i hunan ar y bwrdd.'

'Mae Syr Tudur wedi peri iddyn nhw ddanfon llwyth o goed i chi Boba,' ebe Rhiannon, 'mi berodd i mi ddeud. Hwyrach ma' aros adre hefo Olwen 'na i heno yn lle dod yma i'r cyfarfod gweddi.'

'Ma' nhw'n rhoi gormod o fwytha i mi, Boba,' ebe Olwen, 'Ma' mam a Rhiannon yn deud fod awel y nos yn ddrwg i mi ym misoedd ola'r flwyddyn yma.'

'Mi fasa'n burion i deulu'r Plas yna tasa rhywun yn'u cadw nhwtha yn y tŷ, goelia i. Treio cadw helynt Pentra Bryn Eiddig yn *secret* ma' nhw yntê?'

'Helynt digon rhyfedd oedd hwnnw Boba, yntê, a fase nhw fawr haws â cheisio datrys y pwnc: does neb yn deall dim yn ei gylch.'

'Nac oes, Rhiannon, ond synnwn i ddim na ddaw rhagor o bethau anesboniadwy. Mae llawer ffordd eto i roi'r mur o dân yn amddiffyn i'r etholedigion rhag y gelyn.'

Pennod XI
Angenrheidiau'r werin

'Rhaid i ni fynd adre heibio'r felin, Olwen. Mae ar 'nhad eisio gwybod pryd y bydd posib iddo fo gael silio, a mae mam wedi ordro gwerth swllt o wynwyn. Wyt ti ddim yn rhy flin, wyt ti, Olwen fach?'

'Nac ydw i. Mi fydd yn braf mynd am dro bach. Mae'r dail yn glws iawn, yn enwedig dail y derw cyn iddynt ollwng eu gafael yn y coed. Mae'r flwyddyn yn gwywo yn glws iawn yn tydi hi, Rhiannon? Piti na fase pobol yn medru gwywo a marw fel yr hen flwyddyn, yntê, Rhiannon? Ond gall pobol obeithio am atgyfodiad gwell hefyd.'

'Gallant, Olwen, 'ngeneth i, a gwanwyn na fydd darfod arno.'

'Mae'r pennill yn deud:

Mae yno ryw dragwyddol haf
Na wywa byth mo'i flodau braf.

Rhaid fod yno haf, Rhiannon. Ond fydd yno ddim diwedd blwyddyn a diwedd bywyd,' atebai Olwen yn fyfyrgar. 'Rhiannon, ddaru ti beidio cefnogi gormod ar Huw rŵan, pan oedd yn dwrdio John Thomas y Siop Goch?' ychwanegai.

'Do, Olwen. Ddylaswn i ddeud dim. Mi wyddwn i hynny'r foment y tewais i; ond fel bydd mam yn deud yn ddigon aml, pe bawn i yn cofio 'i geiriau hi, mai siarad gormod yw'r rheswm dros hanner gofidiau pobol, yn enwedig merched. Rhaid i mi ddilyn dy esiampl di, Olwen, a siarad llai.'

'Na, mi fydda i'n leicio dy glywed di, Rhiannon, ond fydda i ddim yn nabod llais Rhiannon ni os bydd hi'n deud y drefn am rywun. Rydan ni gyd yn nabod y llais pan fyddi di yn cymyd plaid y gwan.'

Pwysai Olwen ar fraich ei chwaer yn lled drwm, ac ymdaenai gwrid ysgafn dros ei hwyneb prydferth, y gwrid roddai gymaint o bryder i'w mam a'i chwaer. Yn y man, daethant i olwg y groesffordd arweinai at y felin. Er eu syndod, gwelsant fod yr hen groesffordd dawel yn llawn o bobol, a rhywun yn sefyll ar ben y garreg farch, yn bennoeth, ac yn siarad yn uchel wrth y gynulleidfa, gan ysgwyd ei freichiau ac estyn ei fysedd at y bobl, wedi hynny eu tynnu trwy ei wallt; yna clecian ei ddwylaw ynghyd i ategu ei eiriau; yna, gyda'r pwysleisiad cryfaf allai ei wddf roddi, gwaeddai nerth ei ben ei syniadau ef ynghylch y pwnc dan sylw.

'Beth ar y ddaear sy'n bod?' gofynnai Olwen mewn syndod.

Chwarddodd Rhiannon. 'Mae rhywun yn leicio clywed 'i lais 'i hun heblaw fi, 'ddyliwn i. Gawn ni fynd i wrando beth mae o'n ddeud, Olwen?'

'Does yna ddim un ferch, dim ond dynion i gyd.'

'Gore i ni pan gynta i fynd yna, os felly mae hi, mae digon o eisio merched i helpu'r dynion yma i drin tipyn ar betha. 'Na nhw ddim mwy o gam-drefn, beth bynnag. Fedran nhw ddim yn'u byw, ond mi allan, neud yn well.'

'O! Rhiannon, paid â deud petha fel yna, ne mi gneith pawb di'n sport, a mi galwan fy chwaer yn bopeth nad yw hi.'

Gwenodd Rhiannon, ond ymlaen yr aeth tua'r groesffordd. Gwelwyd y genethod gan Ned William y Saer, a daeth atynt yn wên o glust bwy gilydd.

'Mae cerbyd y Plas fan yma, a lle cyfforddus i chi a Miss Olwen eista yno fo, Miss Gruffydd. Dowch chi ar f'ôl i.'

A chan y dymunai glywed yr araith, ac hefyd fod lle cysurus i Olwen ym mhob man, y peth cyntaf y meddyliai Rhiannon amdano, aeth am unwaith yn ei hoes ar ôl Ned William, ac wedi iddynt eistedd i lawr ar y clustogau, nid oedd yn edifar ganddi.

'Areithiwr dan gamp ydi Mr Jones, Miss Gruffydd. Mae o

wedi dŵad yma o bell ffordd i helpu Mr Tattenho, achos na fedar o ddim siarad digon o Gymraeg 'i hun wrth y fotars. Mi gewch chi glywad o yn y munud yn deud wrth y dynion sut i fanijio i'r dim,' ebe Ned William yn ddistaw wrthi, tra yn cau drws y cerbyd. A'r geiriau cyntaf a glywsant gan Mr Jones, ddaethai yno o bell ffordd i'w goleuo, oedd fel hyn:

'A phwy ydi'r dyn yma sydd ar y maes yn erbyn bonheddwr o safle Mr Tattenhall? Ie, pwy ydi o, pwy, ddynion bach? Gofynnwch chi'r cwestiwn yna i chi'ch hunain, fyddwch chi fawr o dro yn penderfynu rhoi'ch *votes* bob un i Mr Tattenhall. Pwy ydi o? Pwy? Wel, mab i ryw hen bregethwr fydda'n mynd a dŵad ar hyd y wlad yma stalwm i bregethu ym mhob man ond yn yr hen eglwys gysegredig, a mae'r mab yma wedi hel arian. Sut y gnaeth o hynny? Wel, wrth droi'i gôt. Ie, gneud arian wrth droi'i gôt; dyna i chi sut ddyn ydi o. Fydd gŵr bonheddig ddim yn troi'i gôt.'

Ar hyn gwaeddai rhyw lais, 'Beth am Disraeli?'

'Disraeli! Ie, Disraeli, y gŵr mwya yn y wlad heddiw wedi tynnu yn llewys 'i grys i amddiffyn hen Eglwys Cymru, ydi o! Mae'r Librals yma am amddifadu y Gwyddel tlawd o'i eglwys, a lle cawsech chwi a minnau ryddid i addoli yma yng Nghymru pe caeai drws ein Heglwys arnom?'

'Beth am y capeli?' gwaeddai y llais eto.

'Ie'r capeli, syr, y capeli. Fedrwch chi ddangos lle i ddyn tlawd i mi yn ych capeli chi? Oes yna le i rywun na fedr o ddim talu am 'i le heblaw ar y fainc ar y llawr, wedi'i nodi, druan, fel tlotyn gystal â nodwyd yr un ddafad erioed? Na, eglwys 'i blwy ydi'r unig le i'r tlawd, yr unig le y gall dyn tlawd fynd i addoli 'i Greawdwr heb i neb neud cilwg arno fo. Ac mae'r bobol yma am dynnu pob eglwys drwy'r wlad i lawr yn gydwastad â'r ddaear; ac os na ofalwch chi sut i bolio'r wythnos nesa, mi fydd cerrig cysegredig ein heglwysi ni wedi eu gwasgaru o dan eu traed i balmantu'r ffyrdd.'

'Clywch, clywch.'

'Mae rhyw gyfaill yn gweiddi "Clywch, clywch," ond ddynion annwyl, mae hyn yn beth ofnadwy i feddwl amdano, mor ofnadwy' a thynnai yr areithiwr ei fysedd hirion drwy ei wallt nes yr ymddangosai fel un ar ddarfod amdano oherwydd dychrynfeydd ei ddrychfeddyliau. 'Mae hyn mor ofnadwy â phe buasai dyn meidrol yn taenu sêr y nefoedd yn balmant i'w draed. Mae hen eglwys ein hynafiaid, pob carreg ynddi, pob pwt o bren sydd ynddi, pob darn o wydr a phisyn o blwm; ie, pob cloch fedd hi, yn gweiddi, ie yn gweiddi – ydych chi yn 'u clywed nhw? – yn unllais arnom ni am i ni amddiffyn ei muriau hi, amddiffyn ei heiddo hi, amddiffyn 'i chredo hi, amddiffyn beddau 'i mynwentydd hi rhag i ddwylaw y lleidr a'r gŵr annuwiol eu halogi ne 'u trin yn annynol. Meddyliwch am y peth. Mae rhai ohonoch chi wedi'ch priodi ac wedi bedyddio'ch plant tu fewn i'w muriau hi. Mae'ch teuluoedd annwyl chi, rai ohonynt, wedi eu claddu yn 'i mynwentydd hi. Ond dyna i chi beth ofnadwy: amharchu cyrff y meirwon. Mae pawb yn cael llonydd wedi marw, sut greadur bynnag fyddo, ond dydi'r bobol yma ddim yn parchu'r meirwon – y meirwon!' gwaeddai ar uchaf ei lais.

Cododd Rhiannon, canys canfyddodd fod gwyneb Olwen yn gwelwi yn sŵn y fath ymadroddion. Agorwyd drws y cerbyd iddi gan Francis Glyn, nai Mr Harris, y Plas. Tynnodd ei het; ymgrymodd Rhiannon ei phen. Aeth y dyn ieuanc gyda'r genethod heibio i'r bobl, a chyn troi yn ôl dywedodd, 'Mae peth fel hyn yn sarhad ar synnwyr cyffredin. Mae'n ddrwg gennyf i chwi ei glywed, Miss Gruffydd. Gwelwch fy mod yn eich adnabod. Cyfarfyddais chwi y dydd o'r blaen pan gyda fy ewythr, Mr Harris, Plas Dolau. Fy enw yw Francis Glyn, at eich gwasanaeth.'

'Fy chwaer, Olwen Gruffydd, sydd gyda mi, Mr Glyn, ac nid yw hi yn alluog i wrando ar bethau tebyg.' Gwenodd; y wên oleuai wyneb tywyll Rhiannon. 'Feallai ein bod ni yn orofalus o'n blodeuyn, Mr Glyn, ond mi fyddwn yn dymuno ei chysgodi oddi wrth gymaint a allom. O'm rhan i, mi fuaswn i yn leicio clywed yr oll sydd gan y dyn yna i ddweud amdanom.' Gwenodd wedi hynny, ac ychwanegodd, 'Un o'r *Liberals* yma ydw i, Mr Glyn, a chaniatáu mod i'n meddu hawl i fod yn rhywbeth, a minnau wedi'm geni yn ferch.'

Nis meddai Francis Glyn un amgyffred beth a ddywedodd yn atebiad i Rhiannon: rhywbeth ynghylch y gofalai ef am fyned â Miss Olwen adref i Hafod Olau, os ymddiriedai Miss Gruffydd ei chwaer i'w ofal ef. Y canlyniad fu i Rhiannon fyned yn ôl i'w lle yn y cerbyd, tra yr oedd Mr Jones yn dechrau traethu ar anghenion pobl Prydain, yn enwedig y rhai hynny a berthynent yn fwyaf neilltuol i werin y wlad.

'Camgymeriad mawr, bobl, ydi anufuddhau i'r ysgrythur. Mae'r ysgrythur lân yn ein dysgu i fod bob un yn fodlon ar y sefyllfa yn ganwyd ynddi, ac nid i geisio dymchwelyd pob math o drefn yn y wlad trwy ddrysu llywodraeth, amharchu deddfau, a phethau tebyg. Mae'r ysgrythur lân yn ein dysgu i fod yn ddarostyngedig i bawb sydd mewn awdurdod, ond mae dynion fel mab pregethwr wedi troi 'i gôt yn dysgu'r werin i beidio parchu neb. A mi ddeuda i chi ragor: does dim posib cael gwaith os na bydd gŵr bonheddig ag arian i'w roi o ac i dalu amdano. Does dim posib cael ffarm os na fydd yna ŵr bonheddig yn meddu ffermydd i'w gosod nhw i chi, a beth sy'n rhesymol i ni ddisgwyl oddi wrth y gwŷr mawr os nad ydan ni'n fodlon i roi fôt iddyn nhw amball waith, pan ofynnant amdani i ni; ie, yn foesgar hefyd, nid fel pe basen ni yn gneud ffafr â nhw, yn lle gneud yn dyletswydd. Bobol annwyl, dydd drwg fydd hwnnw i'n gwlad ni pan fydd y Llywodraeth yn llaw dynion anghymwys, pan fydd yr *upstarts* yma wedi medru gneud pres a chipio'r awennau o ddwylaw yr *old nobility*. Ie, dydd drwg fydd hwnnw. Does dim posib cael un llun o drefn ar lywodraeth gwlad heb rywrai wrth y llyw, ac mae'n bwysig iawn i ni pwy fydd fan honno. Os am feistr, fechgyn, a ma'n rhaid 'i gael o, dowch i ni ŵr bonheddig, o'r *right stamp*. Mi ŵyr o be sy arnoch chi eisio yn iawn. Mae o'n gwybod fod glasiad o gwrw yn beth sy arnoch chi eisio ar ôl gweithio yn chwys a lludded, ac y mae yno ddigon i gael yn y 'Red Lion', dim ond gofyn amdano; mae pwrs Mr Tattenhall yn bur ddwfn. Ie, os am feistr, a rhaid 'i gael o, peidiwch byth â mynd yn agos at y tacla yma sy wedi codi. Cofiwch yr hen air, "Gwybed gwyd oddi ar faw hed ucha". Ie, a nhw ydi'r meistri cleta. Peidiwch chi â chymyd ych llygad-dynnu gan y *Liberals* yma, os ydach chi'n meddwl yr hidia nhw fwy amdanoch chi ne am 'u gwlad na'r hen fonheddwyr; peidwch chi â choelio dim o'r fath. Bron i mi ddeud ma' chwech o un a hanner dwsin o'r llall fydd hi.'

Chwarddodd cryn hanner dwsin yn uchel.

'Mi allwch chi chwerthin, *my lads*, ond mi gewch chwi weld, os ewch chwi i'w crafanga nhw, ma'r meistri caleta ydi'r *jerry builders*, y *speculators*, a'r *retired tinkers*. Dyma'r bobol neith yrru'r hen wlad yma i'r gŵr drwg os rhown ni siawns iddyn nhw. Ma' gŵr bonheddig yn ŵr bonheddig. Ydi, siŵr, beth arall ydi o? Ond be'di rhein? Petha wedi troi 'u côt. Mi tro'n chitha hefyd rownd 'u penna os na thendiwch chi. Be sydd yn eisiau arnoch chi, ddynion? Digon o fwyd, digon o ddillad, a thân a thŷ wrth ben. Does dim eisiau rhagor na hynna ar neb; ond ewch chwi i ddwylo'r *mob*, mi gewch lai. Ychydig o'r hen *nobility* wrth y llyw, dyna neith drefn ar y wlad. Mae'r ysgrythur lân yn ein dysgu ni, petai ni'n gwrando ar y geiriau, mai felly mae petha i fod. Peth ofnadwy ydi syrthio i ddwylaw'r *mob*; gwareder ni rhagddynt. Beth ddaru nhw neud? Troi côt?

'Ie. Lladd Brenin? Ie, croeshoelio Crist, a dewis y lleidr a'r llofrudd, bobol! Ie, ie, ie, dair gwaith drosodd i chwi. Dyna'r lòg i chwi, a gwaith y *mob* wedi ysgrifennu arno fo. A mae arnom ni eisio'n heglwys, mae arno ni eisio hanner peint, a rhaid i ni gael llonydd i fyw fel pobl, a mae arnoch chi gyd eisio tipyn o ysgol i'ch plant; a phwy ond y mawrion a rydd hynny i chi? A mae arnoch chi i gyd eisio'ch cotiau heb'u troi, a'ch brenhinoedd a'u pennau ar'u hysgwyddau. Mor ofnadwy meddwl am dorri pen ein Grasusaf Frenhines; a mae arnom ni eisio Iachawdwr Bendigedig ac eglwys i'w bregethu, nid Barabas, nac Edwards, na neb arall.'

Tra y cymerai Mr Jones ei wynt ato wedi'r fath ymarllwysiad o huawdledd, wele ddyn mewn dillad gweithiwr cyffredin yn dod ymlaen at y garreg farch ac yn amneidio â'i law ar y dynion am osteg, fod ganddo yntau hefyd air i'w ddywedyd wrthynt. Dyn dieithr oedd, ac er nad oedd ei ddillad yn rhagori ar yr eiddynt hwy, teimlodd y bobl ei fod yn rhywun a fynnai ei wrando.

Edrychai Mr Jones arno mewn syndod, trodd at y dynion a dywedodd, 'Gormod o beth ydyw hyn, *my lads*, torri ar draws araith y dylech chwi ei chlywed bob gair.' Ond yr oedd y gweithiwr yn benderfynol, 'Fydda i ddim yn hir, Mr Jones o rywle ydi'ch enw chi yntê? Mae rhaid i chi wrando arna i, yn hwyr neu hwyrach, felly waeth i chi roi'ch lle ar y garreg yna i mi ac eistedd yn is i lawr am dipyn. Yn gyntaf oll rydw i'n mynd i ofyn cwestiwn ne ddau i chi. Dyma fo. Sawl diwrnod o waith gonest ddaru chi neud yn ych oes? Faint y dydd gawsoch chi am ych gwaith?' Trodd at y dynion ddeallent yn dra rhagorol beth oedd llafur caled beunyddiol i drin y tir, a chan gyfeirio at ddwylaw gwynion tewion Mr Jones, dywedodd yn wawdlyd, 'Edrychwch ar 'i ddwylo fo, a fyddwch chi a finna fawr o dro heb weld na ŵyr hwn ddim beth ydi gwaith na gweithio, ac mae o'n dŵad yma i ddweud wrtho ni beth ydi angen y gweithiwr.' A chan estyn ei ddwylaw celyd at ei gydlafurwyr ebe fe, 'Welwch chi'r cyrn yma ar gledrau fy nwylo i, frodyr. Mi wranta i bod gin bob un ohonoch chitha gyrn â'u matshia nhw i'r dim. Does dim eisio i neb lefaru ynghylch 'i waith dim ond dangos y llaw, yntê, ddynion bach. Mae hi'n eitha tyst i ni bob un fel yr ydan ni'n sefyll yma. Edrychwch ar ddwylo ffrind y gweithiwr. Maen' nhw'n wyn, ac yn feddal, yn tydyn nhw Mr Jones? Dest y peth i ysgwyd llaw hefo *ladies* y Jones yma. A faint fyddwch chi'n gael am y gwaith? Fuoch chi rioed yn gweithio am chwe cheiniog y dydd ac yn byw ar hynny? Os do, mi wrandawn ni arnoch chi, ond os naddo, wyddoch chi ddim am anghenion gweithwyr ych gwlad. A *shut up* amdani hi, *old boy*. Anghenion y werin, gydwladwyr. Na, nid glasiad o ddim i bendroni'r dyn a'i wneud yn ffŵl diamddiffyn ar drugaredd ei ormeswyr. Na, mae arnom bob enaid angen hynny o ymennydd roddwyd i ni gan yn Creawdwr i ymladd am yn rhyddid y dyddiau yma. Nid gwerin feddw all weiddi i unrhyw bwrpas, "Trech gwlad nag Arglwydd," frodyr. Nid gwerin feddw all ymdrechu yn erbyn cynllwynion cyfeillion Mr Jones, a hynny mae'r gweilch yn wybod. Na, gwerin ar ei thraed, a'i synnwyr yn ei phen, a'i dwylaw heb ddechrau crynu, dyna'r werin sy'n mynd i ennill 'i rhyddid, daliwch chi sylw. A mae Mr Jones yn dweud ma' dyn wedi troi gôt ydi Mr Edwards. Wel, nid pob un sy'n alluog i ddangos *lining* 'i gôt rŵan, ac os ydi Mr Edwards wedi troi gôt, yn mynd yn Annibynwr yn lle yn Fethodist, wel, fedrwch chi na minna weld yr un twll yn y tu chwith mwy na'r tu de iddi hi. Ydi, mae Mr Edwards yn fab i un o hen bregethwyr Methodist gora Cymru, ac mi ddeuda i chi fwy: mae'r mab cystal dyn â'i dad. Ond nid brwydr dros ddyn ydi hon, gydweithwyr; na, brwydr ydi hon dros egwyddorion; brwydr ydi hon i roi hawl i bob Cymro fod yn ddyn yn lle rhyw bêl droed i Sais. Oes, Mr Jones, mae arno ni eisio addysg i'n plant, ond nid 'u dysgu nhw sut i fynd at y drws cefn i dŷ'r person, na'r ffordd ora iddyn nhw dynnu'u capia i'r stiwardiaid, na sut i ddeud *Yes ma'am*, wrth ych ledi chi. O! na, mae arnon ni eisio yr addysg honno yn ôl oedd ym meddiant yr hen Gymry gynt, pan nad oedd ych Saeson chi yn ddim ond môr-ladron ysbeilgar. Mae arnon ni eisio yr addysg honno alluoga'n plant ni i edrych yng ngwyneb plant pob cenedl o dan y nef heb ddim cywilydd deud mai Cymry ydyn nhw. Dyna'r addysg raid i ni gael; neith dim arall yn tro ni. Tori penna brenhinoedd, wir, na does yma 'run ohonom ni ag amser yn sbâr ganddo i gyboli hefo gwaith o'r fath. Os daw hi'n bryd gneud hynny ryw dro eto mi gwyd Duw rhyw hen Olifyr eto hefyd. Rhaid cael dyn mawr at waith mawr, a does yma neb i fyny â'r job o dorri penna brenhinoedd, Mr Jones. A mae arnoch chi eisio'ch eglwys, medda chi. Wel, gŵyr dyn, faswn i'n meddwl bod chi yn 'i chael hi i chi'ch hunan yn yr ardaloedd gwledig yma y rhan amla; synnwn i ddim na chewch chi'ch eglwys i gyd i chi'ch hunan ond rhyw dri neu bedwar. Ac mi ddylia dyn bod chi'n ofalus o'r tlawd a'i gyfleusterau addoli. Wel, gydweithwyr, chlywch chi ddim un gair bach am addoliad o'r genau hwn; dim un, ond dysgwch chi'r bobl sut i ymddwyn ar 'u traed, fydd raid iddyn nhw ddim treulio cimin o amser ar 'u glinia. Gweddi, beth ydi gweddi? Ochenaid ddistaw at Dduw wrth godi'r tatws o'r rhych. Dyna ydi gweddi. Gweddi? Ie, y dyhead yn y fynwes am gael ymwared o'r holl bechod, dyna ydi gweddi. Ydych chi'n meddwl na all neb weddïo, Mr Jones, heb newid 'i ddillad? Mae Mr Jones wedi cyffelybu Mr Edwards i Barabas, a mi fu bron â chyffelybu Mr Tattenhall i'r Meseia. Wel, mi rydw inna wedi darllen tipyn hefyd, ond ches i ddim lle i gredu i'r Arglwydd Iesu erioed fod yn byw yn foethus ar draul gweithwyr tlodion Galilea. Na, mae'r Beibl yna yn yr Eglwys sydd mor agos at galon Mr Jones yn llawn o waeau y Creawdwr mawr ar ben y cyfoethogion a ormesant y tlawd. Syr, well i chi adael y Beibl yn llonydd os ydych yn mynd i areithio dros y rhai a fwynhânt fyd da helaethwych beunydd. Llyfr Lasarus ydi'r Beibl, ond fel yr ydych chi a rhai tebyg i chi yn ei droi o o chwith i'ch pwrpas eich hunain. Dyma *champion* troi côt! Troi côt Beibl i siwtio gormeswr y tlawd! Ond mi rydw i 'run farn â chi am un peth, Mr Jones, chwech o un a hanner dwsin o'r llall fydda hi arnon ni os nad gwaeth na hynny petai'r *self made men* yma yn neido ar gefna'u ceffyla. Eisio gneud pethau'n fwy gwastad sy, gydweithwyr. Gwiw i chi na minna ddisgwyl dim trefn ar ddyn â gormod o arian yn ei boced, ac un arall ymron llwgu yn ei ymyl. A does gan Mr Edwards ddim gormod o arian. Welsoch chwi ddyn o egwyddor dda erioed â digonedd o arian? Os do, mi welsoch beth na welais i yn fy holl fywyd. Ac os ydych chi yn disgwyl i mi goelio y galla i fod yn rowlio mewn golud, a gweld tlodi dynoliaeth o nghwmpas i, a bod yn ddilynwr i Grist, yr ydych yn gofyn peth na fedra i mo'i neud o, gydweithwyr. Oes, mae arnon ni eisio tŷ all fod yn gartref, nid murddyn o le y daw'r gwynt a'r glaw i fewn trwy'r tyllau ynddo. Mae arnom ni, gweithwyr Cymru, eisiau digon o fwyd maethlon i'n plant a ni ein hunain, ac mae'n hangen ni'n fawr am gyflog cyfiawn am ddiwrnod o waith caled. Wedi hynny fe ofalwn ni y cawn feddu y pethau yna i gyd, ond yn hangen mawr ni heddiw yw rhyddid, gydweithwyr. "Drylliwn eu rhwymau a thaflwn eu rheffynau oddi wrthym." Dyna angen pobl Llangynan, dyna angen pobl pob llan yng Nghymru: Rhyddid! Rhyddid! Ac mae *votes* Cymru i fod yn *votes* am ryddid y tro yma petai dyn heb yr un gôt yn *right man* i'w rhoi hi iddo. Ewch chitha adra tua'r Muriau Mawr, Mr Jones, at Glawdd Offa i droi'r gôt yna fel yr oedd hi cyn i Mr Tattenhall gynnig aur i chi am siarad drosto fo. Angen gwerin Cymru, Mr Jones, ydi dyn yn y Senedd yn medru iaith ei wlad, dyn yn deall curiadau calon gwerin ei wlad, ie dyn all ambell dro anghofio *number one* er mwyn 'i wlad; ac yn olaf dyn nad oes arno gywilydd o'i wlad na'i genedl.'

Ac ynghanol bloeddiadau o gymeradwyaeth nas gallai y dynion er eu gwaethaf ymatal gan gymaint eu teimladau, darfu yr araith gan y dieithr ddyn; ond ni chododd Mr Jones ar ei ôl, a therfynodd y cyfarfod a gwasgarodd y dorf, un yma ac un acw, gan adael Mr Jones a Ned William i gymeryd meddiant o'r cerbyd i fyned yn ôl tua'r Plas Dolau. Cerddodd Rhiannon yn fyfyrgar yn ei blaen tua'r felin i orffen ei negeseuau.

Pennod XII
Cysgodion y dyfodol

Pan gyrhaeddodd Rhiannon y felin, gwelai fod amryw o'r dynion fu yn gwrando ar y groesffordd, yno o'i blaen yn eistedd ar y sachau blawd, ac yn beirniadu y ddau areithiwr. Ni fuasai y melinydd yn y cyfarfod, canys amser prysur iawn yn yr hen felinau fyddai mis Tachwedd. Heidiai y ffermwyr yno gyda'u ceirch i silio am y cyntaf, a thipyn o waith i'r melinydd oedd dal y ddysgl yn wastad, a gofalu na thorrid yr hen arferiad, "y cyntaf i'r felin gaiff falu," yr hyn a ystyrid yn ddeddf anrhydeddus, er nad ysgrifennwyd hi ar ddalennau yr un llyfr glas. Ond er bod amgylchiadau yn cadw John Meredydd rhag dangos ei ochr yn y cyfarfodydd, gwyddai pawb fod ei galon ef yn ei lle, ac nis ofnai un dyn draethu ei farn o'i flaen yn union yn ôl ei gydwybod. Pes gwybuasai Mr Harris, y Plas Dolau, mai y felin ar y stad y gofalai ef amdani oedd Athrofa Rhyddfrydiaeth ac Ymneilltuaeth yr ardal, ni fuasai yn cysgu un noson gysurus nes cael pethau i well trefn yn yr hen felin. Druan o Mr Harris, ni fu mwy o waith cael pethau i'w lle, yn ôl ei farn ef amdanynt, erioed o flaen un goruchwyliwr, na chwaith orchwyl mwy diobaith, ond ni ddeallai efe hynny eto. 'Un o'r sosialiaid yma oedd y dyn olaf, ond rêl boi ydi o; mae o'n deall ni i'r dim. Mi rodd gaead ar bisar Mr Jones yn glep, John Meredydd; mi fasach wrth ych bodd yn gwrando arno fo. Yn wir, fuo dest i mi hollti ar 'y nhraws wrth geisio peidio chwerthin pan oedd o'n sôn am y Beibil yn cael troi côt; chlywas i ddim nobliach yn f'oes. Mi fasan dda gin 'y nghalon i tasa Rhobat Gruffydd yr Hafod yno, ond mi roedd Miss Gruffydd yno a mi neith hi'r tro.' Dyna'r geiriau a glywai Rhiannon gan Evan Roberts, Tŷ Canol, cyn iddo ddeall ei bod hi yn sefyll yn ei ymyl. Chwarddodd pawb, a gwenodd Rhiannon yn siriol.

'O'n, Evan Roberts, ro'n i yno a mae'n dda iawn gen i hynny. Mi ddeudodd y ddau rai pethau y byddwn ni gyd yn cofio amdanynt, gobeithio. Fydd raid i 'run ohonoch chi glywed neb yn areithio eto ddydd y polio; mi ddyle'ch llygaid chi fod yn ddigon agored ar ôl heddiw.'

'Reit wir, Miss Gruffydd, ac ond i'r dynion iwsio'u sens, fel byddwn ni'n deud, mi ddylai araith Mr Jones fod yn fwy o help i Mr Edwards nag i Mr Tattenhall, er doedd o fawr feddwl hynny chwaith. Ond mi trodd y dyn diarth hwnnw bopeth o chwith pan gododd o, a mae gin i ryw amcan fod y dyn ola yna yn nabod Mr Jones. Glywsoch chi o'n peri iddo fo fynd adra?'

'Wel, rhaid i minnau droi at adre, hefyd, ne mi fydd mam yn meddwl mod i ar goll yn rhywle,' a dywedodd Rhiannon ei neges, ac ymaith â hi.

Edrychodd y dynion ar ei hôl, gan edmygu symudiadau y corff ieuanc, lluniaidd, a'r camre ysgafndroed, ac ebe un ohonynt, 'Biti fod cimin o wahaniaeth oed cydrhyngthi hi a Syr Tudur; mi fasan reiol o beth 'i gweld hi'n Fistras yn Y Friog, a ma' rhai yn meddwl ma' dyna fydd y diwedd fel y mae hi.'

'Lol ffôl, coelio'r bobol a'u clep,' ebe John Meredydd, 'mae'r sylw delir i Miss Gruffydd gan bawb yn rhwym o wneud gelynion iddi, ond mae 'i phen hi wedi ei osod yn eitha sad ar ei sgwydda, wrth lwc.'

'Mae arna i fwy o ofn gweld rhywun arall heblaw Syr Tudur yn troi o'i chwmpas hi wir. Welsoch chi'r dyn ifanc sy 'Mhlas Dolau, sy'n perthyn i Mr ne Mrs Harris? Os nad ydw i wedi camgymeryd, mi drychodd arni hi heiddiw fwy nag unwaith, yn union fel y byddwn ni'n edrach ar y merched fydd wedi'n llygad-dynnu ni.'

Tra y siaradai y dynion amdani, safai Rhiannon yn ymyl clawdd perllan y felin, wedi ei llygad-dynnu ei hunan gan yr olygfa o'i blaen. Am tua thair llath ar hyd y clawdd, cerddai cannoedd, dybygai hi, o falwod â'u cregyn ar eu cefnau. Yr oeddynt yn fychain a mawrion, yn bob lliw posibl i'w weled ar gregyn malwod, a'r oll wedi eu trefnu yn fyddinoedd, y rhengoedd yn eu lle, ar malwod mwyaf yn y canol yn ymddangos yn bencapteiniaid ar y gweddill. Ar garreg yn eu hymyl eisteddai geneth fechan tua deg oed, ei gwallt cyrliog yn dduach na'r muchudd, a'i llygaid yn disgleirio fel y sêr, tra y gwyliai ymdaith y malwod ar hyd y cerrig gleision oeddynt wedi eu gosod yn wastad a threfnus ar bennau y cerrig clapiog y clowyd y clawdd â hwy. Cododd y plentyn ei golygon i fyny, ac mewn atebiad i gwestiwn Rhiannon, 'Beth ar y ddaear wyt ti yn neud hefo'r malwod yma, Dyddgu?' dywedodd,

'Fel yma bydd pobol yn rhyfela. Welwch chi'r falwen fawr yna, Miss Rhiannon? Owen Glyndŵr ydi honna, a mae'r lot yna i gyd, o'i ochor o, a'r lot yna o ochor Brenin y Saeson.' Symudai yr ymlusgiaid wedi hynny mor ddeheuig a didrafferth. 'Pobol Ysgotland ydyn nhw rŵan, Miss Rhiannon, a William Wallace a Robert Bruce ydi'r rhai mawr â'r cregyn clws yna, a ma' nhwtha'n curo'r Saeson hefyd.' Cyfnewidiad arall yn nhrefn y malwod, a dyna Rhiannon yn gwrando hanes Groeg, a rhyfel Caerdroea, lladd Hector, a'r saeth yn sawdl Achiles, y cyfan mor ddestlus a chryno nes ei gwneuthur yn fud mewn syndod.

'Rŵan, Miss Rhiannon, dyma nhw i gyd yn bregethwrs Wesla, fel yma bydd 'nhad yn deud bydd pregethwrs Wesla a'u tai ar 'u cefna'n symud i rywle newydd o hyd. Dacw nhw'n cychwyn.

'Gymrwch chi weld y lecsiwn, Miss Rhiannon? Dyma'r Toris i gyd yr ochor yma, Librals 'r ochor yna; a ma' na fwy o lawer o Librals, ond dydi Mr Harris y Plas ddim yn gwbod chwaith ne mi fasa o'i go,' ac ymhen ychydig eiliadau, trawsffurfiwyd y malwod yn bleidiau politicaidd, a Dyddgu yn llefaru dros y naill blaid a'r llall yn huawdl.

'A dyma briodas, Miss Rhiannon,' a newidiwyd gorymdaith yr ymlusgiaid eto. 'Priodas chi a Syr Tudur,' ebe'r eneth yn ddiniwed, ond aeth wyneb Rhiannon Gruffydd fel y galchen. Dododd ei llaw ar law y plentyn, ac ebe hi, 'Dyddgu, rhaid i ti beidio gneud peth fel yna, ne cofia na fydda i ddim yn ffrindia hefo ti.'

Edrychodd y plentyn arni yn syn.

'Ydach chi ddim yn leicio Syr Tudur, Miss Rhiannon? Mi rydw i. Ma' well gen i Syr Tudur na neb ond 'nhad a mam, a Ted, a Llew; a roeddwn i'n meddwl bod chi a pawb yn leicio Syr Tudur. Pam na fydd pobol ddim yn leicio ni wedi i ni fynd yn hen, Miss Rhiannon? Well gen i bobol hen; maen' nhw'n ffeindiach lawer, lawer; ydyn ma' nhw, lot fawr. A mi fasa'n braf yn Y Friog; ma' yno le neis, fel oedd gen y Frenhines Elizabeth. Mi fuo hi yn Y Friog. Dyma hi. Welsoch chi hi?' A dechreuodd yr eneth dynnu allan ei theganau o focs bychan pren oedd wrth ei thraed.

'Hwn ydi'r Brenin Charles â phluen ar ei het, a dyma hi Mary Scotland, ac Elizabeth, ac Anne Boleyn, a Henry VIII, a Jane Seymour, a Catherine Howard, a Catherine Parr, ac Owen Tudur. A dyma'r hen Richard drwg hwnnw laddodd Edward a'i frawd bach, a dyma Lady Jane Grey. Welwch chi lot sydd yma. Fasa chi'n leicio gweld torri pen Lady Jane Grey, Miss Rhiannon? Mi fedra i dangos nhw i gyd i chi'n union, fel ma' *Trysorfa'r Plant* yn deud.'

Daeth y wên yn ôl i wyneb Rhiannon Gruffydd, a gafaelodd yn y teganau a gynrychiolent y gwahanol urddasolion gan Ddyddgu fechan. Pennau delwau china bychain wedi torri oeddynt, ambell i ben dyn a chryn lawer o bennau merched. A chwarae teg i'r plentyn, tebygent gymaint i'r darluniau oedd gennym o'r brenhinoedd ac eraill, fel y meddai dipyn go lew o esgusion dros ei rhamantau yn eu cylch. Ond yr hyn a synnai Rhiannon oedd gwybodaeth helaeth y plentyn. Ymddangosai yn deall y sefyllfa boliticaidd fel pe wedi gweled pum deg o flwyddi yn lle un. Elai mor rwydd dros hen hanes Cymru a phe buasai yn y fan a'r lle yn ei chyflawn faintioli yn gwylied symudiadau bradwrus gorthrymwyr ei gwlad. Dywedai fel y byddai Ted ei brawd yn wylo am ei fod yr un enw ag Edward I, ac mor falch oedd Llewelyn o'i enw ef. Cofiai i Rhiannon am gyflafan Morfa Rhuddlan, yna neidiai i rywle i sôn am y tylwyth teg; ond y foment nesaf gwelai Rhiannon hi yn hel ei theganau i'w bocs, ac yn dechrau pacio y malwod mewn basged, a gwelltglas o'u cwmpas.

'Dacw Elin Tyn'ffordd yn dŵad, a mae hi mor wirion, mi ddyfethith 'y mhetha i i gyd. Ma' mam yn deud does gini hi ddim help bod hi ddim yn gall, ond mae arna i eisio 'mhetha, ne fedra i ddim chware dim.'

'Rhaid i mi brynu doli i ti, Dyddgu, i chware.'

'Na, chyma i ddim dolis. Dda gen i ddim babis na dolis, na dim. Well gen i ddarllen hanes pobol, a chware bod hefo nhw, a phetha felly. Fydda i ddim yn leicio siglo crud babis, a does arna i ddim eisio gwnïo. Fydda i ddim yn leicio gneud, a fydda i ddim eisio clywed babis yn crio. Does arna i eisio dim ond *Trysorfa'r Plant*, a'r *Drysorfa Fawr*, a *Llenor*, a *Methodist*, a *Ceiniogwerth*, a *Bardd Cwsg* a *Traethodydd*, a *Hanes y Merthyron*, a phetha felly. A Beibl neis â chas lledar coch iddo fo. Nid dolis.'

'A malwod,' chwarddai Rhiannon.

'Mynd trwy hanes llyfr ma'r malwod; ma' nhw'n llai o drafferth na cymyd plant. Dydi malwod ddim yn digio na dim.'

'Wel, o'r gore, Dyddgu, mi gofia i am lyfr pan ddo' i yma eto, yntê?'

Ac wedi ffarwelio â'r fechan cychwynnodd tuag adref unwaith yn rhagor; ond yr oedd Elin yn disgwyl amdani, ac yn lle myned ymlaen i boeni Dyddgu, trodd yn ôl gyda Rhiannon, ac ebe hi yn ddistaw wrth ymyl ei chlust, '"Duwc annwyl, Miss," meddaf i wrtha i fy hun, achos doedd yno neb arall. "Duwc annwyl," meddaf i, "yn dydi o'n glws; ma' hwn yn'u curo nhw i gyd." A mi drychas arno fo nes o'n i wedi blino disgwyl iddo fo ddeud rhwbath wrtha i, a ddeudodd o ddim – ddim; a "Duwc annwyl," meddaf i, "mi faswn i'n leicio 'i glywad o'n deud rhwbath." A mi ddois i am dro, ond mae o 'run fan o hyd, yn ista ar yr hen goedan onnan yna sy wedi syrthio yn ochor y ffordd.'

A chyn i Rhiannon gael amser i grynhoi ei meddyliau at ei gilydd, ffwrdd ag Elin tua'r felin, wedi cofio fod ei mam yn disgwyl am werth swllt o flawd. Cerddai Rhiannon yn gyflym, gan fod y cyfarfod ar y groesffordd a chwarae Dyddgu wedi cymeryd cryn lawer o'i hamser. Ac er ei gwaethaf crynai ei chalon, a deuai y gwrid ar ei dwyrudd oherwydd geiriau Elin. Meddai ryw fath o ymdeimlad distaw yn ei mynwes pwy oedd mor hardd ag i ennyn edmygedd Elin dlawd, a bu bron â neidio dros y clawdd a chroesi'r caeau i Hafod Olau, yn lle myned ar hyd y ffordd. Eto, ar hyd y ffordd yn ei blaen yr aeth, hyd at foncyff yr hen onnen, ar yr hon yr eisteddai Francis Glyn, yn dal papur newydd yn ei law fel pe yn ei ddarllen, ond ei lygaid yn gwylio cerddediad Rhiannon; a chyn iddi ei gyrraedd, yr oedd ar ei draed yn ei chyfarch, yn holi ynghylch diwedd y cyfarfod, ac yn myned ymlaen tua Hafod Olau gyda hi, fel pe hynny'r peth mwyaf naturiol ar y ddaear iddo wneud. Wedi iddynt ddod i olwg y tŷ, dywedodd, 'Mi garwn i adnabod eich tad, Miss Gruffydd. Tybed ei fod i mewn? Er fy mod i yn nai i Mr Harris, Plas Dolau, rydw i am i chwi gredu na feddaf un gronyn o gydymdeimlad â'i ddull o drin pobl heddiw. Yn wir, wn i ddim gyda pheth y mae gen i gydymdeimlad. Wn i ddim yn iawn beth ydw i'n gredu, os ydw i'n credu mewn rhywbeth; ond mae gen i ryw feddwl y byddai dod i adnabod eich tad yn well ar fy lles i na dim arall.'

A beth allasai Rhiannon wneud o dan yr amgylchiadau ond ei wahodd i fewn i'r Hafod Olau am y tro cyntaf?

Pennod XIII
Y cyfarfod gweddïo

Gan fod cryn bellter ffordd cyd-rhwng amryw o'r ffermdai a'r gwahanol gapeli, dechreuid y moddion ganol yr wythnos am hanner awr wedi chwech yn y gaeaf, yna byddai pawb adref yn gynnar i swpera yr anifeiliaid, ac i fwyta yr uwd eu hunain cyn myned i orffwys dros y nos. Ond nid oedd bwthyn Boba cyn belled iddynt dramwy tuag ato, a bodolai rhyw ddealltwriaeth distaw cydrhyngddynt y gwnaethai y tro yn burion i'r cynulliad y noson honno fod am saith o'r gloch. Ac yn brydlon bum munud cyn saith, wele bob un yn ei le yn Tyn'rardd yn barod i ddechrau'r cyfarfod gweddi. Ni pharai helynt y gwisgo i neb fod yn rhy hwyr yn dyfod i foddion gras ar noson waith, ychydig iawn o wahaniaeth fyddai yn ymddangosiad y meibion a'r merched, rhagor pan yn dilyn eu goruchwylion ar hyd y dydd. Pobl yn gweithio oeddynt i gyd ac heb ddychmygu fod gwaith gonest yn anfri ar undyn byw, a chan hynny heb wybod beth ydoedd cywilydd o'i blegid, na chwaith dros y dillad cyffredin oeddynt yn ddangoseg led eglur o'u dull o fyw yn eu gwahanol safleoedd.

Daethai William Williams i fyny, a mynnai Robert Gruffydd iddo ef gymeryd arweiniad y cyfarfod gweddïo yn ei law.

'Wel, os byddwch chi i gyd yn symol ufudd, frodyr bach, mi wna inna 'ngore i fod yn ddistaw, yntê; felly beth petae' ni yn gofyn i Rhobat Gruffydd annerch yr orsedd yn gynta, rŵan.'

'Fydd hi fawr o newid i Boba 'nghlywed i, William Williams, mi fydda i yma yn amlach na'r un ohonoch chi.'

'Byddwch, byddwch, Rhobat Gruffydd,' ebe'r hen wraig yn ei chornel, 'ond 'rhoswch i mi ddeud mod i eisio newid, yntê, William Williams. Na, dowch chi ymlaen rŵan, mae gin i ryw siort o gred na ofynnwch chi am ddim na fydd O'n barod i roi'r cwbwl i chi. Ac yn wirionedd i, pwy ŵyr yn well na chi, beth sy arna i isio. A mi fase'n burion gin i'ch clywed chi'n darllen y salm honno i mi unwaith eto, a neith hi ddrwg yn y byd i neb sydd yma; mae'n eitha i ni gofio fod Duw Israel yn alluog rŵan i roddi nerth a chadernid i'w bobl. Mi wyddoch chi p'run ydw i'n feddwl, "Cyfoded Duw, gwasgarer Ei elynion, a ffoed Ei gaseion o'i flaen Ef." Hen salm nobl ydi honna, ac ma'n burion i ni gofio'r dyddiau yma, sy braidd yn dywyll i ni, fod posib i ni orfoleddu mewn gorthrymderau.'

'Dydw i ddim yn rhyw siŵr iawn, gyfeillion bach, na fasa gwrando ar Boba heno, yn fwy o help i ni i gyd na chlywed llais neb un ohonom,' ebe William Williams.

'O, na,' atebai Boba, 'rydw i'n disgwyl 'i glywed O'n siarad yn 'i Air wrtha i. A mi fydda i'n meddwl mai yn y cyfarfod gweddïo y bydd O'n agos iawn ato ni. Ond os bydd rhyw air ar y meddwl i, mi deudai o'n ddigon rhydd a di-lol, g'naf neno dyn.'

Cymerodd Robert Gruffydd y Beibl, a dechreuodd ddarllen y salm. Weithiau, ceid ef yn taflu gair o eglurhad ar ambell i adnod, bryd arall Boba fyddai yn ategu un o'r addewidion, a hawdd i'r gynulleidfa fechan oedd dweud mai da iddynt hwy oedd bod yno. Canwyd pennill orfoleddus hefyd, nid cwynfan yn y tristwch a deimlai pawb ychydig oriau cyn hynny oedd mor agos atynt. Na, nid galaru oherwydd terfysg gweithredwyr anwiredd a glywid yn y bwthyn, ond swn cân a moliant fel tyrfa yn cadw gŵyl. Digon anodd fuasai perswadio dieithr ddyn nas gwyddai ddim o'u hanes, mai pobl oeddynt â'r cleddyf megis yn hongian uwch eu pennau wrth edef denau iawn, ac na ddeallai yr un ohonynt beth oedd yn eu haros ynghudd yn y dyfodol agos. Eto, dyma hwy yn seinio cân, y cwbl oll yn angof, ond fod yr Hwn a ddarpara i'r gigfran ei bwyd, ac a ofala am adar y to, yn Dduw galluog i waredu mewn pob storm, fod yr holl dymhestloedd yn Ei law Ef, ac i'r fath Dduw, gweddus yw mawl Ei bobl.

Wedi gorffen y pennill ymgrymodd pawb ar eu gliniau. Meddyliai pobl Cymru Fu mai dyna yr agwedd weddus i weddïo, a thybient fod llawer o adnodau y Beibl o'r tu cefn i'w syniad am yr agwedd briodol honno ar eu cyrff pan yn erfyn am eu bywyd. Pa un ai diffyg ymdeimlad o'n hanghenion, ynte ofn difwyno ein dillad yw ein rheswm ni dros eistedd i weddïo, y dyddiau olaf hyn, tybed? Ynte'r ddau ynghyd? Ond pobl mewn eisiau oedd yno ym mwthyn Boba. Pobl yn ofni gweled y cymylau yn torri uwch eu pennau, ac i'r cenllif eu hysgubo hwynt ymaith. Pobl heb un gobaith o un man ond allent gael o

Dduw yn Dad, a Thad yn Noddfa,
Noddfa yn Graig, a Chraig yn Dŵr.

Ac er na fu i Robert Gruffydd na'r un o'r brodyr a'i dilynnodd, sôn gair am y dydd treial oedd mor agos atynt, ac nas gallasai un o ysbiwyr Mr Harris pe yno yn fradychwr, ynghanol y disgyblion, wneud defnydd o un gair, eto gwyddai y Gŵr oedd yn eistedd ynghanol y moroedd, beth oedd yn eisiau arnynt cyn gofyn ohonynt Iddo. Ysgydwai yr hen wraig law â phob un ohonynt wrth iddynt gychwyn adref ar derfyn yr addoliad, a hynod mor bwrpasol oedd ei gair i'r oll ohonynt.

'Cofia di, Evan bach,' ebe wrth ŵr y Tŷ Canol, 'nid eiddom ni y rhyfel. Duw pia y rhyfel 'ngwas i, a Fo nillith. Mi wyddost ti hynny, heb i mi ddeud wrthat ti. Ac os yw Duw trosom, pwy all fod i'n herbyn? 'Rhoswch i gyd am funud. Rhobat Gruffydd fyddwch chi ddim yn hir, newch chi ddarllen yr unfed bennod ar ddeg o'r Hebreaid i ni cyn ymadael? Mi fydda'n burion i ni glywad i gyd be mae'r Gair yn ddeud nath pobl trwy ffydd.' Ac eisteddodd pawb i lawr unwaith yn rhagor.

'Ie, dyna hi,' ebe Boba, 'gadewch i ni i gyd gofio honna, yntê, William Williams? Dowch machgian i, rhowch y fendith ymadawol i ni cyn i'r bobl yma gychwyn. Ydi hi ddim yn rhyw ots o dywyll, ydi hi?'

Wedi i bawb gychwyn ond Robert a Gwen Gruffydd a William Williams, dechreuodd Boba eu holi yn fanwl ynghylch y sefyllfa, ac ebe hi wrthynt, 'Raid i chi ddim bod ofn sut y trydd y fantol, 'mhlant i, mi rydw i fel Daniel, wedi cael gweledigaeth yn sicr ddigon. Ond beth fydd ar ôl hynny sydd yn fy mhoeni i. Sut yr ymdery y bobl y ddrycin? Mi fydd yr Arglwydd 'i hun yno ynghanol y tân, rydw i'n siŵr o hynny, ac ni chyll blewyn o ben yr un ohonoch chi, ond feallai y teflir y bechgyn i'r ffwrn i'w profi. Gobeithio na fydd dim eisio hynny, ond dydw i ddim yn siŵr.'

'Na, does yr un ohonon ni'n siŵr, Boba bach, o ddim, ond fod yr Arglwydd yn teyrnasu,' atebai William Williams, 'a thra bydd Tad y plant yn cadw agoriad y cwpwrdd fydd ar yr un ohonon ni eisiau bwyd.'

'Na fydd, na fydd, ond mi fydd yn dipyn o beth i ni dorri ar yr hen arferiad o'i fyta fo yn ein ffordd yn hunain, oni fydd?'

'Neu heb fod yn yr un fan, ydech chi'n feddwl, yntê Boba? Synnwn i ddim nad oedd yno ddigon o laeth a mêl yn Babilon, ond doedd o ddim yr un flas â'r llaeth a'r mêl yng Ngwlad yr Addewid,' ebe Gwen Gruffydd, ei llygaid serchog yn llawnion o ddagrau, 'ond fydd dim help, Boba, os bydd Efe yn galw ar ambell i Abraham eto i ymadael â'i wlad.'

'Fydd hi ddim yn dywyll iawn yn unlle, 'ngeneth i, os byddwch chi a'r plant acw yn gneud cartra i Rhobat Gruffydd, ond eto mi rydw i'n gobeithio, ydw mi rydw i, na wela i na neb arall mo'r dydd y byddwch chi'n cefnu ar Hafod Olau, deulu bach. Mi fydda hwnnw'n fora tywyll iawn i'r ardal yma, o'i chwr, beth bynnag.'

'Wel, Boba, 'dawn ni ddim i gyfarfod drygfyd yr un cam o'r ffordd,' ebe William Williams, 'mi rydw innau yn ofni ac yn crynu nid o'm hachos fy hun, yn feunyddiol, ac eto, rydw i yn rhyw ddirgel gredu y bydd yna ffordd i'r plant unwaith eto trwy ganol y Môr Coch, yn droedsych; ac er i Pharo yrru yn gyflym ar eu hôl, na ddigwydd iddynt ddim niwed. Fel yna rydych chi'n teimlo, yntê, Robert Gruffydd?'

'Yn wir, William Williams, fedra i ddeud dim ond mod i wedi rhoi fy hunan yn ei law Ef, ac am ei ganlyn, doed hi fel y delo arnaf. Mae arna i fwy o ofn y tywydd garw i Gwen a'r genethod acw, nag i mi fy hun.'

'A mae arna inna fwy o ofn y brofedigaeth i Robert ac felly, Boba, mae pethau yn ddigon cymysglyd yn tydyn nhw?' ebe Gwen Gruffydd.

'Raid i'r un ohonoch chi ofni dim, blant bach, tra byddwch chi hefo'ch gilydd. Bryd mae'r lecsiwn?'

'Dydd Mawrth nesa, Boba.'

'Ac mae hi'n ddydd Iau, ne nos Iau, tawn ni'n deud yn fy lle. Ond mae un saboth eto, a phedwar diwrnod cyfan eto wrth droed yr orsedd i eiriol. Digon llegach ydi Olwen, yntê Gwen Gruffydd?'

'Ie, fel yma bydd hi adeg cwympiad y dail bob blwyddyn rŵan, ac mae'r cynnwrf yma yn effeithio arni. Er ei mwyn hi, dymunwn iddo fyned drosodd er fy holl ofnau. Chwarddodd lawer brynhawn heddiw, yn gwrando ar Rhiannon yn deud hanes geneth fach John Meredydd a'i mintai o falwod, a gadewais i y ddwy yn brysur yn chwilio am lyfrau i Dyddgu,' ac adroddodd Gwen Gruffydd hanes y plentyn i Boba.

'Fuo 'run plentyn erioed fel Dyddgu, Gwen Gruffydd fach, a 'dwn i am ddim wnâi fwy o les iddi nag i Rhiannon ac Olwen gymyd ati hi dipyn. Mae yna rywbeth yni hi na weles i yn fy holl fywyd ddim yn debyg iddi hi. Mi fydd yn anodd iawn rhoi llinyn mesur pobol erill arni hi, mi 'naetha well bachgian o beth aneiri, y drefn sy ar y byd rŵan. Ydi mae hi'n gwybod gormod o beth di-wedd o'i hoed. A mi neith les i Olwen ran hynny gael hwyl hefo'r plentyn. Mae'r eneth fach yna yn werth 'i studio wir. Mi fydd yn dŵad yma rŵan ac yn y man, ac yn deud hanesion am bobl wrtha i nad oes dim posib fod creaduriaid tebyg wedi bod yn y byd yma erioed er rhyfedded ydi o.'

'Wel, Gwen fach, rhaid i ni droi,' ebe Robert Gruffydd, wedi iddo ef a William Williams orffen ychydig drefniadau ar gyfer y dyddiau nesaf, yna wedi ysgwyd llaw â Boba, ymaith â'r tri, ac er nad oedd y ffurfafen wedi goleuo dim, eto teimlai eu hysbrydoedd hwy eu bod yn dod yn nes i allu sylweddoli fod y breichiau tragwyddol yn eu cynnal, deued fel y delai arnynt.

Pennod XIV
Hogi'r arfau

Dyddiau llawn o waith fu y tridiau o flaen y diwrnod mawr yn yr hen ardaloedd tangnefeddus hyn. Ymddangosai y trigolion yn byw yn llawer prysurach nag arfer, ni chymerai yr un ohonynt hamdden i ymgomio â'i gilydd, ond pawb am y cyntaf i fyned o gwmpas ei bethau y foment y byddai ei neges yn barod mewn siop neu weithdy.

'Paid ti â fy holi, machgian i, mae'n ddigon buan i mi roi y fôt ddydd Mawrth,' ebe Siôn William, Tyn-y-coed, wrth Ned William y saer. Ceid Ned yn chwys ac yn lludded yn gwibio yma a thraw bob awr o'r dydd a'r nos, heb unwaith laesu dwylaw yn yr ymgyrch, er iddo gael ei ddal mewn cyffion gan y Pab, meddai ef. Mr Gladstone a'r Pab ddaliai Ned William yn gyfrifol am bob trychineb ddigwyddai ar dir ac ar fôr y dyddiau hynny. Y gwir am yr helynt oedd, i rywun ar y ffordd daflu rhaff am ei goesau, nes y bu i Ned syrthio ar ei hyd ar lawr, ac i'w goesau gael eu clymu ynghyd gan rywun cryf ofnadwy yn ôl ei ddisgrifiad ef, a dyna lle y bu yn gorwedd dan weiddi a griddfan, un bob yn ail, hyd nes y daeth Huw Huws y gof heibio; ac wedi ymbalfalu gorau gellid yn y tywyllwch, cododd Ned yn rhydd o'i rwymau.

'Ffitiach i tithau neud dy waith yn y dydd, Ned,' ebe Huw Huws, 'mae dy job di yn siŵr o dalu i ti o chwith ryw ddydd, gei di weld.'

Un arall oedd i'w gweled bron ym mhob man ar unwaith oedd Elin, Tyn'ffordd. Mawr oedd pryder ei mam yn ei chylch, ond er pan fu Rhiannon yn dechrau ei dysgu i gadw y tŷ a'i amgylchoedd yn lân, ni welwyd Elin mor anhawdd i'w chadw mewn trefn, druan. Canlynodd Ned William un diwrnod yn ddiflino hyd nes y trodd ef ei wyneb tuag adref i swpera. Eisteddodd yn ei wylied yn dod allan, ac yn troi tua'r Plas

Dolau, i adrodd hanes y dydd wedi hynny. Drannoeth symudiadau Mr Harris a Mr Tattenhall gafodd ei sylw arbennig. Aeth i'r Plas yn fore, cafodd gan Mrs Harris roddi iddi lathenni o ruban glas. Gwisgodd hwnnw amdani, a cherddodd y pentrefi a'r ardal gan weiddi hanes y gwahanol gymeriadau ar uchaf ei llais. Yna canai y rhigymau rhyfeddaf ar fesurau rhyfeddach fyth. Cyfarfyddodd Mrs Jenkins, Cefn Mawr, hi tua hanner dydd, a chyfarchodd Elin yn hynaws ryfeddol oherwydd ei bod yn gwisgo y ruban Torïaidd, ond sbonciai a chanai Elin heb gymeryd arni ei bod yn gweled y wraig uchelfrydig, ac nid rhyfedd i'w chân ffromi Mrs Jenkins:

Mae Twrna Cefn Mawr,
Yn wraig fawr, fawr,
'I thrwyn yn troi fyny,
A'i thraed ar lawr;
  Welwch chi hi,
  Tori ydi hi.

Ac ni chlywyd erioed seiniau mwy aflafar na'r nodau olaf waeddai Elin. Aeth Mrs Jenkins yn un swydd i Dyn'ffordd i rybuddio Catrin William am ofalu cadw Elin yn y tŷ, ond ni chafodd ganddi un sicrwydd fod yn bosibl gwneud ei chais, er hynny.

'Dydi o ddim iws i chi na neb arall weld bai arna i, Mrs Jenkins. Mae'r Hollalluog wedi gweld yn dda beidio rhoi fawr o synnwyr ym mhen Elin, ond mi 'na'th i fyny am hynny trwy roi gormodadd o nerth yn 'i breichiau hi, a wa'th i mi ddeud carrag a thwll, na gofyn iddi hi neud dim ond y peth fydd hi wedi gymyd yn ei phen, druan. Mi fydda'n eitha gini tasa'r hen helynt yma drosodd; ma'r hen ferw yma wedi troi ym mhen Elin a'i gneud hi'n anos 'i thrin nag oedd hi cynt. Ond does gin i ddim help iddi hi.'

Y nesaf welodd Elin oedd John Evans, Tyddyn Dafydd, a gwaeddai ei chân tra yr elai yntau heibio:

Mae'r gwair wedi llwydo
  Yn y dâs fach,
A'r ŷd i gyd yn benddu
  Yn y sach.
Tanciw, *tanciw kindly*, John Evans.
Mae John a Ned yn rhedeg y ras
Am y cyntaf o'r Plas,
Welwch chi nhw, a'u cynffona llaes;
  Tanciw, *tanciw kindly*, John Evans.

'Waeth ar wyneb y ddaear pwy mae yr eneth yn gyfarfod, ma'i chân hi'n barod i bawb, William Williams, a'r gwaetha o'r cwbl ydi mae'r Toriaid yn siŵr o'n dal ni yn gyfrifol am 'i strancia hi. Wrth reswm, mi ŵyr pawb na chyfansoddodd Elin ei hunan erioed y geiriau mae hi'n ganu, ac yn fy myw fedra i mo'i holrhain nhw i neb. Er mor wirion ydi Elin, mi feder hi gadw *secrets* yn well na 'geinia o rai callach na hi, a does dim modd mynd heibio 'i chefn hi fel byddwn ni'n deud. A feder un gŵr ddim peidio chwerthin, mae hi mor smala. Mi geisiodd Rhiannon ddylanwadu arni hi ddoe, ond yr unig ateb geid ganddi oedd, "Mae'n nhw'n ganu iawn, Miss, bob un; nid rhai hyllion ydyn nhw, does dim geiria hyll ynyn nhw ddim un," ac yn ei byw ni fedrai Rhiannon beidio chwerthin, ebe hi wrthon ni neithiwr.'

'Does dim ond gadael i Elin yrru'i cheffyl i'r fan y myn hi, Robert Gruffydd, dydi hi ddim yn sownd yn 'i chorun, a hwyrach y bydd hi'n fwy o help nag mae neb yn feddwl yn 'i ffordd 'i hun.'

Trodd y ddau eu pennau. Yn ddiau, yr oedd Elin yn nes atynt nag y meddylient. Canai yr eneth, neu yn hytrach, gwnâi y sŵn a alwai hi yn ganu, a dilynid hi gan dorf o blant, pob un o'r rhai bychain yn uno yn y gytgan â'u holl egni:

Bydd Mistar Edwards ar ben y pôl
A Tattenho ymhell ar ôl,
A Harris y Plas, y cena di-ras,
Wedi colli go', wedi colli'i le.
Hip, hip, hwrê:
Harris y Plas wedi colli'i le.

Aeth yr orymdaith trwy'r pentref gyda'r gwyllnos, a'r Sadwrn oedd hi, a chan hynny cyrchai cryn lawer o'r gweithwyr at ei gilydd y noson honno, gan y caent oll ychydig o hamdden 'nawn Sadwrn i gyrchu eu dillad oddi wrth yr olchwraig, ac efallai i baratoi ar gyfer y Saboth trwy brynu rhyw goler, neu ffunen angenrheidiol iddynt. Neu hwyrach mai ceiniogwerth o finceg, a geisiai un, tra y gofalai y llall am ei dybaco wythnosol. Modd bynnag, boed y rhesymau y peth y boent, cofiai pob un am ryw fath o esgus i gyrchu i'r pentref nos Sadwrn. A hon oedd y nos Sadwrn olaf cyn y lecsiwn, ac er ceisio bod yn ddistaw a gwyliadwrus, yr oedd mynwesau y bobl yn wŷr, gwragedd, a phlant megis ar dân, a'r rhan fwyaf ohonynt â'u ffroenau mor denau â meirch rhyfel yn arogli'r elfennau ofnadwy o bell cyn dyfod i faes y frwydr. I'r rhai hyn yr oedd gorymdaith Elin a'i dilynwyr yn fwynhad, ac nis gallai rhai ohonynt lai na rhoddi help i greu chwaneg o sŵn, yn enwedig i floeddio nerth eu pennau hwythau hefyd:

Hip, hip, hwrê
Harris y Plas wedi colli'i le.

Canys o bob newydd da i drigolion Llangynan, hwnnw fuasai y newydd gorau o lawer iawn y dyddiau hynny. Pan oedd y canu ar yr uchelfannau, dyma Francis Glyn yn dyfod trwy'r pentref. Dychrynodd y dynion ac aethant yn fud. Nid felly Elin. Cerddodd hi tuag ato a safodd o'i flaen.

'Wel Elin,' ebe yntau yn garedig.

'Rŵan *boys*,' ebe hithau, 'rŵan, *boys*, Duwc annwyl, meddaf i, meddaf i, mi ganwn ni yntê?'

Dyma ddyn hardd
O flaen llygad y bardd,
  Pen eith Harris o'i go',
  Mi cym'wn ni o,
Hip, hip, hwrê
Fo, fo, mi cymwn ni o, mi neith o'r tro.

Neidiai a sbonciai Elin o ddifrif. Chwarddodd Francis Glyn o wir ewyllys calon, a rhoddodd ei law yn ei boced. Tynnodd hanner coron ohoni, a rhoddodd ef yn llaw Elin, ac ymaith ag ef tua'r Plas Dolau, â bloeddiadau o

Hip, hip
Mi cymwn ni o hip, hip, hwrê.
Mi neith o'r tro

yn ei ganlyn am ysbaid o amser. Pan yng nghwmni ei ewythr a'i ffrindiau y noson honno swniai y canu yn ei glustiau. Wedi iddo fyned i'w wely nis gallai gysgu, oblegid yr un rheswm. Neidiodd i fyny, cerddodd o gwmpas ei ystafell am awr neu ragor. Yna safodd yn syth o flaen y tân oedd erbyn hyn yn myned yn isel, ac ebe yn uchel yn Saesneg, '*This won't do, I am going to jump over the wall; yes, by Jove, and clear it too, so help me God, this very moment.*'

Rho'dd dro neu ddau arall o gylch ei ystafell, ei holl gorff fel pe yn arddangos grym ei benderfyniad. Yna aeth Francis

Glyn i'w wely unwaith yn rhagor y noson honno, nid i fod yn effro mwy, ond i gysgu mor esmwyth â phlentyn, hyd nes y clywodd gloch fawr y Plas yn canu pawb i godi fore drannoeth. Disgwyliai Mrs Harris i'w thylwyth oll, os yn eu cynefin iechyd, fod yn brydlon wrth y bwrdd brecwast yn y parlwr, fel yn neuadd y gweinidogion. Wedi'r brecwast, ymgasglai pawb at ei gilydd yn yr un lle i ymuno yn y weddi deuluaidd. Nid oedd y cymun cyn brecwast yn yr eglwys wedi dod i aflonyddu ar yr addoliad yn y teulu gartref y pryd hwnnw yng Nghymru, a cheid allor i Dduw ym mhob cartref ag enw o grefydd arno, ymysg Eglwyswyr ac Ymneilltuwyr yn ddiwahaniaeth. Gallai pawb, prysur neu beidio, fforddio ychydig funudau wrth droed yr orsedd cyn dechrau gwaith y dydd. Gwraig ddefosiynol iawn oedd Mrs Harris, Plas Dolau, ac yn ôl y goleuni a feddai hi, ceisiai fyw bywyd rhinweddol, a dilyn yr ysgrythur fel ei dysgasid iddi. Gan mai y saboth oedd y diwrnod hwnnw, gwyddai Francis Glyn na wnâi un esgus ond afiechyd y tro i'w fodryb dros beidio bod yn ei le yn y llan erbyn deg o'r gloch, a dechreuodd ar y gorchwyl o ymwisgo heb ymdroi.

Eto, pan ddaeth yn amser cychwyn i'r llan, nid oedd Francis Glyn i'w weled yn unman; ac mewn atebiad i gwestiwn Mr Harris yn ei gylch, dywedodd Mrs Harris fod Frank wedi myned i Langynan y bore hwnnw, yn lle i Lanfair, am y dymunai weled drosto ei hun sefyllfa yr hen eglwys ar y bryniau.

'A mi fydd yno olwg braf iddo, bydd siŵr. Os gwêl o hanner dwsin yno, a chyfrif Syr Tudur ac yntau, mi fydd yn llawn cymaint ag ellir ddisgwyl; ac mae syniadau'r llanc am fyd ac eglwys ymhell o fod wrth 'y modd i fel y mae, heb iddo hel rhagor o *wipes* i daflu ata i.'

'Mae'n bosibl addoli lle na fydd ond dau neu dri, Mr Harris,' ebe ei briod, 'a does yna ddim cynulleidfa helaeth yn Llanfair.'

'Addoli! Addoli ddeudsoch chwi? Mae arna i ddigon o ofn na ŵyr fy nai ddim beth ydyw addoli. Y dydd o'r blaen, fe'm hysbysodd i na wyddai ef ddim oedd yna Dduw yn bod ai peidio,' atebai Mr Harris yn ffromus.

'*Dear me, dear me*!' ebe Mrs Harris. '*Dear me, poor fellow*. Rhaid i mi geisio goleuo meddwl y bachgen.'

'Hý! Mae'r gŵr bonheddig yn meddwl mai ni sydd yn byw yn y tywyllwch. Mi leiciwn i'n burion, beth bynnag, weld 'i gefn o yn yr ardal yma. Mi neith fwy o ddrwg nag o les.'

Yn y cyfamser, cerddai gwrthrych eu hymddiddan yn hamddenol tua Llangynan. Er mai mis Tachwedd oedd, eto ceid lawer golwg addurnol wrth ddringo'r llechweddau. Cofiai Francis Glyn ambell hanesyn diddorol o lên gwerin ei wlad tra yn sefyll ar rai o'r hen gilfachau yng nghysgod y creigiau. Gwyddai fod pobl Dduw wedi gorfod trigo mewn ogofâu tra yn dianc oddi ar ffordd eu herlidwyr yn y fangre honno cyn hynny. Yna pasiodd genethod yr Hafod Olau ef ar eu ffordd i'r capel yn y pentref: Olwen a'i heurwallt, megis pelydrau haul yn goleuo pob man o'i chwmpas, a Rhiannon, fel arfer, yn gofalu am ei chwaer rhag iddi megis daro ei throed wrth garreg.

Wrth edrych yn yr wyneb ieuanc tywyll, a chymaint o'r enaid pur yn dangos ei hunan ym mhob trem o'i eiddo, tybiai Francis Glyn ei fod yng nghwmni un allai sefyll yn ddiysgog ynghanol stormydd byd, a chyffelybai hi i un o'r merthyron nad oedd y ddaear hon deilwng ohonynt.

Cyn iddo gyrraedd y llan, goddiweddwyd ef gan Syr Tudur Llwyd, yn ei gerbyd, a chyfarchodd yr hen fonheddwr ef yn llon.

'Fi balch ryfeddol gweld chi, Mr Glyn, yn dŵad i Llan bach fi. Rhaid fi peidio dwyn llan y gŵr mawr Cynan hefyd; ond fo ddim fawr o *use* i llan heiddiw; fo wedi mynd â gadael llan i ni. Fydd yma fawr o pobol yma, Mr Glyn, ond dim curo ar y gwasanaeth. Person ni gneud *point* o ddarllen yn dda. Fo ddim llawer o gwerth i bregethu; ond rhwbeth fo gwbod hynny, a dysgu darllen yn dda iawn: darllen fel dyn call, nid fel troi *machine*.'

Ac yn fuan iawn deallodd Francis Glyn fod Syr Tudur Llwyd yn ei le. Darllenwyd yr holl wasanaeth gyda'r fath deimlad a dwyster, nes y meddyliai y dyn ieuanc na chlywodd yr hen *liturgy* ardderchog erioed fel y bore hwnnw. Ac nid ystyriai ef y bregeth fer am chwarter awr yn un wael chwaith. Apeliai ei gwersi ymarferol fwy at ymennydd a chalon Francis Glyn na phe buasai yr offeiriad yn gweiddi a bloeddio dychrynfeydd, neu yn canu am y nef uwch ei ben. Pregeth dyn call yr ystyriai efe hi ac, yn ddi-os, yr oedd yn llawer gwell ei dylanwad ar ei feddwl ef, oedd mor gymysglyd ei gredo, nag y gallasai un math arall fod.

Pan oeddynt yn cychwyn tuag adref, mynnai Syr Tudur i Francis Glyn fyned yn y cerbyd gydag ef.

'Fi synnu dim pe chi leicio dydd Sul fi yn Y Friog. Ni dydd Sul *noble* yno.'

Cyflwynodd ei gyfaill ieuanc i'r offeiriad.

'Fi dim gofyn i chi dŵad hefo ni, Mr Prys, ond chi dŵad acw dydd Iau wedi lecsiwn fynd, a chi a Mr Glyn nabod ych gilydd.'

Pan gyrhaeddodd y cerbyd lidiardau y fynedfa at y tŷ, ni fynnai Syr Tudur i Francis Glyn ddisgyn.

'Na, na,' a chwarddai yn galonnog, 'fi wedi dal llanc ifanc teidi bore yma; fi dim gollwng gafael ohono fo ar chware bach. Cymrwch chi'r Friog, Mr Glyn, am cinio *first rate* i chi.'

A rhaid addef nad oedd rhyw lawer o waith perswadio arno. Hoffai gwmni Syr Tudur Llwyd; ac nid oedd obaith mwy iddo ef a'i ewythr gytuno ynghylch gwladweiniaeth urddasol, na hawliau gwerin. A dyn ydoedd Mr Harris nas gallai adael ei wrthwynebydd yn llonydd. Credai yn ei allu ei hunan i droi pawb o gyfeiliorni eu ffyrdd, yn ei dyb ef, ac ni ddychmygodd mor ychydig o arddeliad fu ar ei weinidogaeth. Druan ohono! Glynai ef fel gelen yn ei bwnc, er dirfawr anghysur i bawb o'i gwmpas. Ac yn rhy aml, anghofiai ei fod yn fonheddwr, os croesid ef gan rywun neu gilydd.

Ni fu edifar gan ei nai droi ei wyneb tua'r hen blasty prydferth a elwid Y Friog. Yr oedd boneddigeiddrwydd a moesgarwch yn anwahanol gysylltiedig â bodolaeth Syr Tudur Llwyd, a theimlai pawb o dan ei gronglwyd ef yn berffaith gartrefol ar unwaith

Wedi mwynhau ciniaw syml – canys byddai Syr Tudur yn gofalu am saboth i'w weinidogion fel iddo ef ei hunan – aeth y ddau allan oddeutu'r Plas, a thraethai yr hen fonheddwr eangfrydig nes peri i'r gŵr ieuanc ofyn yn sydyn iddo, 'Sut y gellwch chwi fotio yr un ffordd â fy ewythr, ddydd Mawrth, Syr Tudur, os fel yna yr ydych chwi yn deall pethau?'

'Wel, wir. Fi gofyn 'run peth i mi f'hun sawl dwsin ers dyddia Mr Glyn. Fi chwerthin llawer iawn pan ddeudodd Miss Gruffydd hanes ych areithiwr chi a troi côt, a hitha chwerthin hefyd pan fi gofyn, tybed côt fi rhy hen i troi; a Miss Rhiannon meddwl *lining* côt fi digon cyfa, Mr Glyn, a hi siŵr ddyn o ffeindio tylla yn côt pawb, os bydd yno rai ar cael. Ond, heb gneud *joke*, fi meddwl waeth imi beidio tynnu'n croes â pobol. Os nhw wedi meddwl, nhw cyn sicred â'r pader o ennill, gewch chi weld, Mr Glyn. Fi clywed plant yn gweiddi '*Mr Edwards for ever*' ym mhob man, gweiddi yn iawn. A rhywun dŵad a rhoi pres i nhw am gweiddi, '*Mr Tattenhall for ever.*' Eto, nhw dim gneud sŵn mawr, ond gweiddi oer, heb galon. Fi deall yn di-fai sut mae'r gwynt, Mr Glyn. Fi meddwl weithia pobol yn iawn hefyd. Os nhw wedi'u hanfon i'r byd yma heb nhw fawr eisio dŵad yma, nhw ar 'i *rights* demandio lle i byw yn iawn yma. Nhw siŵr bod *rights* nhw cystal â *rights* Syr Tudur ne Mr Harris. Fi ddim deall y cwbwl fel yna bob amser, ond Miss Gruffydd, hi dangos i fi, a fi deall hi i'r dim. Fi mynd i capel, hefyd; capel pawb sy yma, a pobol yn iawn yn pob man; ond nhw dim eisio dŵad i'r eglwys; pobol Cymru wedi digio wrth eglwys, a hi deud wrth fi nhw hir iawn mynd yn ffrindia.

Gwenodd Francis Glyn, ac ebe efe, 'Eglwyswr y'm magwyd i, Syr Tudur, gyda'r Eglwys yng Nghymru, a bûm yn meddwl am flynyddoedd mai pobl ddrwg a diegwyddor oedd yr Ymneilltuwyr, yn cefnu ar yr eglwys oherwydd eu penrhyddid. Ond erbyn hyn, rwyf fi yn meddwl fy mod yn y golau am lawer o bethau oedd yn dywyll iawn i mi. Ers rhyw ddwy flynedd yn ôl, mwy neu lai, mae gwedd newydd yn fy meddwl i ar sefyllfa yr Eglwys yng Nghymru. A dyna pam y caiff Mr Gladstone, o'm rhan i, roddi perffaith ryddid i'r Gwyddel i addoli fel y mynno ei hun, heb dalu yr un geiniog goch at un gyfundrefn fyn ei orthrymwyr Seisnig gadw at eu gwasanaeth hwy. Os nad yw pobl yn teimlo digon o ddiddordeb yn eu haddoldai a'u gwasanaeth i gyfrannu digon ar eu cyfer, ymddengys i mi mai ychydig iawn ydyw eu hymlyniad wrthynt.'

'Chi deud pŵer o wir, Mr Glyn, pŵer o wir. Fi meddwl 'run fath. Os pobol hoffi crefydd, nhw rhoi at crefydd ddigon o arian i cadw crefydd yn *independent*. Chi yn ych lle, dim dowt. Ond beth chi'n feddwl o Eglwys Cymru, Mr Glyn?'

'Mae arnaf fi ofn, Syr Tudur, fod fy marn i amdani hi yn union fel barn y rhan fwyaf o Gymry heddiw; hynny yw, mai diben ei bodolaeth yn ein mysg yw Seisnigeiddio'r wlad. A dyna'r rheswm nad yw y Cymry gwladgarol yn ei charu.'

'Chi meddwl hynna, Mr Glyn? Chi deud i fi pam. Miss Gruffydd, hi deud 'run peth; a hi deud pob person *sensible*, fo deall i'r dim rhaid newid y *sentiment* yna. Ond chi deud rheswm da, Mr Glyn.'

'Wel, Syr Tudur, mae'm cyfaill gorau i yn offeiriad mewn

cornel o Gymru yma a eilw efe yn "gesail y greadigaeth." Ond mae yno eglwys gadeiriol. Cymry yw'r rhan luosocaf o lawer o'r preswylwyr. Mae yno ychydig o Saeson, a rhai o'r Sais-Gymry mursenllyd yma.'

'O, fi deall; chi meddwl Dic-Siôn-Dafits, a fi nabod nhw'n iawn,' a chwarddai Syr Tudur.

'Ie, dyna hwy; ac yn yr ardal Gymreig yna ceir gwasanaeth yr eglwys gadeiriol rywbeth yn debyg i hyn: gwasanaeth Cymraeg yn y bore am hanner awr wedi naw; truenus iawn, dim ymgais o gwbl i'w wneud yn atyniadol, dim ond rhedeg drwyddo rywfodd; y canu yn ddidrefn, neb yn ymddangos yn deall ei gilydd na'r dôn, y cyfan yn wael iawn. Yna, am hanner awr wedi un ar ddeg, ceid y gwasanaeth Seisnig. Yn hwnnw, wele yr organydd a'r côr yn eu gwisgoedd, y canu yn cael sylw, y gwasanaeth drwyddo yn peri i mi feddwl mai yn un o eglwysi cadeiriol Lloegr yr oeddwn. A deallais i mewn byr amser paham na châr y Cymro ei Eglwys Sefydledig. Am y tro cyntaf yn fy oes, euthum i gapel Ymneilltuol yn y ddinas fechan honno. Clywais y Beibl yn Gymraeg – y canu mawl yn Gymraeg, a'r gynulleidfa wrth eu bodd yn gwrando ar bregeth nad oeddwn i yn hidio fawr amdani – yn eu hiaith eu hunain. Drannoeth, ceisiais siarad â hen ŵr a dorrai gerrig ar y ffordd fawr, ac arweiniais i'r cwestiwn, "Paham mae yr eglwys gadeiriol mor wag, a'r capel mor lawn?" "O!" ebe yntau, "Eglwys Loegr – Eglwys y Saeson – ydyw hi. Does fynna nhw, 'run ohonyn nhw â'r Cymry. Dda ginin nhw mohono ni na'n hiaith, na dim sy'n perthyn i ni. Cymry tlodion ydan ni. Y lladron Saeson yna wedi dwyn y cwbwl feddwn ni, ond yn hiaith; ond ffrindiau'r lladron ydi'r Eglwyswrs yma i gyd. Ond gormod o gamp iddyn nhw, er cystal lladron ydyn nhw, ydi dwyn yn hiaith ni hefyd." Euthum o gwmpas, a holais y bobl, a'r un stori gefais gan bawb. Cefais fy archolli yn nhŷ fy ngharedigion, ac euthum adref wedi colli fy nghred mewn crefydd, mewn byd arall, mewn popeth, am wn i. Euthum i amau, am na welwn y rhai arferwn i ystyried yn ddysgawdwyr crefyddol yn ddim amgen na dynion yn gwneuthur y fasnach orau allent hwy o Air Duw. Euthum i feddwl nad oeddynt yn credu eu hunain, oherwydd eu hymddygiadau. Dyma fy ewythr, Syr Tudur; mae wedi bod ar ei liniau heddiw y rhan fwyaf o'r amser er pan gododd o'i wely, ond nid yw hynny yn un rhwystr iddo orthrymu y bobl yma a cheisio eu rhwymo, gyrff ac eneidiau, wrth olwynion ei gerbyd ef. Ond dydd Iau diweddaf, deuthum i adnabod teulu sydd wedi rhoddi i mi ryw ysgydwad nas gallaf yn hawdd ei esbonio. Bûm yn yr Hafod Olau, ac er nad yw ond ffermdy cyffredin, rhoddwyd i mi ryw syniadau anghyffredin iawn yno. Ac yr wyf fel dyn mewn dwfr, yn gwybod fod yna waelod yn rhywle, ond yn methu cael fy nhraed arno eto.'

Edrychodd Syr Tudur yn garedig arno.

'Chi wedi bod yn y tŷ gwell yn yr ardal yma, Mr Glyn. Chi cael y golau yn yr Hafod Olau, reit siŵr. Pawb yno yn credu pob da. Fi meddwl purion chi a minna fynd i roi tro i capel nhw heno. Fi gwell gweld dyn ifanc credu gormod na credu rhy fach; a fi meddwl dyn heb parch i'r Duw Mawr, fo misio rhoi parch i dim yn y byd. Dim un cwilydd i dyn ifanc, na dyn hen, troi côt, os fo deall hwnnw'r tu iawn iddi, Mr Glyn.'

Yna dywedodd Francis Glyn hanes Elin Tyn'ffordd wrth Syr Tudur, a'r effaith a gafodd canu aflafar yr eneth wirion arno. Rywfodd teimlai y dyn ieuanc fel pe yng nghymdeithas tadol un fyddai yn gyfaill iddo gyda'r hen fonheddwr caredig, na fu gwell tirfeistr erioed yng Nghymru nag ef; a siaradai yn hollol wynebagored ag ef.

'Hidiwch chi ddim byd am sut chi deall petha'r byd. Os chi deall nhw, dyna popeth yn iawn. Ma' yna adnod yn Beibl Cymraeg yn rhwle, Mr Glyn; fi dim siŵr bod i'n cofio hi, ond fi gofyn i Miss Gruffydd p'un fi iawn ai peidio: ffôl bethau wedi dewis i gneud *sport* o'r pobl doeth. Fi meddwl Elin Tyn'ffordd di-fai i dangos *politics* iawn i chi a finna, Mr Glyn.'

Canlyniad yr ymweliad â'r Friog, a'r ymddiddan rhwng y bonheddwyr, oedd i gynulleidfa capel Noddfa weled Syr Tudur Llwyd a nai Mr Harris, y Plas Dolau, yn eistedd i lawr ryw bum munud cyn amser dechrau'r oedfa yn sêt Y Friog, sêt fechan, a lle i dri ynddi, a ddewisodd Syr Tudur pan adeiladwyd y capel ar ei dir; a chynhyrfwyd y bobl gan yr olygfa. Gwasanaeth digon syml geid yn y capel: y canu emyn, y darllen, a'r bregeth; ond symlrwydd y gwasanaeth, feallai, oedd ei atyniad mwyaf i Francis Glyn. Ac wrth fyned yn ôl tua'r Friog, dywedodd rywbeth i'r perwyl hwnnw wrth Syr Tudur Llwyd.

'Ie, fi digon tebyg ar y pwnc yna, Mr Glyn, a fi dim meddwl gwaeth, er hynny, o pobol yn leicio lot o *ceremonies*. Os nhw methu gweld na Creawdwr na Gwaredwr heb help petha hen daear yma, fi meddwl nhw pur dall yn enaid, a fi *pity* mwy na beio. Person deud rhw dro wrth fi bod fo cymyd cnwlle gwêr i dangos Iesu Grist yn Goleuni y Byd i pobl; ond fi meddwl fi gallu comprehendio Goleuni'r Byd yn well, Mr Glyn, hefo llygad ysbrydol. Fi beio dim ar neb, a nhw addoli fel nhw'n leicio; ond fi balch iawn Mr Prys, yn Llangynan, dim eisio cnwlle, na croes, na dim byd. Fo gwbod eglwys a Beibil a pobol yn gimin sy eisio i Efengyl ni. A fo gwbod bod croes i pawb yn byd yma, lot fawr; dim eisio gneud rhai pren na aur i pobol cario. Nhw digon o waith cario croes rywsut arall bob dydd. Fi clywed dyn da deud, stalwm, Iesu Crist mynd mwy i Synagog i addoli nag unlle arall, a fo deud hefyd Synagog lle plaen iawn: dim byd *smart* yn Synagog. Os Iesu mawr leicio lle plaen, ni dim yn pell o'n lle, Mr Glyn. Ond chi gwbod, er hynny, Teml Jerusalem yn lle *beautiful* iawn, a Fo mynd i honno hefyd, a Fo gneud lle glân yno. A fi rhyw meddwl dyna pwnc i ni, Mr Glyn: gneud yn gore ni i gneud byd glân, yn pob man. A ni dim gneud hynny wrth rhoi bai ar bobl erill; ni gneud byd gwell os ni gwell yn hun i ddechre, yntê? Fi leicio chi deud i fi p'run chi leicio: Mr Prys yn Llangynan bore heddiw, ne dyn yna yn capel, heno?'

'Yr oedd Mr Prys yn fwy wrth fy modd i o lawer iawn, Syr Tudur. Mae'n well gennyf fi wrando ar bregeth fel honno a'n dysg ni i fyw yn rhinweddol, os cymerwn ei gwersi, na'r math yna a glywsom heno o lawer iawn, meddaf eto. Fe allai fy mod yn rhagfarnllyd, ond nid wyf yn hoffi y bloeddio a'r canu yn y pregethau.'

'Na, fi dim meddwl bod chi yn dim ond ifanc yn drysu hefo cwestiynau ma' pawb yn gofyn nhw, ac yn methu trefnu nhw'n iawn, Mr Glyn; a chi cymyd cynghor fi, chi peidio treio ffeindio dim allan. Os y Bod Mawr wedi cuddio petha, chi a finna dim digon o ddynion i cael hyd i dim byd Fo wedi cuddio, Mr Glyn. Fo cuddio, neb dod o hyd nes Fo dangos nhw i ni 'i Hunan. Ond fi mynd i gofyn i chi mynd i'r eglwys a gwrando. Os person plesio chi, digon o waith i chi gneud trefn yno. Fi gweld pobol yn rhedeg ffwrdd os petha dim yn iawn; ond hynny dim yn iawn i nhw, chwaith. Os chi am neud trefn yn Eglwys Sefydledig, haws i chi gneud hynny y tu fewn nag o'r tu allan, Mr Glyn. Fi meddwl pawb medru lluchio cerrig a taflu mwd o'r tu allan; ond aros i fewn a ceisio stwffio *sense*, a crefydd, a *duties*, a petha fel yna i calon a pen pobol. Gwaith yn gofyn dyn cry, Mr Glyn. Fi dechra mynd yn hen, a fi mynd i Llangynan yn y bore; a tipyn bach o pobol dŵad yno, a nhw i gyd treio bod yn pobol gwell. Ni treio credu ni helpu pawb yn pob man wrth bod yn treio byw yn dda yn hun. Chi dyn ifanc, chi gneud lot fawr o gwaith yn y byd; ond os chi dim yn dyn ifanc yn credu yn Tad yn y nefoedd a Iesu Grist, Gwaredwr pob dyn, fi deud chi gneud fawr hôl ar hen fyd yma. Fi wedi sylwi – a Miss Gruffydd, hi darllen hanes pawb yn pob man, a hi meddwl fi'n iawn – dynion di-gownt iawn, os nhw yn pobol heb dim credu. Pan pobol plant bach yn llaw'n Tad, amser honno pobol gneud gwaith i cofio amdano.'

Tynnodd Francis Glyn ei het heb yn wybod iddo ei hun, a bu distawrwydd am rai munudau cyd-rhwng y ddau. Yna gofynnodd Syr Tudur i'w gyfaill ieuanc swpera gydag ef.

'Fi leicio ni swpera yn Friog. Chi hidio fawr, fi meddwl, bod wrth bwrdd hefo ewyrth chi heno. Mr Harris, fo holi, a chi gormod o ddyn i deud anwiredd. Ni swpera yma, chi gorffen dydd Sul heb *quarrels*. Fi ceisio "cadw yn sanctaidd y dydd Saboth," Mr Glyn, heb *quarrels* na dim byd drwg. Os Mr Harris dim eisio *company* chi fory, a chi eisio gweld lecsiwn ni drosodd, fi deud i chi drws Y Friog yn llydan yn agored i chi bob awr, a Syr Tudur Llwyd balch iawn gweld chi.'

Adnabyddai y nai yr ewythr, ac oblegid hynny derbyniodd y gwahoddiad i swper, a diolchodd i Syr Tudur am ei garedigrwydd ac am ei eiriau addfwyn.

'O! nid chi pawb sy'n y *fight* yn byd yma, Mr Glyn. Fi cofio pan fi yn *fight* fawr. Mam fi, Lady Llwyd, hi dynes gwell yn y byd. Hi gofyn i mi neud *promise* iddi hi: peidio anghofio pob dydd fi yn y byd yma i gneud hynny fi medru o gwaith Duw; fi *steward*, dim arall. A mam deud fi dim rasio ceffyl, na chware *cards*, na meddwi, ond fi treio helpu pobol dependio ar fi i byw yn glân a da. A hi deud fi cofio pob dynes mam, ne chwaer, ne merch i rywun, a fi cofio parchu nhw. Fi'n arfer bod yn ufudd i mam fi, a fi mynnu ennill pob *fight* er mwyn hi. Ac wrth fi ufudd i mam yn nefoedd, fi gobeithio fi cael hyd i Duw mam yno hefyd. A pan fi darfod â'r hen ddaear yma, a mynd yno, fi medru deud fi cadw *promise*, gwaetha pawb. Fi meddwl ambell dro Syr Tudur Llwyd *somebody*, Mr Glyn. Hynafiaid fi yn Cymru ers miloedd o flwyddyn, a fi teimlo'n fawr. Yna fi cofio am Fab Duw yn Mab saer, a fi gweld pobol tlodion yma perthyn nes i Iesu Grist na ni'r *gentry*. A fi teimlo'n ffrindia mawr hefo pobol tlodion, a fi gneud gore fi iddyn nhw, a Miss Gruffydd helpu fi. Hi deall sut i gneud pob peth.'

'Wel, fe ddylai Miss Gruffydd ddeall, yntê, nad ydych chwi ddim yn hanner Tori, a'ch dysgu chwi i fotio yn iawn ddydd Mawrth, Syr Tudur.'

'Fi dim siŵr, Mr Glyn. Fi dim hanner *Liberal*, chwaith. Fi credu yn cadw eglwys plwy. Fi mesur a pwyso, a fi dim am gadel i person bod at *mercy* pobol am bwyd fo a teulu. Anodd iawn i person deud gwir plaen, Mr Glyn, os fo ofn digio pobol sy'n cadw fo. Na, fi dim am gneud i ffwrdd ag *Established Church*; fi eisio gneud hi'n gwell, a cryfach, a gwell *established*, Mr Glyn. Ac fel fi deud i chwi, haws i fi gneud hynny wrth bod i fewn nag allan. Fi fotio o ochor pobol tlawd i gneud nhw gwell, ond fi ceisio gneud eglwys gwell, nid lladd hi, os fi deall yn iawn. Fi dim *claimio* bod hi dim tebyg i iawn, ond fi leico hi; a gwaith chwi a mi, Mr Glyn, ydi repairio hi, nid 'i thynnu hi i lawr.'

Canodd y ddau yn iach â'i gilydd wedi swpera, a throdd Francis Glyn ei gamre tua'r Plas Dolau, ac yr oedd hi yn nos ac yn dywyll. Ar ei ffordd, clywai Ned William y Saer yn siarad yn uchel wrth rywun a alwai yn John, ond yr oedd hwnnw yn fwy gochelgar. Eto, deallodd Francis Glyn fod yno ryw fath o dynnu cynlluniau pa fodd i weithredu er eu budd hwy wedi i'r lecsiwn fyned drosodd.

'Raid iti, John, ddim ond bod â dy lygad yn dy ben, na fydd Hafod Ola yn siŵr ddyn ohonot ti cyn pen y flwyddyn. Mi wn i fod Mistar wedi gneud llw na chaiff Rhobat Gruffydd a'i ledis aros yno ddim ond hynny fydd raid i'w notis o; dyna i ti.'

'Roedd 'i nai o yn capel ni heno, hefo Syr Tudur Llwyd,' ebe'r cyfaill.

'Mr Glyn? Wel, mi fydd Mistar yn gynddeiriog. Dydi ddim yn rhy dda gino fo'r gŵr bynheddig ifanc yna; dydi o ddim yn siŵr ohono fo. Ond be naethoch chi tua'r capel acw heno? Rhywbath fasa fo o ryw iws i Mistar glywad?'

'Welast ti rioed lai. Fedrat ti na minna afal mewn dim; ac yto, mi wyddan i gyd yn eitha mai at y lecsiwn roeddan nhw'n cyfeirio pan ddaru Rhobat Gruffydd ddeud tipyn ar yr adnod honno am i bawb ymwroli. Mi siaradodd yn dda ofnadwy. Felly bydd o bob amser, a mi ddeudodd beth oedd diwedd pobol oedd yn aros hefo'u defaid a'u porfa, ac yn peidio helpu'r Arglwydd yn y rhyfel. Ac mi ddeudodd fod yr Arglwydd wedi melltithio rhyw Feros am iddi hi beidio'i helpu O. Ma'n siŵr fod o'n meddwl am y lecsiwn – am beth arall? – achos dyna'r unig ryfel sy nelo'r un ohonom ni â hi yn y wlad yma rŵan.'

'O! does dim dowt, John. Am be arall roedd o'n siarad? Does yna ddim arall i fod. Ond mi geith o dalu am hyn pan wêl o di'n yr Hafod yna.'

Cyn iddo'n brin orffen llefaru, dyna wichian tebyg i oernad aderyn y corff.

''D ella i aros nad â'r hen adar y cyrff yma o gwmpas.'

'Twt, be neith yr adar i ti? Tasa arna i ofn sŵn adar, faswn i wedi gneud fawr i helpu Mistar.'

'Ond mi dalith yn iawn i ti, Ned. Rwyt ti wedi bod yn driw iddo fo.'

'Ydw, a mi fydd yn burion gin i weld sut dâl geith dyn fel fi. Mi fasai'n werth iddo fo...'

Ond dyna'r gwichian eto, yn uwch, ac megis yn eu hymyl. Yna cawod o rywbeth. Pa un ai cenllysg ai dwfr, neu beth, ni wybu Francis Glyn, canys ni fu ef odani, ond clywai sŵn yn y tywyllwch, a'r ddeuddyn yn rhedeg ymaith, a'r gwichian yn parhau; ond ni welai ddim yn y tywyllwch a'i gorchuddiai.

'Beth all fod?' ebe'r gŵr ieuanc, 'mynnwn, pe yn bosibl,

weled yr aderyn yna a alwant yn aderyn y corff, ond waeth i mi fynd yn fy mlaen a cheisio'm ffordd tua'r Plas.'

Gwyddai Francis Glyn am y ddrychiolaeth y dywedai y gweinidogion a welid o dan y derw, ond ni chredai ef yn eu hofergoeledd; a chan fod y llwybr arweiniai y ffordd honno yn nes, anelodd amdano gorau y gallai. Ond pan yn ymyl y meini gwynion, ysgubodd rhywbeth heibio iddo gyda chyflymder mellten, dybygai ef. Er ei holl anghrediniaeth, aeth iasau oerion o ofnau drwyddo, teimlai ei wallt yn sefyll yn syth ar ei ben. Wedi cyrraedd i'r Plas, archodd i un o'r gweinidogion ddweud wrth ei fodryb ei fod wedi myned i'w ystafell, nas gallai ymuno â'r cwmni y noson honno. Aeth ei fodryb i ymholi yn ei gylch; dywedodd yntau hanes y dydd wrthi. Ysgydwodd Mrs Harris ei phen yn ddifrifol. Credai hi fod ysbrydion drwg yn ymweled â'r ardal, ond ceisiai ei nai ei darbwyllo fod rhyw esboniad arall ar yr helyntion yn y plwyf.

'Wel, mae pawb yn parotoi ar gyfer drennydd, a mi fydd yma frwydr fawr. Gobeithio yr enillwn ni, yntê, Frank?'

Ond ni atebodd efe hi.

Pennod XV
Ymguddfa rhag y gwynt

Y nos saboth hwnnw, wedi iddynt oll swpera, a gofalu am y gwartheg yn y beudai, a'r ceffylau yn y stabl ymgynullodd teulu Hafod Olau at ei gilydd yn ôl eu harfer ar ddiwedd y dydd. Ar ben y bwrdd ceid yr hen Feibl teuluaidd, o'r hwn y darllenid cyfran fore a hwyr bob dydd yn y flwyddyn. Ystyrid Beibl Hafod Olau yn haeddu mwy o barch na'i roddi ar dresel neu fwrdd yn fath o addurn dan antimacasar. Beibl i'w ddarllen yn wastadol oedd. Efe oedd Llyfr y Gyfraith, ac ynddo ef y ceisid meddyginiaeth wrth raid i ysbrydoedd clwyfus. Mewn gair, Beibl Robert Gruffydd oedd oracl y teulu, ac wrth gyfarwyddyd yr oracl hwnnw y trefnai efe ei dŷ a'i dylwyth. 'Ond myfi, mi a'm tylwyth a wasanaethwn yr Arglwydd,' fu ei arwyddair trwy ei fywyd, ac ni châi duwiau dieithr le i roddi eu troed i lawr o dan ei gronglwyd ef.

Wedi iddynt oll eistedd yn drefnus yn eu lle, Olwen yn lled orwedd ar gader fechan yn y gornel wrth y tân yn ymyl ei mam, agorwyd y Beibl, a dechreuodd Robert Gruffydd ddarllen y ddeuddegfed bennod ar hugain yn Llyfr y Proffwyd Eseia. Darllenodd hi yn araf a phwyllog drwyddi, ac yna trodd i'r Testament Newydd a darllenodd ddarnau yma ac acw o'r bregeth ar y mynydd. Wedi gorffen y darllen, lediodd bennill iddynt, un o rai Ann Griffiths:

Mae bod yn fyw yn fawr ryfeddod
Mewn ffwrneisiau sydd mor boeth,
Ond mwy rhyfeddod, wedi 'mhrofi,
Y dof o'r cystudd fel aur coeth;
Amser cannu, diwrnod nithio,
Eto'n dawel, heb ddim braw;
Y Gŵr sydd imi yn ymguddfa
Sydd â'r wyntyll yn Ei law.

'Dyna nhw, deulu bach, yntê, mae'r addewidion i gyd o'n tu ni trwy bob tywydd os byddwn ni ar lwybyr yn dyletswydd. Ie, "A gŵr fydd megis yn ymguddfa rhag y gwynt, ac yn lloches rhag y dymestl; megis afonydd mewn sychdir, megis cysgod craig fawr mewn tir sychedig." Mae'r cwbl sydd yn eisiau arnom ni i gyd, deulu bach, yn Ei addewid Ef.'

'Mi faswn i'n leicio, 'nhad,' ebe Olwen, 'tase ni wedi dod at addewid yr adnodau olaf, y llonyddwch a'r diogelwch hyd byth, yntê, mam?'

'Wel, mi ddown ni at yr addewid honno hefyd, Olwen fach, ac feallai, pwy ŵyr, na fyddwn ni'n canu'n iach amdani hi, os byddwn ni wedi mynd trwy dir diffaith cyn dod o hyd iddi.'

'Darllenwch hi eto, 'nhad, os gwelwch yn dda.'

'A'm pobl a drig mewn preswylfa heddychlawn, ac mewn anheddau diogel, ac mewn gorffwysfaoedd llonydd,' ebe Robert Gruffydd.

Cododd Olwen ei llygaid, ar hynny canfu Rhiannon fod deigryn gloyw yn rhedeg i lawr ar hyd grudd ei chwaer, a theimlai Gwen Gruffydd ei geneth yn gafael yn dynnach yn ei llaw, ond ni ddywedodd neb air, ac ymgrymodd pawb wrth droed yr orsedd, a chyflwynodd Robert Gruffydd ei deulu a'i gymdogion i ofal yr Un oedd yn abl i gadw pob un ohonynt trwy y ddrycin fel yn y tywydd teg nes eu dwyn yn ddiogel i'r hafan a ddymunent. Cyn iddo prin godi oddi ar ei liniau, wele'r drws cefn yn agor, a rhyw sŵn i'w glywed yng nghegin y gweinidogion, a chyn i Siân y forwyn henaf gael ei thraed dani, dyna Elin Tyn'ffordd yn rhuthro i fewn ar ffrwst.

'Ydach chi wedi gorffen darllan, Rhobat Gruffydd? Ro'n i wedi meddwl ych clywad chi. Duwc annwyl, meddaf i wrth mam, meddaf i, mi â i i'r Hafod erbyn amsar darllen. A duwc annwyl meddaf i, rydw i'n hir ofnadwy yn mynd cyn glysad â hi, meddaf i,' gan gyfeirio ei bys at Olwen, 'A meddaf i wrth mam, meddaf i, rydw i'n mynd yn waeth bob dydd a medda hi wrtha i, 'dwn i ddim be'di'r matar arnat ti, medda hi, a ma' Twrna Cefn Mawr wedi bod yn tafodi mam, a duwc annwyl meddaf i be sy matar ar honno. A mi faswn i'n leicio bod fel hi. Newch chi ddarllan i mi Miss?' a thynnodd ei Thestament bychan o'i phoced. 'Mi nes i le glân acw, do wir, Miss, neithiwr wedi i mi ddŵad adra ar ôl bod yn canu, a duwc annwyl, Miss, mi ganas i, meddaf i, dyna be'di canu.'

Amneidiodd Rhiannon ar Elin am ei dilyn hi, ac aeth y ddwy gyda'i gilydd i ystafell fechan o'r neilltu, a darllenodd Rhiannon bennod o hanes Iesu Grist yn y geiriau syml fyddai raid eu harfer cyn y gallasai Elin druan ddeall yr un gair. Wedi hynny dywedodd weddi yr Arglwydd gan wneud i Elin ei hadrodd ar ei hôl. Mor fuan ag y daeth yr Amen, dyna Elin ar ei thraed. 'Rhaid i mi fynd rŵan, mi fuo mi yn y capel, Miss, mi welas i'r byddigions hefyd, a ma' gin i lot o waith, a meddaf i wrth mam, meddaf i, ddo' i byth i ben os na chodai cyn codi cŵn Caer. Sut gŵn ydi cŵn Caer, Miss? Ma'n siŵr bod nhw'n codi'n fora ofnadwy, achos mi fydda i ar 'y nhraed bob dydd pan fydd hi'n dywyll bitsh.'

'Wel, rhaid i ti fynd i dy wely, ne fedri di ddim codi Elin,' ebe Rhiannon, 'mi ddo i dy ddanfon di adre yn gwmni i ti, yntê?'

Ar y ffordd ceisiodd Rhiannon gan Elin addo aros adref yn lle myned o gwmpas y bobl tua'r pentref.

'Well i ti beidio mynd, Elin bach, a pheidio canu, dydi merched ddim yn mynd yn agos atyn nhw.'

'Ma' merchad 'r ochor arall, ochor Harris y Sgriw, Miss, ma' Twrna Cefn Mawr a Mrs Harris y Plas, a lot o ferchad diarth,' ac ebe hi gan sefyll yn sydyn a sythu, 'mi rydw inna o ochor Mistar Edwards, a mi nawn ni'r tro, gewch chi weld pwy gurith. Dydw i ddim am droi 'nghefn ar Mistar Edwards pan ddaw hi'n amsar dal 'i gôt o pan fydd o'n rhoi cwrbitsh i'r dyn tal yna. Hei lwc, y gwaedith o'i drwyn o hefyd.'

Nis gwyddai Rhiannon faint o'r helynt ddeallai Elin, eto ceisiodd esbonio iddi mai nid ymladdfa megis cyd-rhwng dau ddyn meddw oedd yr ymgyrch etholiadol i fod.

'Hitiwch chi befo, mi rown ni gwrbitsh iddyn nhw y cofia nhw amdani hi.'

Wedi cyrraedd yn ôl i'r Hafod Olau ac eistedd wrth y tân, bu Rhiannon yn ddistaw am rai munudau nes i Olwen afael yn ei llaw a gofyn,

'Beth sy, Non? Wyt ti'n cofio Rhiannon? Dyna galwai Nisien di yntê?' Gwenodd yn dawel.

'Ydi Nisien ar y môr, 'nhad? Biti bod Mr Wyn wedi marw yntê?'

Gafaelodd Gwen Gruffydd yn llaw arall Olwen ac ebe hi,

'Mae'r proffwyd yn dweud mai o flaen drygfyd y cymerir y cyfiawn ymaith Olwen, mi fase'n anodd iawn i Mr Wyn blesio'r meistr tir wrth gymryd ochor dyn fel Mr Tattenhall.'

'Beth oedd y rheswm, tybed, Robert, fod Syr Tudur a Mr Glyn yn 'n capel ni heno? Mae'r dyn ifanc yna yn edrych â mwy yn ei ben na'r cyffredin.'

'Wel, mi ddylai fod, Gwen fach, ac yntau yn gyfreithiwr, ond synnwn i ddim nad oes yna stwff symol yno fo; ond mae arno fo, fel pawb ohonom ni, ddigon o waith trimio. Ond mae o'n ddyn ifanc eitha dymunol, a braidd na fase'n demtasiwn i mi gytuno â chanu Elin, a bod yn falch o gael newid y nai yn lle yr ewythr. Ond rhaid peidio cwyno, deulu bach. Mae'n Tad wrth y llyw, a raid i ni ddim ofni, chawn ni ddim boddi, sut storom bynnag sy mlaen.'

Gwelwodd wyneb Olwen.

''Nhad,' ebe hi, 'neith Mr Harris ddim byd i chi, neith o?'

'Wel, Olwen fach, wn i ddim faint o eisiau'm coethi a'm puro sy arna i, ond os na fydd Mr Harris wedi derbyn awdurdod oddi uchod, all o neud dim i 'run ohonom ni.'

'Mi ddeudodd Margiad wrth Siân ddoe fod pobol yn deud

y caem ni'n troi o'r Hafod Olau, 'nhad.'

'Wel, Olwen fach, petai hi yn dŵad i hynny, does yma ddim dinas barhaus i neb ar y ddaear yma. Yn nhŷ ein Tad mae'n lle ni wedi'i baratoi, 'ngeneth i.'

Rhoddodd Olwen ei phen ar ysgwydd ei mam yn ddistaw. Ymhen ennyd, sibrydai megis wrthi ei hun, 'O, fedrai ddim mynd odd'ma, ac edrych ar bobol ddieithr yn byw yma. 'Nhad bach, newch chi ofyn i Iesu Grist neud lle i Olwen, o Hafod Olau, heb ymdroi yn unlle ar y ffordd?'

Taflai llygaid craff Rhiannon gipdrem o'r naill at y llall, a gwelai mor fawr oedd dioddefaint ei thad a'i mam; ac er fod saethau llymion yn gwanu ei henaid hi yn aml wrth ganfod arwyddion o fynych wendid ei chwaer, eto gwenodd yn siriol, ac ebe hi, 'Mae'n ddigon buan meddwl am ofidiau pan welwn ni gip arnynt yn y golwg. Olwen, rhaid i ni gymryd y cyngor ro's i i Elin: mynd i'n cadw dros y nos. Rhaid i ni fynd i ddanfon llyfrau Dyddgu iddi hi, a neith Boba ddim ond disgwyl nes awn ni yno i ddeud y bregeth wrthi hi. Piti, yntê, 'nhad, na fase gennym ni well pregethwr i Mr Glyn glywed. Synnwn i ddim na fase William Williams yn gneud y tro yn well iddo fo na fawr neb.'

Erbyn hyn, adferasid tangnefedd i'w mynwesau, a buont yn siarad am y bregeth; a gobeithiai Robert Gruffydd y deuai'r bobl i'r cyfarfod nos drannoeth a hwyliodd pawb i'w orffwysfan.

Ond er i'w chariad a'i doethineb leddfu poen ei rhai annwyl, bu Rhiannon am oriau lawer yn gwlychu ei gobenydd â dagrau; dagrau o hiraeth a dagrau llawn o ofnau; cysgodion y dyfodol megis yn ymwthio o flaen ei hwyneb, a'i chalon ieuanc hithau yn crynu mewn arswyd, gan mor ofnadwy oeddynt.

Pennod XVI
Llyfrau Dyddgu

Cododd Rhiannon gyda'r wawr bore drannoeth, a chyn myned allan o'i hystafell paciodd hanner dwsin o lyfrau bychain gyda'i gilydd yn barod i'w rhoddi i Dyddgu. Yna cofiodd y dylasai ysgrifennu enw y plentyn arnynt, a datododd y pecyn, ac mewn llawysgrif brydferth, wele DYDDGU MEREDYDD a'r dyddiad ar bob un ohonynt y naill ar ôl y llall. Wedi gorffen, paciodd hwy unwaith yn rhagor, ei hwyneb yn gwenu drosto wrth feddwl am lawenydd Dyddgu fechan yn y man. Na foed i undyn dybio fod y disgrifiad yna o wên Rhiannon yn un anghywir, canys dyna yr unig ffordd i roddi i bobl nas adnabuent hi ryw fath o syniad am yr wyneb a'i wenau. Byddai y llygaid, fel y gwefusau, y talcen, a'r gruddiau, ac hyd yn oed yr ên, yn goleuo ac yn cyfnewid megis darluniau wyneb y ffurfafen. Gwir nad oedd hi yn dlos, fel ei chwaer, ond meddai wyneb Rhiannon Gruffydd ryw fath o degwch nas gallai tlysni cig a gwaed fyth ei roddi i'w perchennog.

Ond dyna sŵn traed y gwenidogion tua'r gegin, ac aeth Rhiannon hefyd tuag yno i drefnu gwaith bore Llun gyda hwy. Yr oedd arbed ei mam ym mhob rhyw ddull yn ymddangos yn brif amcan ei bodolaeth; a chan fod ei phen mor lawn o synnwyr ag oedd ei chalon o serch, byddai yr olwynion oll yn troi yn eu lleoedd priodol, heb un yn neidio oddi ar yr echel, erbyn y deuai Gwen Gruffydd o ystafell Olwen at y bwrdd brecwast. Wrth erchwyn gwely Olwen y penliniai ei mam i ddiolch am yr amddiffyn dros y nos, ond pur anaml y deffroai yr eneth yn ystod yr ymweliad; gan fod symudiadau Gwen Gruffydd mor ddistaw, a'i cherddediad mor ysgafndroed, ni aflonyddid ar y tawelwch deyrnasai yno ganddi hi. Ond pan aeth i mewn y bore Llun hwnnw, gwelai fod llygaid Olwen yn agored, a chwsg wedi gadael ei hamrantau. Gwenodd ar ei mam; cusanodd hithau ei merch yn annwyl.

'Ddaru 'ngeneth i ddeffro yn fore iawn heddiw?' gofynnai.

'O! mam, mi freuddwydiais i, ac mi roedd o'n freuddwyd neis, wrth 'y modd i. Debyg mai dyna pam daru mi ddeffro pan orffennodd o. Roeddwn i'n gweld Mr Harris, Plas Dolau, yn danfon notis i 'nhad i fynd odd'ma, a phawb yn crio, a finna yn misio codi o 'ngwely, a Syr Tudur Llwyd yn ffeind iawn; a phan oedd popeth wedi drysu, dyma Rhiannon yma o rywle, ac yn deud fod y cwbl yn iawn. Ac roedd pawb yn coelio Rhiannon, a 'nhad yn sychu fy llygaid i, ac yn deud mod i'n mynd i fendio a chodi. Wedi hynny, collwyd Syr Tudur Llwyd, a fedra' neb 'i gael o yn unlle; ond roeddwn i'n meddwl y gwyddwn i ym mhle i chwilio, ac mi es i'r Friog, ond doedd yno neb ond Rhiannon yn yr ardd yn casglu blodau. Mi wyddwn i fel y carai Syr Tudur y lili a'r rhos, a gofynnais i Rhiannon am bwysi mawr ohonynt, llond fy ffedog. Wedi i mi eu cael, ni welwn Rhiannon, na'r un ohonoch chi, ond rhywun dieithr iawn i mi, a gwisg wen laes amdano, fel sydd yn yr hen bictiwrs. Gafaelodd yn dynn yn fy llaw, ac aeth a fi i ryw erddi, harddach o lawer na gerddi'r Friog. O! mam, roedd yno le braf, a llawer iawn o bobl wedi eu gwisgo ymhob lliw'r blodau; a gwelwn fy hun yn cerdded ar hyd palmant o farmor gwyn, a pwy oedd yno yn fy nisgwyl ond Syr Tudur Llwyd. "Dyma hi, fy Olwen fach, a llond ei ffedog o flodau," ebe fe, ac edrychai mor siriol. "Rhaid i ni gadw'r blodau, Olwen, i roi croeso i'ch tad a'ch mam. Bydd y ddau yma toc." "A Rhiannon," meddwn inna. "Rhiannon lot o gwaith yn Cymru; hi aros tipyn yno; hi dŵad wedi gorffen y gwaith; hitha dim yn hir, Olwen fach." A dyna chi i gyd yn dŵad: Boba a phawb, a Nisien. Ac ymhen tipyn, dyna Mr Glyn yno, a phan welodd Syr Tudur o, mi gymerodd un o'm blodau gwynion i'w roi i Mr Glyn; roedd o'n falch o'i weld o. A doedd arna i na neb eisio mynd i Hafod Olau, nac i unlle arall oddi yno. A doeddwn i ddim wedi blino wrth gerdded a rhedeg yno chwaith. Ond be gwelsech chi wisg Rhiannon, mam. Roedd hi'n wyn fel eira, ac wedi ei thrimio drosti hefo petha yn union fel dagra mawr, a phob un o'r rheiny yn ddisglair fel y sêr. O! welais i ddim yn fy mywyd mor hardd a gloyw â'r dagrau ar ei dillad hi; ac eto, doedd neb yn crio yno, ond pawb yn hapus i gyd. Yn'doedd o'n freuddwyd neis, mam? Mi faswn i'n meddwl mai lle fel hwnnw ydi'r nefoedd.'

Gwaith pur anodd i Gwen Gruffydd oedd parhau i wenu, ond beth na all cariad wneud er mwyn ei rai annwyl? Ac ebe hi wrth ei merch,

'Oedd, 'ngeneth i, roedd o'n freuddwyd tlws iawn, ond rhaid i ni wneud rhywbeth heblaw breuddwydio heddiw, Olwen. Mi fydd y bara a llefrith yma yn y munud, ac mi fydd yn amser codi erbyn dyletswydd. Dwyt ti ddim yn rhy flin i godi, wyt ti Olwen? Mae hi'n edrych yn argoeli am ddiwrnod braf, a mae arnoch chi'ch dwy eisio mynd i'r felin, ac hefyd i roi tro am Boba, i ddeud hanes y Sul wrthi hi.'

'Oes, i ddanfon llyfrau i Dyddgu fach, ddigri' yna', a chwarddai Olwen yn llawen.

Ac felly y bu. Cychwynnodd y ddwy eneth tua'r felin, ond nid oedd Dyddgu yn y tŷ. Wedi peth chwilio, deuwyd o hyd i'r fechan yn eistedd yn y ferfa yn yr odyn, ei dau ben lin bron yn ymyl ei gên, a chyfrol o *Hanes Methodistiaid Cymru* o'i blaen, yn darllen yn brysur.

Cododd ei llygaid o'r llyfr pan glybu sŵn traed yn ei hymyl; ac wedi deall pwy oedd yno a beth oedd eu neges, neidiodd o'r ferfa, a safodd yn disgwyl, ei llygaid gloywon yn perlio arnynt. Yn ychwanegol at becyn Rhiannon, daethai Olwen hefyd â llyfr i Dyddgu; un o'r llyfrau y darllenid llawer arnynt flynyddau yn ôl: *Aelwyd F'ewyrth Robert*, sef *Caban F'ewyrth Tomos* Harriet Beecher Stowe, wedi ei gyfieithu i'r Gymraeg mewn dull tra deniadol gan Gwilym Hiraethog.

Ambell waith yn awr, clywir rhai, nad ydynt deilwng i ddatod carrai esgidiau Hiraethog, yn bychanu y dull hwnnw; ond ni fu mwy o ddarllen ar nemawr lyfr nag a fu ar yr hen *Aelwyd*, a bron nas gellid dweud fod y llyfr yn ail i *Daith y Pererin* yn serch y Cymry. Feallai mai gwaith pur anodd ydyw cyfleu i bobl yr oes hon, sydd ynghanol y fath gyflawnder o lyfrau, mor werthfawr oedd yr ychydig yr adeg honno, a darllenid hwy drosodd lawer iawn o weithiau, nes y byddent wedi myned yn hen gydnabod diddan a berchid yn fawr. Ond i ni gofio y ffaith yna, rhydd help i ni ddeall fel y llamai calon Dyddgu fechan wrth dderbyn ei llyfrau o ddwylaw genethod yr Hafod Olau.

Wedi iddi ddiolch iddynt, ei llawenydd bron â thagu ei geiriau, cychwynnodd y ddwy tua Thyn'rardd; ond cyn iddynt fyned nepell oddi wrth y felin, dyma Dyddgu ar eu holau, yn rhedeg nerth ei thraed, a'i gwallt yn hofran yn y gwynt.

'Ydach chi'n mynd i'r lecsiwn fory, Miss Rhiannon?'

'Nag ydw i. Beth 'na i yno, Dyddgu? Fedra i ddim fotio i neb.'

'Pam Miss Rhiannon?'

'Fydd merched ddim yn fotio i neb.'

'Pwy sy'n rhwystro chi i fotio? Chi a merched pob man?'

Gwenodd Rhiannon, a dechreuodd feddwl mor briodol oedd y cwestiwn, cyn iddi ateb, 'Wel, y dynion, debyg gen i, Dyddgu. Y nhw sy'n deud sut mae popeth i fod.'

'Pam nhw, mwy na merched, Miss Rhiannon? Fuo Iesu Grist yn rhoi awdurdod i'r dynion i fod yn Fistar ar bawb? Rhaid i mi wybod hyn?'

A syllai y plentyn ar lawr, fel pe wedi synnu at sefyllfa pethau yn y byd o'i chwmpas. Yna cododd ei phen ac edrychodd ym myw llygaid Rhiannon, ac ebe hi, 'Mae Jerry Jones, Tŷ-nant, ym mynd i fotio, a mae 'nhad yn deud dydi o ddim yn agos yn gall, ond fod gino fo lot fawr o arian. Rydach chi'n reit gall, Miss Rhiannon! Rydach chi'n gall iawn, iawn.

Mae 'nhad yn deud bod chi'n gwybod lot fawr, a mae Syr Tudur Llwyd yn gwybod bod chi'n gall. Does dim sens fod dyn heb fod yn reit gall yn fotio, a chitha ddim, Miss Rhiannon; a wn i ddim be sy. Heblaw hynny,' a tharawodd Dyddgu ei throed ar y llawr, 'does gin ddim dyn ddim busnes i rwystro dim dynes. Be mae merched mor wirion, Miss Rhiannon? Chyma i ddim o'u lol nhw wedi i mi fynd yn fawr. Pwy ddyn sy'n rhwystro chi, Miss Rhiannon?'

Chwarddodd Olwen yn siriol, ond edrychai Dyddgu yn ffromus. Nis gallai hi ddeall y pwnc, ac yr oedd ymhell iawn o edrych arno fel peth i chwerthin yn ei gylch. Dechreuodd gyfrif ei bysedd. 'Dydi 'nhad ddim yn rhwystro chi, na Rhobat Gruffydd, na Syr Tudur Llwyd. Pwy sy? Mr Harris y Plas? Wel, mi rydw i am fynd i'r lecsiwn fory. Mae 'nhad yn mynd i roi Bel yn y car bach, a mi rydw innau'n mynd i watshio hen gipars y Plas. Mae Huw Huws wedi clywed bod nhw'n mynd i luchio cerrig at y *Librals*, a mae 'nhad yn deud na 'na nhw ddim os bydda i'n 'i watshio nhw, a mi â i â lot o lyfra i ddarllen hefo mi. Ddowch chi a Miss Olwen i edrych amdana i, Miss Rhiannon? Mi rydw i'n siŵr o fod dan y sycamor yn ymyl y llidiart coch.'

Addawodd Rhiannon fyned, a holodd hynt y malwod.

'Fydd dyn y malwod ddim yn rhwystro i'w ddynes fynd yn ei blaen, beth bynnag,' ebe Dyddgu. 'Mae'r malwod yn mynd yn lot fawr daclus hefo'i gilydd.'

Ac ymaith â hi yn ôl tua'r odyn, a'r genethod ieuainc yn edrych y naill ar y llall yn ddistaw.

'Wel, mae hi yn greadures fach od,' ebe Olwen, 'mi neith Dyddgu rywfaint o sŵn yn y byd yma, os caiff fyw.'

'Ie, a'i magu yn iawn. Olwen, beth fyddai i ni ofyn iddi ddod i'r Hafod am awr neu ddwy bob dydd? Mae arna i awydd treio dysgu Dyddgu. Mae'n resyn iddi hi gael ei hesgeuluso.'

'Ond mae hi'n mynd i'r ysgol. Mae John Meredydd, a'i mam hefyd, yn credu mewn dysgu'r plant.'

'O! ydi, mae Dyddgu yn mynd i'r ysgol, ond mae arni eisiau manteision uwch na rydd ysgol y pentref iddi. Mi ofynna i iddi ddod, pe caem ni dipyn o dawelwch ar ôl helynt y lecsiwn yma.'

'O'r gore, Rhiannon. Mi gei di ddysgu traethodi a barddoni, a phethau felly, iddi hi. Mi dysga inna hi i ganu'r delyn, yntê?'

Tra y tynnai y genethod gynlluniau i addysgu a chaboli galluoedd Dyddgu, yr oedd y plentyn yn eistedd yn y ferfa, yn gwneud a allai hi i ddiwyllio ei hunan. Darllenai yn uchel rannau o *Fy Nhaid Gregory*, gan bwysleisio y synnwyr yn berffaith yn ei llais plentynnaidd. Tynnodd melodedd y llais hwnnw sylw Francis Glyn wrth iddo basio ar ei ffordd i'r Friog. Wedi iddo edrych i mewn i'r odyn, a gweled Dyddgu yn y ferfa, hoeliwyd ef megis wrth yr olygfa. Gwrandawodd am ychydig, ond canfu Dyddgu ef yn ei gwylied. Aeth yn ymgom cydrhyngddynt, a chafodd yr eneth fechan afael ar gyfaill y diwrnod hwnnw y bu hi o fendith anhraethol iddo ef, ac yntau yn ddysgawdwr iddi hithau, yn ei hyfforddi a'i diwyllio, ac yn agor bydoedd newyddion o wybodaeth o'i blaen am lawer blwyddyn.

Pennod XVII
Apostol Rhyddrydiaeth Cymru

Yn y flwyddyn fythgofiadwy honno yn hanes Cymru, ymddangosodd goleuad mawr yn ei ffurfafen foesol hi; a thrwy drugaredd Rhagluniaeth dda, parha i oleuo a gwresogi ei daear hyd heddiw, er i aml elyn broffwydo na fyddai gyrfa gyhoeddus mor ddisglair yn debyg o bara yn hir. Ond proffwydi Baal fuont, canys er cymaint dylanwad areithyddiaeth y gŵr ieuanc a drwythodd ei wlad drwyddi â dysgeidiaeth Ryddfrydol y pryd hwnnw, cynyddu fwyfwy, ac nid lleihau, mae'r dylanwad, fel y blodeua y pren almon ar ben yr areithiwr. Tyngai y Torïaid, pan glywent y disgwylid ef i bregethu neu i areithio yn yr ardaloedd, a rheswm da paham; ymlidiai anwybodaeth o'i flaen, fel yr ymlid yr haul y nos ymaith. Nid gwiw dweud yr hen ynfydrwydd nad oedd a wnelai gweinidogion y Gair â gwleidyddiaeth, tra y meiddiai y dyn ieuanc rhyfedd hwnnw draddodi areithiau yn lluoedd i egluro dyletswyddau dynion fel dinasyddion i'w gydwladwyr, a'u hyfforddi mewn amser ac allan o amser pa fodd i ymddwyn tuag at eu breintiau fel deiliaid o deyrnas ddaearol. A phan ddeuai y saboth, pregethai iddynt Efengyl yr enaid yn bur ac iach, mewn iaith brydferth a choeth. Deallodd y bobl nad oedd Efengyl i'r corff yn anghyson ag Efengyl yr enaid, a heidiai y rhai fu yn ei wrando ar y saboth yn dweud hanes geni Bethlehem, y bywyd yn Galilea, y chwysu yn yr Ardd, a'r marw dirmygedig dros bechadur, i'w glywed yn tynnu'r gorchudd oddi ar ddichellion gormeswyr y werin ddyddiau'r wythnos. Ambell waith, troai Tori neu ddau i mewn i'w gyfarfodydd, ond buan y dihangent o ffordd ei wawdiaeth lem, a'u cyrhaeddai hyd adref. Yna, yn ôl arfer pobl heb ddim i'w ddweud yn erbyn goreuon daear, llunient gelwyddau wrth y llath amdano. Chwarddai yntau, ei wyneb hardd heb un blewyn arno i anurddo ei brydferthwch, na chwaith i guddio ei wenau, ac ymaith ag ef, i ddilyn yn ddiflino y gorchwyl gogoneddus o ddeffro cydwybodau cysglyd ei frodyr. Dangosodd iddynt, yn ei ffordd ddihafal ef, fod Senedd Prydain wedi myned yn rhyw nythle i bob diogyn â thipyn o arian yn ei boced, neu dir o gylch ei blas, a'i fod yn anhepgorol i iechyd moesol teyrnas feddu dynion gweithgar, deallus, i lunio ei chyfreithiau er amddiffyniad ei phobl ac er gwella cyflwr ei gweithwyr. Eglurai i'w wrandawyr mai dynion rhyddion oeddynt; meibion Duw, nid caethweision heb hawl arnynt eu hunain, a'u hegwyddorion yn eiddo gwerthfawr iddynt hefyd. Ar ben hyn, rhoddai iddynt enghreifftiau byw o ymgyrch eu cyndadau, er sicrhau i'w plant ar eu hôl ryddid cydwybod i addoli yn y man y mynnent, yn eu ffordd eu hunain. Weithiau, byddai ei ddisgrifiadau yn tynnu dagrau o lygaid y dyrfa; a phan apeliai atynt am beidio dianrhydeddu eu tadau, ond gafael yn dynn yn y breintiau bwrcaswyd mor ddrud, creai ei huawdledd benderfyniad di-ildio yn y bobl i sefyll yn bur i'w hegwyddorion, deued fel y delai. Beth yw dyled Cymru iddo? Pwy all fesur? Yn ddi-os, gwnaeth ef ran gawraidd i ddatod y rhwymau trymion oedd yn llyffetheirio'r wlad. Fel Apostol Mawr y Cenhedloedd, bu i'r gŵr oedd yn ieuanc yn 1868 gario'r genadwri, gyda nerth anorchfygol y gwirionedd o'r tu cefn iddo, nes yr ysgubodd hyd yn oed gonglau'r wlad oddi wrth dywyllwch ac anwybodaeth.

Pan yn cerdded o'r felin tuag adref, dyma y gŵr a gyfarfyddodd Rhiannon ac Olwen yn y groesffordd. Cyfeiriai yntau ei gamre, fel hwythau, tua'r Hafod Olau. Adnabyddent ei gilydd yn dda, gan mai yr Hafod oedd llety'r pregethwyr ddeuai i Langynan; ac wedi cyfarch gwell y naill i'r llall, gofynnodd i'r genethod pa fath drefn feddyliai eu tad oedd yn yr ardal ar gyfer drannoeth.

'Weithiau yn bur obeithiol, a weithiau yn ofni mae 'nhad. Mae'r hyn a alwch chwi, y *politicians* yma, yn sgriw, yn mynd yn beryglus iawn tua'r Plas Dolau yma; ond mae o'n disgwyl llawer iawn oddi wrth y cyfarfod heno.'

'Mae Rhiannon yn meddwl bod yn biti na chawse hi helpu tipyn, ond bod hi'n ddistaw ar y pwnc,' dywedai Olwen yn ddireidus.

Gwenodd y pregethwr, ac ebe ef, 'Mi fase'n dda iawn i ni i gyd pe cawse ni help hi, Miss Olwen? Mae eisiau help pawb fory, ac mae llawer Jael yng Nghymru o'r un ysbryd â gwraig Heber y Cenead.'

'Felly dydech chi ddim yn credu nad oes gan ferched yr un enaid?' ebe Olwen drachefn. 'Rhiannon, dyma enw arall i'w roddi ar *list* Dyddgu.'

Aeth Rhiannon dros hanes y plentyn i'r pregethwr, ac wedi iddi orffen, yn lle chwerthin fel yn ddiau y disgwyliai Olwen, beth bynnag iddo wneud, safodd eu cydymaith yn sydyn, ac ebe ef yn ddifrifol, 'Ie, ie, o enau plant bychain, ie, y daw doethineb yn aml, onidê Miss Gruffydd? O, ie, rhowch chwi fy enw i ar *list* Dyddgu. Rydw i o ochr rhyddid o bob math, os na fydd yn tueddu at benrhyddid; ond gyda phob dyledus barch i'm brodyr, rwy i wedi ffeindio ers dyddiau a misoedd rai, nad yw ymennydd y wlad ddim yn eiddo iddynt hwy i gyd. Rhaid i chwi faddau i mi, Miss Gruffydd, am ddweud mai'r peth mae'r merched fwyaf ar ôl ynddo yw *balance*. Gormod o'r teimladau yn rhedeg o flaen y rheswm, ond mae cadw y merched heb ddim arweinydd ond eu teimladau yn andwyol iddynt hwy ac i ninnau, canys rhaid i ni sefyll neu syrthio gyda'n gilydd. Dyna eitha ysgrythur i ddynion y wlad yma, gwerth iddynt feddwl amdano hefyd. A rhaid i chwi, y merched, fel ninnau, weithio allan eich iachawdwriaeth eich hunain. Does un ffordd arall i gyrraedd y gamp.'

'Ond rhaid i chwi gofio fod y rhan fwyaf o ferched mor

amddifad o addysg o unrhyw ddefnydd iddynt, ac hyd nes y daw manteision addysg, ar ein cyfer ni, druain, bydd ein hanwybodaeth fel plwmen wrth ein traed yn ein tynnu i lawr er ein gwaethaf. Yn wir,' ychwanegai Rhiannon, 'mae'n hanwybodaeth ni yn fawr iawn. Bu geneth i siopwr yma'r dydd o'r blaen. Mae hi yn henach na mi o dipyn, ac wedi bod am flwyddyn mewn rhyw ysgol yn Lloegr, a waeth i mi ddeud, na ŵyr hi ddim dan un, a darfod. A beth am y merched tua'r ffermdai yma, sydd llawn mor alluog â'u brodyr, a dweud y lleiaf, ond na ddaeth i galon un dyn i feddwl am roddi iddynt addysg o fath yn y byd gwerth sôn amdano?'

Gwenodd y pregethwr yn siriol. 'Fe 'ddyliwn i fod y mater wedi cael cryn dipyn o'ch sylw chwi, Miss Gruffydd, a'r hyn sydd hedyn egwan yng nghalon un ferch ieuanc yng Nghymru heddiw a dŷf yn bren mawr yn y man, yn llawn o ddail a blodau, ac wedi hynny y ffrwyth addfed yn pwyso'r brigau.'

'Rydech chwi'n meddwl sôn am bwysigrwydd addysg i'r werin heno. Wnewch chwi faddau i mi am ofyn i chwi ddeud gair wrth basio am ei bwysigrwydd i enethod fel i'r bechgyn?'

'Gwnaf, Miss Gruffydd, a chroeso. Oes rhywbeth arall garech chwi i mi roddi help llaw i'w hyrwyddo?'

'Nac oes, diolch yn fawr i chwi. Bûm yn hyf iawn yn gofyn yr hyn a wnes i chwi, ond roeddwn i'n credu eich bod chwi'n ddigon mawr i basio heibio i'm haerllugrwydd. Ychydig o ofn dynion fel chwi fydd arnaf; y bobl na wyddant fawr ddim sydd yn anodd dygymod â hwy. Rywfodd, mae y rhai sydd wedi meddwl ychydig, a darllen llai, bob amser yn siŵr iawn o'u pwnc.'

'A fedrwn ni ddeud dim wrth ddynion nas gallant gydymdeimlo â ni chwaith; dynion nas meddant un ddirnadaeth fel y gwana y sarhad ddodir arnom ni megis picell lem,' ebe Olwen.

'Dylai mamau y wlad ofalu am fagu eu bechgyn o'u mabandod gyda syniadau teilwng am eu mamau a'u chwiorydd,' ebe y pregethwr.

'O! dylent,' ebe Rhiannon, 'ond, atolwg, pa fodd y gall mamau anwybodus, gollasant bopeth a feddent trwy briodas, wneud un peth fel y dylent? Onid gwaith anodd iawn yw i fachgen barchu ei fam pan nad yw mewn uwch sefyllfa na chader neu fwrdd yn y tŷ, neu, os mynnwch, un o'r anifeiliaid oddi allan?'

Gwenodd eu cyfaill, ac ebe fe, 'Ie, ie. Wel, dewch chwi i'r cyfarfod heno. Mi dreia i roi hwb ymlaen i'ch achos chwi, Miss Gruffydd, a mi gewch chwithe fy helpu i yn awr ac eilwaith.'

Erbyn hyn, yr oeddynt wrth ddrws yr Hafod, a Robert Gruffydd yn dod i gyfarfod y gŵr dieithr gyda dwylaw estynedig.

'Mi ges i gwmni'r merched bach yma, Robert Gruffydd, ac ryden ni wedi gwneud ymgais i roi'r hen fyd yma yn ei le, ein tri.'

'Mae arna i ofn y bydd o yn 'i ôl cyn i chwi gael amser i droi rownd.'

'Wel, ie, ond nid 'n bai ni fydd hynny. Mi wnaethom ni'n gore,' a chwarddodd yn llon.

Yn ddiau, gwnaeth ei orau yn y cyfarfod y noson honno. Aeth Rhiannon yno, ac Elin Tyn'ffordd gyda hi, i glywed y gŵr dieithr a ganmolid gymaint, a bu mewn digon o helbul yn cadw trefn ar Elin druan, yr hon a fynnai ddechrau canu canmoliaeth yr areithiwr ar uchaf ei llais.

Aeth Boba i'r Hafod Olau i ysgwyd llaw â'r pregethwr, oedd yn wladweinydd penigamp, er na fu yn eistedd ar seti San Steffan.

'Dydi bwys yn y byd i chi, syr, be'di barn hen wreigan dlawd fel fi am betha, a hwyrach dydw i ddim yn iawn, chwaith; ond rydw i'n ych gweld chi'n debyg aneiri i'r Apostol Pedar, welwch chi. Doedd yr hen Bedar yn hitio dim yn neb, ddim ond gneud stepia o bopeth ddoi i'w gyfarfod o i dynnu ar i fyny. Ond hyn o'n i mynd i ddeud: rydw i'n credu fod y ddau hen anghenfil yna, Trais a Gormes, yn mynd i gael cweir fory na fydda nhw byth 'run fath ar ei hôl hi. Mi fydd y frwydr yn un boeth iawn yng Ngwlad y Bryniau yma, ac hwyrach y caiff llawer soldiar da i ni 'i glwyfo, beth bynnag am 'i ladd; ond rhaid i ni beidio grwgnach, a deheulaw cyfiawnder yn barod i'n cynnal ni.'

Llanwyd llygaid y pregethwr â dagrau, ac ebe Robert Gruffydd, 'Fydd hi ddim yn ddrwg iawn arnom ni tra bydd Boba yma i'n cysuro ni, ac i ddangos i ni y ffordd tua'r babell na thynnir i lawr.'

'Na fydd, na fydd, Robert Gruffydd. Fydd hi'n ddrwg ar neb yn dragywydd sy'n ymddiried yn yr Un y mae Ei ffyrdd yn gyfiawn a chywir, tra ceisiwn ddilyn ôl Ei droed Ef.'

'Yn y llwybrau ceimion mae'r peryglon i gyd, yntê, syr? Wel, nos dda; mi fyddwn i gyd a'n gwynt yn yn gyddfa fory. Nos dda, deulu bach,' ac aeth Boba yn ôl, a Rhiannon yn ei danfon tua'i bwthyn.

Pennod XVIII
Dydd yr Etholiad

O'r diwedd, wele'r bore wedi gwawrio y bu cymaint o baratoi ar ei gyfer; bore y crynai llawer calon egwan gan ofn ei ganlyniadau iddynt eu hunain, eu teuluoedd, a'u cyfeillion; bore'r prawf a wnaeth aml i ffermwr yng Nghymru, oedd ddigon di-nod hyd hynny, yn 'ddinas ar fryn nas gellir ei chuddio,' a llawer eraill yn ferthyron i'r egwyddorion y bu i filoedd o'u blaen golli eu bywydau drostynt; hen egwyddorion rhyddid y dinesydd gwladol, ynghyd â'r rhyddid gogoneddus ddylai fod yn eiddo i bob un o feibion a merched Duw: rhyddid i'w addoli mewn gwylder a symlrwydd calon, heb unrhyw gyfrwng ond yr Hwn a osododd Duw yn Iawn. Credai yr hen Gymry y Beibl o'i gwr, a gwyddent fod yng Ngair y Gwirionedd adnod fechan o'r tu cefn i'w syniad iach hwy am Dduw a'i addoliad – 'Canys un Duw sydd, ac un Cyfryngwr hefyd rhwng Duw a dynion, y dyn Crist Iesu' – eu hadnabyddiaeth o'u Tad Nefol trwy Ei Air, a'u cymdeithas ag Ef mewn gweddi a nerthodd eu breichiau hwy yn nydd y frwydr, fel y gallent hwythau hefyd, trwy ffydd, wynebu y tân, y dwfr a'r llewod pan ddaeth yr awr.

Cododd pawb ymron cyn torri'r wawr yn hen blwyf a phentref cysglyd Llangynan, wedi deffro yn fwy trwyadl nag y bu iddynt erioed o'r blaen yng nghof neb oedd yn fyw yno; a rhyw ferw rhyfedd trwy yr ardal, megis a glywir mewn cwch gwenyn ar fore teg o haf, cyn i'r creaduriaid bychain hynny ledu eu hadenydd a heidio o'u hen gartref, fyddai yn rhy lawn iddynt oll drigo yno, i chwilio am ryw fan y caent ddigon o le i gasglu eu mêl ar gyfer y gaeaf.

Gwibiai Elin Tyn'ffordd yn ôl ac ymlaen yn brysurach nag undyn, gallem feddwl. Ni chanai nodyn y diwrnod hwnnw, ac ni cheid 'gair am geiniog' ganddi. Taflai rhai o'r bechgyn direidus ambell i watwareg tuag ati, ond nid ymddangosai Elin yn clywed yr un ohonynt. Pe buasai hi yn ymgeisydd seneddol, nis gallasai deimlo mwy o ddiddordeb yng ngweithrediadau yr oll o'i chwmpas, ac er cymaint erfyniai ei mam arni aros adref, hwylio ei hun tua phen tref y sir, lle y gorfyddai i bawb fyned i roddi eu pleidleisiau, wnaeth Elin, cyn i undyn o Langynan gyfeirio eu camre tuag yno; a rhoddodd ryw fath o dro crwn oddeutu'r Plas Dolau wrth basio. Pigodd ei phen i fewn i'r ystafell lle y cedwid tresi'r ceffylau, ac aeth o amgylch y cerbydau i edrych oedd 'siawns am lifft,' ebe hi wrth un o'r gweision. Ond cynghorodd hwnnw hi i beidio myned tua'r dref, y byddai yno lawer iawn o bobl wedi meddwi.

'Fydda i ddim wedi meddwi,' ebe Elin, 'does gini 'run fôt!'

'Ma' rhwbath yn od iawn yn Elin wirion yna,' ebe'r dyn wrth ei gyd was, 'ma' hi'n dallt petha yn well na rhan fwya', os ydi hi heb fod yn llawn llathan.'

Roedd Dyddgu hefyd o gwmpas ei phethau yn gynnar, wedi bwyta ei brecwast, ac yn trefnu gyda'i brodyr ynghylch yr amser i ddyfod ag ymborth iddi hi a Bel. Ystyriai Dyddgu fod ei help hi yn anhepgorol angenrheidiol y diwrnod hwnnw i gadw trefn yn y plwyf.

Ac nis gallodd Olwen ieuanc orffwys fel arfer y bore hwn; rhaid oedd dod o'i hystafell a hwylio tua Thyn'rardd i edrych am Boba, ac i wrando geiriau cysurlawn yr hen wraig ynghylch yr helynt.

Am Rhiannon, nis gwybu neb a welodd hi gwsg neu beidio, canys yr oedd hi o flaen yr oll ohonynt yn y stabl, yn gwisgo am un o'r ceffylau, i ddanfon y pregethwr ymlaen ar ei daith. Dywedai y gŵr hwnnw, ymhen amser wedi hynny, pan ddechreuodd y gwyntoedd croesion chwythu o gwmpas Hafod Olau, ei fod ef yn teimlo ysbryd ieuanc Rhiannon Gruffydd megis y môr yn dechrau aflonyddu gan nerth y dymestl a ddeuai oddi draw. Wedi hwylio y pregethwr, aeth i fyny i'r Friog, a bu hi a Syr Tudur Llwyd yn cerdded yn ôl ac ymlaen am yn agos i awr ar hyd y lawnt o flaen yr hen blasty, bryd arall yn aros am funud neu ddau i bwysleisio y mater a drinnid. Wedi i'r ferch ieuanc fyned yn ôl tuag adref, aeth Syr Tudur Llwyd i'w ystafell, a chaeodd y drws, ac ni welwyd ef mwy hyd nes y daeth allan tua hanner dydd i fyned yn ei gerbyd bychan i'r dref i bleidleisio.

Yn fuan wedi wyth y bore, dechreuodd y ffermwyr grynhoi yma ac acw yn dri a phedwar i siarad â'i gilydd. Gwelid cerbydau o bob math, yn llwythog o bobl, yn tynnu tua'r dref ar hyd y ffordd; llawer ohonynt, yn ddiau, heb ddim yn galw amdanynt, eto yn cyrchu tua'r fangre i weled y 'lecsiwn', eraill yn teimlo eu pwysigrwydd fel dynion y bu pleidwyr y ddwy blaid yn erfyn arnynt am eu fôt ers wythnosau: boneddigesau a boneddigion na thalent gymaint o sylw i'r werin bobl ag a dalent i'w cŵn a'u ceffylau ar adeg arall, yn ymweled â hwy ac yn ymgomio gyda hwynt yn rhydd, fel pe am unwaith yn eu hoes yn cofio mai plant yr hen arddwr, Adda, oeddynt i gyd fel ei gilydd, er bod ei eiddo wedi ei rannu mor anwastad cyd-rhwng ei blant. Mor fawr yw dylanwad y 'lecsiwn' ar feddyliau a chalonnau dynion, fel yr anghofia y brawd a'r chwaer o radd uchel mai megis ffieiddbeth y cyfrifir y rhai o radd isel ar bob adeg arall. Ond ddiwrnod y lecsiwn, mae y fôt yn codi'r brawd gwael i'r un tir â'r bonheddwr, ac nid rhyfedd y mwynha'r werin y sefyllfa am yr ychydig amser y parha, hyd nes y teflir hwy yn ôl i'r un cyflwr anadnabyddus ag o'r blaen, pan fydd y moesgrymu pen a'r gwenau oll ymysg y pethau a fu.

Yr hyn a dynn fwyaf o sylw pobl ystyriol, yng ngwyneb y ffeithiau yna, yw dibrisdod cymaint o'r werin o'u breintiau. Gwerth aml un ohonynt y bleidlais sydd yn eiddo amhrisiadwy iddynt am hanner peint o gwrw i unrhyw ymgeisydd neu gynrychiolydd iddo fydd yn ddigon llygredig i'w phrynu.

Ond cyrchai pobl o ymddygiadau tra gwahanol tua'r hen dref y bore hwnnw ym mis Tachwedd; y rhan fwyaf ohonynt â golwg luddedig arnynt, wedi cerdded milltiroedd; ac er ei bod yn ddiwedd blwyddyn, eto yr oedd y tywydd ymhell o fod yn oer, a'r dynion, druain, wedi gorfod tynnu eu cotiau mawr, y rhai a garient ar eu breichiau. Dyma'r fintai, y foment y deuent i'r golwg, y gwyliai Dyddgu eu holl symudiadau: hwy oeddynt wrthrychau arbennig ei gofal. Caeai *Aelwyd F'ewyrth Robert*, er mor ddiddorol ydoedd yr hen lyfr, a gafaelai yn ffrwyn Bel; a cherddai y ferlen yn union, gam ar ôl cam, fel y dynion lluddedig, gan fyned gyda hwy hyd at ben draw y coed, lle y llechai ceidwaid helwriaeth Plas Dolau, a'u cerrig yn barod i labyddio'r dynion yn llechwraidd. Ond, fel y rhagwelodd John Meredydd, ni luchiwyd yr un garreg tra y cyd-deithiai Dyddgu â'r fintai yn ei cherbyd bychan. Dyn a berchid yn fawr yn ei ardal oedd y melinydd, dyn y gwyddai pawb nas gellid yn hawdd gael y llaw uchaf arno, a dyn yr oedd bron bawb yn yr ardal, ac eithrio ychydig iawn o deuluoedd gweddol gefnog, yn ei ddyled am flawd gwenith, neu geirch i borthi eu plant; felly, ni fynnai yr un ohonynt ei ddigio, rhag ofn y canlyniadau.

Ar wahân i gymeriad rhagorol ei thad, meddai Dyddgu hefyd ei ffrindiau. Nid oedd yn yr holl ardaloedd anghenfil digon annynol i daflu carreg at Dyddgu. Meddai yr eneth ddylanwad oedd bron yn ddiderfyn arnynt oll, a buan yr aethai yn rhyfel gartrefol ym myd y cipars pe buasai un ohonynt yn ddigon ffôl i beryglu person bychan Dyddgu. Cludai y dynion hi yn fynych ar eu hysgwyddau pan ddeuent tua'r felin, ac eisteddent ar garn yr hopran, heb gofio dim am amser, yn gwrando ar y plentyn yn canu iddynt weithiau, bryd arall yn adrodd iddynt hen ramantau Cymru Fu.

Ni wybu y minteioedd dynion y bu hi yn angel gwarcheidiol iddynt ar hyd y dydd, fel yr elent ymlaen ac y deuent yn ôl, beth oedd neges geneth mor ieuanc yn y fangre honno canys aeth pob un ohonynt i'w gynefin yn ôl heb dderbyn dim niwed, megis plant Israel gynt trwy'r Môr Coch. Ni chafodd y gelyn gyffwrdd â hwy, am fod plentyn yn ei cherbyd yn cydfyned â hwy, a chydrhyngddynt â'r cerrig.

Am ryw reswm neu gilydd, fe ddywedir fod y Rhyddfrydwyr yn arfer pleidleisio yn fore, cyn gynted ag y gallant, ac aeth wynebau cyfeillion Mr Tattenhall yn bur weflaes ymhell cyn hanner dydd, a dechreuodd Mr Harris, Plas Dolau, ofni y gallai y giwed gweithwyr, y meddai gormod ohonynt o lawer bleidleisiau, yn ôl ei farn ef, droi'r fantol yn erbyn y mawrion; ond llonnwyd ei galon pan ddaeth tua dau ddwsin o Doriaid, y naill ar ôl y llall, yn llefaru 'Mr Tattenhall' yn ei ddull ei hun. Ac yna, daeth ychydig foneddigion a thirfeddianwyr, hwythau hefyd yn dweud 'Mr Tattenhall,' yn rhwysgfawr a rhodresgar, fel pe yn gofyn pwy feiddiai ddweud yn amgen. Wedi hynny, wele Ned William yn dod â hen ffermwr tua'r lle. Dyn pur anllythrennog oedd yr hen frawd, ac Ymneilltuwr i'r carn, ond yn eithaf tlawd ei amgylchiadau, ac yn ofni Mr Harris, Plas Dolau, fel y casâi ei galon bopeth croes i'w ddaliadau crefyddol ei hun. Tybiai Ned ei fod yn sicr o'r bleidlais yma, beth bynnag; ac ar unwaith, dyna'r hen ffermwr yn sefyll yn grynedig 'o flaen ei well.'

'I bwy rydych chi'n fotio, Siôn Jones?' gofynnai y gŵr mewn awdurdod.

'I'r Troednoeth yna, am wn i,' atebai yr hen ŵr.

Ynghanol banllefau o chwerthin, ac ambell i reg, gwnaed byr waith â'r fath bleidlais gan y Rhyddfrydwyr, ac aeth Siôn Jones adref gan lawenhau yn ddistaw rhyngddo ag ef ei hun, os bu iddo fyned yn destun gwawd pobl, na ddarfu iddo helpu yr un Tori i fyned i'r Senedd, beth bynnag. Pa un ai trwy amryfusedd anwybodaeth y digwyddodd yr helynt, yntê Siôn Jones oedd dipyn callach na'i uwchafiaid, nis gŵyr neb hyd y dydd heddiw; ond y gred gyffredinol oedd mai dyn digon hirben oedd Siôn Jones.

Ychydig wedi hanner dydd, daeth Syr Tudur Llwyd, yn cael ei ddilyn gan William Williams y pregethwr a Robert Gruffydd, Hafod Olau, ymlaen. Siriolodd wyneb Mr Harris. Meddyliodd yn ddi-os ei fod yn myned i ennill, er gwaethaf fôts y gweithwyr feddent dai eu hunain. Tybiodd ef fod Robert Gruffydd yn dechrau gweled ei gamsyniad, os oedd wedi dyfod yng nghwmni Syr Tudur Llwyd.

Nesaodd yr hen fonheddwr ymlaen, safodd yn syth o flaen y swyddog, ac ebe fe mewn llais clir, mwyn, 'Henry Edwards'.

Neidiodd Mr Harris ar ei draed, ei wyneb yn ddugoch gan gynddaredd. Bloeddiodd fod camgymeriad, a Syr Tudur Llwyd wedi ffwndro, ond ni thyciai ei wallgofrwydd, na'i dymer ddrwg ddim, canys yr oedd y bleidlais yn berffaith reolaidd ac mewn trefn, a Syr Tudur, yn ei ddull tawel a digynnwrf, yn edrych yn annhebyg iawn i ddyn wedi ffwndro neu golli arno ei hun. Pleidleisiodd Robert Gruffydd a William Willams yn yr un dull digyffro, ond ni ymddangosai Mr Harris yn cymeryd un sylw ohonynt, gan mor fawr y dylanwad arno, oherwydd fod Syr Tudur Llwyd wedi troi yn fradwr i'w blaid, yn ôl barn y gŵr o Blas Dolau.

Tynnai y dynion eu hetiau i'r hen foneddwr wrth iddo fyned yn ôl at ei gerbyd, a theimlai yntau rywfodd ei fod yn fwy parchus nag erioed.

'Fi meddwl Robert Gruffydd, waeth i ni fynd adre. Fi teimlo'n gwell wedi i mi neud gore fi i yrru Cymro i ddadlu hawlie Cymry, yntê? Fi meddwl Mr Edwards dyn da iawn, a fo trio byw *golden rule*. Fi credu fi wedi cael *dose* o eli llygad i gweld yn glir, yntê?' ebe efe, ac aeth i'w gerbyd, a Robert Gruffydd gydag ef.

Arhosodd William Williams o gwmpas am ychydig amser, er cael rhyw fath o amcangyfrif pa fodd y safai y pleidiau hyd yr awr honno. Daeth Francis Glyn i ysgwyd llaw ag ef yn null cyfeillgar y gŵr ieuanc, ac ymhen ychydig funudau ymunodd John Meredydd â hwy, ei wyneb rhadlon yn bryderus yr olwg arno.

'Mae pethau yn ddigon tywyll, mae arna i ofn,' ebe'r melinydd. 'Os na fyddwn ni yn bur bell ar y blaen cyn pedwar o'r gloch, fydd yna fawr o siawns wedi hynny. Mi fydd y rhan fwyaf o lawer o bobol ddaw yma ar ôl pedwar yn siŵr o fod yn bur bell yng ngafael Syr John. Mae yna faint fyd a fynnir o gwrw i gael ym mhob tafarn trwy'r lle yma, fel mae gwaetha'r drefn.'

'Mae'r arferiad yna yn un gywilyddus i'r eithaf,' ebe Francis Glyn. 'Nis gwn i sut y gall undyn ag enw o fonheddwr arno godi ei ben yn Senedd ei wlad, os etholir ef o dan y fath amgylchiadau gwarthus. Mae ymostwng mor isel â meddwi dynion i sicrhau eu pleidleisiau yn warthus i'r eithaf.' A gwridai wyneb y dyn ieuanc.

'Gobeithio, Mr Glyn, na chollwch chi mo'ch gafael ar y gwirionedd yna. Mae rhyw obaith distaw yn llechu yn fy mynwes i y daw'r dydd cyn pen rhyw hir iawn y deffry cydwybodau'r bobl yn erbyn llwgrwobrwyaeth sydd yn darostwng pob un a ymwnel â hi pa un bynnag ai'r rhoddwr ai'r derbyniwr fydd y dyn. Dylai ein gwladweiniaeth allu codi uwchlaw ystrywiau o'r fath, a synnwn i ddim pe rhoem ni hwb go lew i gael trefn ar bethau yn yr hen sir yma heddiw. Roedd cael Syr Tudur Llwyd o'n tu yn ardderchog; doedd dim posib i ddim wnaed eto fod mor werthfawr i'n plaid ni.'

'Beth ddeudsoch chi, William Williams?' gofynnodd y melinydd. 'Syr Tudur Llwyd! Ydi Syr Tudur wedi fotio hefo ni?'

'Ydi, mae o, John bach, ac mae'r Toris – begio'ch pardwn, Mr Glyn – wedi ymgynddeiriogi, y rhan fwyaf ohonynt, a'r cwbl yn ofni ac yn crynu,' atebodd William Williams.

Gwenodd Francis Glyn, ac ebe efe yn dawel, 'Rhaid i chwi ddim begio 'mhardwn i, Mr Williams. Pe buasai gennyf fôt i roddi, aethai yn unionsyth ar ôl un Syr Tudur Llwyd. Mae hynny o Dorïaeth fu erioed ynof wedi ei ladd y dyddiau olaf hyn. Os oes gennyf ychydig rinweddau yn fy natur yn gymysg â'm haml ffaeleddau, mae fy awydd am i bawb gael chwarae teg yn un ohonynt. Ac yr wyf yn rhy hoff o'm rhyddid fy hun i amddifadu neb pwy bynnag o'u rhyddid hwythau.'

'Da, machgen i, mi ddeil yr egwyddorion yna dipyn o dywydd. Be 'ddyliech chi, John?'

Ond yr oedd John wedi myned ymaith, ac yn gwibio cymaint ag Elin Tyn'ffordd trwy'r bobl; a chyn pen ychydig iawn o amser gwyddai pawb fod Syr Tudur Llwyd, Y Friog, wedi fotio i Henry Edwards, a dyna'r newydd cyntaf a glywai pob un ymhell cyn dyfod yn agos i swyddogion yr etholiad. Wedi cyrraedd i'r fan honno, dilynodd y tenantiaid esiampl eu meistr yn ddieithriad. Gwaith anodd i amryw ohonynt fuasai tynnu'n groes i'r hen fonheddwr, oedd mor ddwfn yn serch ei bobl, er i'w cred fod yn wahanol i'r eiddo ef; ond y diwrnod rhyfedd hwnnw, wele'r meistr a'u cydwybod hwythau ochr yn ochr, ac ni phetrusodd yr un o'r dynion.

'Mae'r Rhyddfrydwyr yn sicr o'r fuddugoliaeth heddiw, Mr Williams,' ebe Francis Glyn, pan gyfarfyddodd y ddau unwaith yn rhagor tua thri o'r gloch y prynhawn.

'Rydw inna'n dechrau credu hynny hefyd, Mr Glyn. Bendith arno, hen *general* nobl fu Syr Tudur Llwyd i ni heddiw.'

Cerddai y ddau yn ôl ac ymlaen gyda'i gilydd er syndod i'r bobl adnabyddent un fel pregethwr Ymneilltuol digon cyffredin ei amgylchiadau, yn dibynnu i raddau pell ar ei siop yn y pentref; a'r llall fel y bargyfreithiwr ieuanc talentog oedd yn prysur ddringo'r ysgol, ac oedd hefyd yn nai i Mr Harris y Tori mawr o Blas Dolau, yr hwn a enillodd iddo'i hun yr enw o Mr Harris y Sgriw!

'Fel yna mae'r gwŷr mawr yma yn y *Parliament* hefyd, medda nhw; ffraeo'n benben ynghylch materion y wlad, ac yn ffrindia penna'n breifat,' ebe Huw Huws y gof.

Ond synnodd Huw pan glywodd fod Syr Tudur Llwyd wedi cefnu ar y blaid y bu yn ffyddlon iddi bob tro cyn hyn. Yna chwarddodd y gof yn galonnog, 'Diaist i, 'ddyliais i erioed yn y mywyd y doetha' petha i hyn chwaith. Mi geith y Sais yna bacio 'i fag a chychwyn dros y clawdd, *lads*, gynta medar o. 'Da i byth i geibio, mi rydan ni wedi bod yn lwcus heiddiw. *Three cheers* i... na well i mi dewi hefyd, ond i mi ddal fy nhafod fy hun, cha' i ddim traffarth i ddal tafod neb arall. Fel yna mae hi, yntê, Ned?' ebe ef gan wincio ar ei gyfeillion tra yn cyfarch y saer oedd yn chwys a lludded yn rhedeg yn ôl ac ymlaen, ei draed a'i goesau yn methu cario ei ben heb fyned gryn lawer o'r naill ochr i'r llall i'r ffordd; dull pur amddifad o urddas i ddyn yn sefyllfa bwysig Ned Williams.

'Mr Tattanho *for ever*, Huw,' gwaeddai Ned nerth ei ben, druan.

'Gwaedda'n uwch, Ned, fel y deudodd yr hen Elias wrth broffwydi Baal stalwm, ond waeth i ti dewi ran hynny, mae hi'n *too late*, Ned bach. Henry Edwards *for ever lads*.'

Amcanodd y saer, oedd yn fath o stiward bach, droi ar ei sawdl heb gymeryd sylw o'r gof, ond yn lle hynny dyna ef yn mesur ei hyd ar y llawr, ac Elin, Tyn'ffordd, yn bloeddio canu am y tro cyntaf y diwrnod hwnnw uwch ei ben,

Ned y gŵr mawr
Wedi syrthio ar lawr,
'I draed ar i fyny

A'i ben ar i lawr;
Welwch chi o, dyma fo:
Ned wedi meddwi ar gwrw Tattanho.

Rhegai Ned Williams tra y ceisiai ymsythu, ond dyblai a threblai Elin ei chân, ac ymunodd amryw fechgyn direidus gyda hi. Deallodd Francis Glyn fod Elin mewn perygl o fyned i helbul ei hunan, ac aeth ati i erfyn arni ddod tuag adref cyn y nos.

'Dydw i ddim wedi meddwi. Ches i ddim cwrw. Does gin i 'run fôt, a duwc annwyl meddaf i syr, meddaf i mae eisio fôt i gael cwrw am ddim fel y ffŵl yma.'

'Beth wyt ti yn ddeud, siarad ti yn wahanol am dy well,' ebe un o'r dynion oedd newydd roddi ei fôt yn gyfnewid am chwart o gwrw, ac yn barod i ymladd â phawb ddeuai yn agos ato.

'Deud,' ebe Elin, 'deud, duwc annwyl, rŵan amdani hi meddaf i, oes arnat ti eisio cwrbitsh, dyma i ti be'di celpan yntê,' a chyda'r gair wele fraich gref yr eneth yn ei osod yn gydwastad â'r llawr. Daeth Huw Huws a William Williams tua'r fan, a llwyddwyd i gael Elin, druan, o ganol y dorf, y rhai oeddynt erbyn hyn yn ymladd ac yn ffraeo â'i gilydd heb un rheswm ar y ddaear ond eu bod wedi yfed i ormodedd.

Gweithiodd y Rhyddfrydwyr yn egnïol i gael eu pleidwyr hwy i droi tuag adref mor fuan ag oedd bosibl wedi rhoddi eu pleidleisiau, ond cafwyd trafferth fawr i berswadio Elin nad oedd angen iddi hi sefyll wrth ochr Mr Edwards i roddi 'cwrbitsh' i neb drosto, a digon tebyg na chawsid hi i droi cefn ar y dref onibai i Francis Glyn addaw lifft os deuai gyda hwynt, ac y byddai Miss Rhiannon yn disgwyl amdani.

'Duwc annwyl, meddaf i wrth mam, rhaid i mi neud fel bydd Miss yn peri, dyna i chi, ne 'da i byth yn glws, yn glws fel Miss Olwen.'

Gwelodd John Thomas y Siop Goch, a dechreuodd ysgwyd ei phen arno, 'O! mi dala iti, Jack, gna' mi 'na, a mi gei di weld hynny, meddaf i, mi wn i dy farcia di. Sut gofali di am dy groen tybad?'

Yng ngrym eu trugaredd tuag at y greadures anffodus, cymerodd William Williams a John Meredydd boen gyda hi er mwyn ei diogelwch; ac nid heb achos canys bu terfysg mawr yn y dref y noson honno: ymladd hyd at waed cyd-rhwng y gloddestwyr a gymerent esgus o ryw fath o firi i gyrchu at ei gilydd i feddwi ac ymrafaelio. A bu helyntion dirfawr eraill oddeutu'r Plas Dolau: cerbyd Mr Harris yn torri ei olwynion, ac ysbrydion mewn gwisgoedd gwynion yn gwibio o gylch y derw mawr yn ymyl y plas. Dywedai Mr Glyn mai dychmygu gweled ysbrydion yr oeddynt, ond nis gellid perswadio neb nad oedd bodau goruwchnaturiol o'u cwmpas.

Pennod XIX
Y fuddugoliaeth

Tra y dymchwelid cerbydau, yr ymleddid brwydrau di-alw-amdanynt, ac y cwerylai dynion oherwydd pynciau a chwestiynau nas deallai y mwyafrif y nesaf peth i ddim yn eu cylch, eisteddai Robert Gruffydd a'r teulu yn gryno gyda'i gilydd ar eu haelwyd dawel, heb eto glywed pwy oedd yr aelod seneddol newydd. Daethai Boba hefyd yno ym mhryder ei hysbryd i ddisgwyl y genadwri, a rhoddodd Gwen Gruffydd hi yn y gornel gynnes yn ymyl Olwen wrth y tân.

'Maen' nhw'n bur hir. Gobeithio fod petha'n symol tangnefeddus tua'r dre yna,' ebe'r hen wraig.

Cododd Gwen Gruffydd, ac ebe hi, 'Rhiannon, mi awn ni i ben ucha'r cae bach, os ydi Mr Edwards wedi ennill mi gawn weld tân ar ben Carn Ednyfed. Roedd y bechgyn yma'n deud amser bwyd pump fod yno gario coed lawer iawn, a chasgen o bitsh i ben y Garn gan rai o edmygwyr Mr Edwards, a'i weision oeddynt yn credu ei fod ef yn myned i ennill.' Ac aeth Rhiannon a'i mam allan, a chyn iddynt fod nemawr o funudau yn syllu tua'r bryniau draw, wele fflam yn esgyn i fyny, ac yna goelcerth enfawr yn goleuo'r byd o'i chwmpas megis pe buasai yr hen Garn ei hunan oll yn dân.

'Mae Mr Edwards wedi ennill, Rhiannon, a sut bynnag y bydd hi mae'n dda iawn fod yr hen sir wedi taflu iau'r caethiwed oddi ar ei gwar,' ebe Gwen Gruffydd, ei hwyneb yng ngoleuni'r sêr yn ymddangos yn deg odiaeth yr olwg arno i'w merch, ond ni ddywedodd Rhiannon ddim, ond gwasgodd law ei mam, a rhedodd y ddwy tua'r tŷ i gario'r newydd.

'Mae'r goelcerth yn fflamio ar y Garn, Robert, mae'n rhaid fod Mr Edwards wedi ennill y frwydr.'

'Bendigedig fyddo enw yr Arglwydd,' ebe Robert Gruffydd mewn llais yn crynu gan deimlad.

'Amen, 'mhlant i, Amen,' ebe Boba, 'mi leiciwn inna ofyn i'r hen fynyddoedd yma, fel y proffwyd gynt, floeddio a chanu am y waredigaeth fawr hon.'

Ar hyn agorwyd y drws heb un cnoc arno, a dyna John Meredydd a Dyddgu fechan wrth ei gwt, a William Williams yn ei dilyn hithau i fewn ynghanol y gegin. 'Mae Henry Edwards wedi ei ethol, ddigon ar y blaen hefyd. Chafodd Tattenhall mo'i draed dano ddim gwerth sôn wedi i Syr Tudur Llwyd fotio.'

'Pwy sy'n cymyd enw fi ofer yn Hafod yma?' ebe llais yn eu hymyl, ac wele Syr Tudur gyda hwy ei hunan. 'Fi teimlo digon digri trwy'r dydd ond fi meddwl fi wedi gneud popeth iawn, a Duw fo rhoi bendith ar gwaith pawb gneud gwaith iawn.' A gwenodd Syr Tudur Llwyd yn serchog ar Olwen, 'geneth bach ni'n glws iawn heno, Miss Gruffyd. Hi fel blodau yntê, yn gardd ni.'

Cyn i Rhiannon allu ateb, cododd Boba, 'Pan aeth Moses â meibion Israel trwy'r Môr Coch, deulu bach, mi ganwyd cân ardderchog yr ochor arall wedi cael y lan, a Moses oedd yn ledio'r anthem honno i hun. Rydw i'n siŵr na fydd o ddim yn erbyn Syr Tudur Llwyd i ninna gael rhyw bum munud o ddiolch i'r Gŵr gora, am helpu'r bobl o wlad y caethiwed yng Nghymru yma. Mi ŵyr Syr Tudur pe basa pawb fel y fo na fasa yr un ohonon ni'n gwingo byth, ac mi roedd petha'n ddigon tebyg tra bu Mr Wyn yn y Plas yna, ond pan mae'r dyn newydd nas adnabu Joseph yn dod, mae hi'n bur debyg ar yr hen Gymry fel roedd hi ar gaethion y St Clare hwnnw yn y Merica yna, pan aeth Mari Waedlyd yn feistras arnyn nhw.'

'Nid Mari Waedlyd oedd hi, Boba,' ebe Dyddgu. Nis gallai y fechan oddef camgymeriadau yn ei hoff hanesion, 'Mari, gwraig St Clare, oedd honno, a brenhines Lloegr oedd y llall.'

'Hwyrach wir, Dyddgu fach, ond dwy chwaer ddigon tebyg i'w gilydd oeddan nhw, a mae pob un ohonyn nhw wedi codi cywilydd i ngwyneb i mod i'n ddynes lawer gwaith cyn hyn.'

Erbyn i Boba orffen, yr oedd Rhiannon wedi estyn y Beibl a'i roddi o flaen William Williams, a darllenodd yntau salm fechan orfoleddus o foliant i Dduw am Ei drugaredd, ac wedi hynny penliniodd pawb ac offrymwyd gweddi fer o flaen yr orsedd, un hanner ohoni yn ddiolch am y fuddugoliaeth, a'r hanner arall yn erfyniadau taer am gysgod adenydd y Goruchaf yn y dyfodol ansicr ymlaen.

Wedi'r addoliad fyned drosodd, cododd Syr Tudur Llwyd, ac ebe efe, gyda'i wên garuaidd, 'Wel fi cofio gweld lot o lecsiwn, ond fi meddwl hwn dim tebyg i lecsiwns erill chwaith. Fi rioed gweld cyfarfod gweddi ar ôl lecsiwn o'r blaen.'

Aeth Rhiannon gyda Syr Tudur at y drws. 'Diolch i chwi Syr Tudur, fedra i ddim deud rhagor heno.'

'Chi deud dim ond nos dda heno, Miss Gruffydd, a chi deud nos dda, fi tebyg iawn cael nos dda iawn.' Edrychodd ar yr wyneb ieuanc a phwys gofalon yn tremio arno o'r llygaid arferent fod mor siriol, ac ychwanegodd, 'Chi cofio, Miss Rhiannon, os fi medru gneud rhywbeth chi eisio, chi cael fi ffrind i dependio arno. Fi dim leicio gweld chi â poen yn llygad yna.'

Rhoddodd Rhiannon ei llaw yn llaw Syr Tudur Llwyd, ac ebe hi yn ddistaw, 'Mae arna i ofn dial Mr Harris, Syr Tudur, er eu mwyn hwy,' gan droi drach ei chefn. 'Mi fedra i ddiodde popeth sydd raid i ni, ond fedr Olwen fach ddal dim, a dydw i ddim yn rhy siŵr all 'nhad a mam ddal colli'u hen gartref os daw pethau i hynny, ond mi gofia i bob amser y galla i ddod i'r Friog i ddeud fy nghwyn.'

Llanwodd llygaid Syr Tudur, arferai Rhiannon fod mor llon ac iach; ni feddai ei natur yr un gronyn o'r hyn a elwir y dyddiau hyn yn *pessimism*. Meddyliai y gorau am bawb, hyd nes y gorfyddai iddi gredu yn y gwrthwyneb, credai y gorau ynghylch y byd a'i bethau; mynnai fod dynolryw yn well ac nid yn waeth na dychymyg eu cymdogion amdanynt. Rhoddai ei hysbryd ieuanc nwyfus fywyd newydd heb gymylau ynddo i bawb o'i chwmpas, ac yn fwy felly i Syr Tudur nag i neb arall o'r tu allan i'r Hafod Olau, felly nid rhyfedd iddo ef deimlo dygasedd i waelodion ei enaid tuag at y dyn adnabyddid fel Harris y Sgriw gan y bobl ymhell ac yn agos.

'Ond,' ychwanegai Rhiannon, 'rhaid i mi beidio tristáu heno, yn lle llawenychu, fel y dylem oll. Nos dda, Syr Tudur, nos dda.'

Safai Rhiannon wrth y llidiart arweiniai i'r ffordd fawr am ennyd wedi i Syr Tudur ei gadael, a chlywai sŵn traed yn dynesu, a rhywun yn sisial siarad. Adnabu Rhiannon lais Elin, ond nid oedd neb gyda hi, er ei bod megis yn ymgomio yn brysur, ac wedi ei llyncu i fyny gymaint yn ei phwnc fel nas gwelodd fod 'Miss' yn ei hymyl.

'A meddaf i wrtho fo, meddaf i, "dydi hi ond dechra, machgian i." Mi clywas i o, a mi wn 'i fesur o, gwn, siŵr, a mi geith o wybod sut y bydda i'n gneud 'y nghownt. Elin wirion, ia! Dyma roth o'n enw arna i, a mi wn i be ddeudodd o am Miss a phawb. A meddaf i, Duwc annwyl, meddaf i; mi geith o gelpan y cofith o amdani hi, a'i hen gatals o i gyd 'run fath. A mae rhaid i mi ofyn i Miss be mae'r Iesu Grist yna yn feddwl o beth fel hyn, a medda mam wrtha i "Lle buost ti mor hir?" a meddaf i wrth mam, meddaf i, "Be gwelsach chi Twrna Cefn Mawr wedi rhwygo'i gown sidan, a John Evans wedi colli'i het, a Ned y Saer a Jac y Siop yn mynd adra o chwith, a Tattanho a Harris y Sgriw wedi maeddu, a Mr Edwards yn y goetsh fel brenin." A meddaf i wrth mam, "Be sy matar arnoch chi, faswn i ddim yn 'u gweld nhw taswn i yn y tŷ yna. A dydw i ddim wedi meddwi. Does gin i 'run fôt; does gin y merchad ddim fôt, medda Dyddgu fach y felin, ond mi fyddwn ni i fyny â nhw i gyd, Dyddgu fach a finna,"' a gwnâi yr eneth, druan, ryw sŵn rhyfedd, ac yn ei blaen â hi. Yna trodd yn ôl yn sydyn at ddrws cefn Hafod Olau, ac i fewn yn syth, nes dyfod o hyd i'r teulu.

'Hwrê, Robert Gruffydd, hwrê. Dyna ma' pawb yn ddeud yn y dre. A mi sefais i'n driw i Mistar Edwards, a mi welas Harris y Plas, a dydi o ddim mor spriws ag oedd o yn y bora. Hwrê, hwrê!' ac ymaith ag Elin nerth ei thraed tua Thyn'ffordd.

'Wel, Robert Gruffydd, mae'n rhaid i minnau hefyd droi tuag adre acw, ne mi eith Mary yn anesmwyth iawn os clyw hi fod yna fwstwr o gwmpas y dre; a mae'r hen wraig 'y mam acw, hefyd, mae hi'n bur debyg i chi, Miss Gruffydd, yn methu deall yn iawn paham na fedd hi fôt.'

'Ydi hitha'n gall hefyd, William Williams?' gofynnai Dyddgu fechan, ei llygaid yn gloywi.

Chwarddodd pawb, ac atebodd Gwen Gruffydd, 'Ydi, mae hi, Dyddgu. Mi fase'n burion i ni i gyd fod mor ddoeth â Janet Williams.'

'Hwyrach fod yn eitha iddi hi fod heb yr un fôt,' ebe Robert Gruffydd, 'mae 'i thyddyn hi ar dir Plas Dolau.'

'Robert bach,' ebe Gwen Gruffydd, 'os Plas Dolau bia'n tiroedd ni, rhaid i ni beidio gollwng dros gof yr hen wirionedd mai "Eiddo yr Arglwydd y ddaear."'

'Rhaid, rhaid, mae'r addewidion oll yn "Ie" ac yn "Amen" ynddo Ef. Wel, William Williams, dyma bennod newydd yn hanes Cymru heddiw. Diolch amdani.'

Ysgydwodd pawb ddwylaw â'i gilydd, a sibrydodd Dyddgu yng nghlust Boba, 'Fel yma bydda pobol Ysgotland, pobol y Cyfamod rheiny, a fel yma bydda pobol Methodistiaid Cymru, yn rhedeg oddi ar ffordd hen ddynion cas; ond nhw enillodd, yntê Boba, a mi ddaru nhw guro am bod nhw'n iawn, yntê? A Cymry'n curo Saeson heddiw, yntê? A mi fydda inna yn cael fôt, ac yn helpu'n well na gnes i heddiw, 'n bydda i Boba?'

'Na, Dyddgu, fedri di ddim gneud mwy na wnest ti heddiw,' ebe Olwen, yn serchog. 'Mi wnaeth Dyddgu 'i gorau heddiw, 'n do, John Meredydd?'

Gwenodd y melinydd.

'O, do, Miss Olwen, mi wnaeth Dyddgu 'i rhan hi i ryddhau Cymru.'

Aeth Dyddgu at Olwen, a chusanodd hi.

'Brysiwch fendio, Miss Olwen. Mae yma lot o waith i ni, a finna mor fach.'

Pennod XX
Dechrau drygfyd

Aeth rhai wythnosau heibio yn lled dawel yn Llangynan, fel mewn llawer llan arall trwy Gymru, er y bore bythgofiadwy hwnnw yn 1868, pryd y cododd y bobl yn ddynion rhyddion am y tro cyntaf yn eu hanes wedi i Edward I eu bradychu. Bore rhyfedd oedd hwnnw, yr hen air 'Trech gwlad nag Arglwydd' wedi ei wirio i'r llythyren, a chadwynau Torïaeth a'u dolennau yn gandryll, nad oedd modd eu hasio byth mwy. O Fae Ceredigion hyd at Glawdd Offa, o lannau Môr y Werydd hyd gwr eithaf Gwyllt Walia, atseiniai buddugoliaeth fel eco trwy ei chreigiau a'i mynyddoedd. Bore gogoneddus oedd hwnnw yn hanes Cymru, a erys yn garreg filltir i'w phlant tra bo Môn a môr o'i deutu.

Bron na neidiai y bobl gan lawenydd fod y maglau oll wedi eu taflu a hwythau yn dechrau cerdded ymlaen i sylweddoli yr hen freuddwydion. Daeth enw Gladstone yn hoff air teuluaidd; cerid ef gan bobl nas gwelsent erioed ei wyneb, am mai efe, i'w tyb hwy, a gynrychiolai ryddid gwlad. Daeth papur newydd yn beth mor angenrheidiol ym mhob tŷ â thorth o fara. Teimlai y werin fod rhyw fath o gysylltiad cydrhyngddynt hwy â'r Llywodraeth a breswyliai ym mhrifddinas y Deyrnas Gyfunol, a'u bod wedi peidio mwy â chaethwasiaeth enaid yn ogystal ag un y corff. Gwir fod y mawrion yn cilwgu arnynt, a'r mwyafrif yn dechre deall yr arwyddion yn yr awyrgylch fel a welir pan fydd y storm yn ceulo er y tawelwch o'u cwmpas. Ond beth oedd hynny i ddynion a deimlent eu traed heb un llyffethair am y tro cyntaf erioed? Anghofient hwy y darogan ynghylch y dyfodol yn eu mwynhad o'r presennol dedwydd. Clywid ambell air gan Ned William, y stiward bach, yr hwn nas gallai pan yng ngafael ei freci, gadw un math o gyfrinach, barai iddynt yn awr ac eilwaith ofni mai gelyn anfaddeugar fyddai Harris y Sgriw, ond meddent ddewrder yr hen Gymry gynt, a'u gallu i obeithio'r gorau hyd nes y gorfyddai iddynt ddioddef y gwaethaf. Ni fu raid iddynt ddisgwyl yn hir. Yn ddisymwth disgynodd y dymestl megis pes torasid cwmwl uwch eu pennau, ac mor gyffredinol fel nad ymddangosai porth un ddinas noddfa yn agored, na chwaith gysgod un to uwch eu pennau rhag y glaw. Y rhybudd cyntaf i ymadael oddi ar etifeddiaeth y Plas Dolau oedd yr un a gafodd mam William Williams y pregethwr. Aeth y bobl yn fud yn wyneb y fath drais a dial. Unig fai Janet Williams oedd fod ei mab wedi gweithio dros y Rhyddfrydwr; nis gellid dial arno ef ymhellach na pheidio prynu nwyddau yn ei siop, felly tarawyd ei fam yn ei le. Tipyn o brofedigaeth i'r hen wreigan oedd cefnu ar ei hen gartref lle y ganwyd ac y magwyd hi, lle hefyd y bu fyw ei bywyd priodasol dedwydd, ac y ganwyd ei phlant; a hen ystafell gysegredig i Janet Williams oedd yr un yr anadlodd ei phriod ei anadl olaf ynddi cyn ymado tua'r wlad y mae cartref y saint wedi ei baratoi ynddi. Eto, cysurai Janet Williams ei mab annwyl, ac heb un deigryn yn ei llygaid.

'Paid â phoeni, William bach, does dim eisiau i mi farw dros fy machgen, mae'r Oen sydd ynghanol yr orseddfainc wedi gneud hynny 'i Hun. Dydw i ddim yn myned i ddeud anwiredd, mae'n ofid i mi bacio o'r hen gartref yma y bûm i'n hapus iawn ynddo fo, ond mi fasa'r boen yn llawer mwy i mi aros yma a chydwybod 'y machgen i yn nwrn Mr Harris. Mi 'na i'n burion â'r dioddef yma, ond well i mi beidio meddwl am y llall. A fydd arna i ddim eisio lle ond am dipyn bach; mi fyddaf wrth ochor dy dad, yn fuan, fuan, yn ôl trefn amser, William bach. Paid di â chrio dros dy fam, William; ceisia di ddiolch iddo Ef ei chyfrif yn deilwng. Nid pawb sydd yn cael y fraint o ddwyn y groes yn Ei enw Ef.'

A digon tebyg fyddai sylwadau Janet Williams wrth ei

chymdogion. Yn ddiau, meddai yr hen chwaer oedd yn byw mor agos at ei Cheidwad dangnefedd nas gwyddai goruchwyliwr y Plas Dolau ddim amdano.

Y nesaf i'w daro oedd Robert Gruffydd, Hafod Olau, ac er nad oedd y teulu yn disgwyl dim yn amgen wedi i fraich ddidrugaredd Mr Harris gyrraedd Janet Williams, eto dyrnod drom iddynt oedd. Olwen dlos, plentyn eu gofal tyner, oedd yn gwneud y ffwrn mor boeth i'w rhiaint a'i chwaer. Yr oedd yn rhaid dweud wrthi, ond pa fodd? Dyna y cwestiwn ofynnent y naill i'r llall; eto nis gellid oedi rhag iddi glywed yr hanes trist yn sydyn gan rywun arall; ac ofnent ganlyniadau y newydd chwerw ar ei chorff eiddil oedd yn myned yn fwy prydferth bob dydd, a bron na feddylient hefyd yn fwy egwan.

'Robert,' ebe Gwen Gruffydd, 'yr ydw i am ddal yn dyn trw'r cwbwl at fy adnod, 'Yr Arglwydd sy'n teyrnasu.' Pwy ŵyr beth sydd yn y plan? Gorfu i Abraham adael 'i wlad, a Joseff fynd yn was i Pharo. O! Robert, mae'ch cartref chwi wedi bod yn aelwyd annwyl iawn i mi, ond gadewch i ni ddysgu tewi, a pheidio dweud dim yn ynfyd os gallwn ni.'

Ceisiodd Robert Gruffydd wenu, ond yr oedd dagrau yn ei lygaid, a sŵn wylofain yn ei lais.

'Hi a wregysodd ei llwynau â nerth, ac a gryfha ei breichiau,' dyna'r adnod sydd hawsaf i'w chofio i mi heddiw, Gwen, ac mi allaf fynd yn fy mlaen a dweud "Nerth ac anrhydedd yw ei gwisg," on'd alla i? Rhiannon, mae dy fam yn dangos ei gwerth i mi o ddifrif. Fy Olwen fach,' ebe, a'i ruddiau yn gwelwi.

'Beth am Olwen?' ebe yr eneth, a deuai i fewn atynt, ei hwyneb yn siriol, a'i llais yn llon. Yna canfu, er ei gwaethaf, fod rhywbeth o'i le, a gwelwodd ei grudd. Aeth Rhiannon ati, a rhoddodd ei braich am ei chwaer, ac ebe hi, 'Olwen, yn dydi'r enw'n glws, ac mae ei ystyr yn glysach, a mae arna i eisio gofyn i'n Holwen fach ni ddangos i 'nhad a mam y gall hi droi pob llwybr tywyll yn olau i'r ddau heddiw.'

'Well i ti wybod ar unwaith Olwen, 'ngeneth i, fod Mr Harris wedi rhoi rhybudd i ni fynd o'r Hafod yma,' ebe ei mam yn dawel.

Pwysai Olwen yn drwm ar Rhiannon, ond daliodd i wenu ar y rhai annwyl y gwyddai yr eneth yn dda a ofnent ei thrallod hi yn fwy na'u hing eu hunain.

'Bryd rhaid i ni gychwyn, mam?'

'Ddim am dipyn eto, Olwen, os bydd raid mynd. Does wybod beth fydd cyn pen hanner blwyddyn, mae ganddo Ef ddrws o ymwared, 'ngeneth i, ym mhob tywydd; ac yn fynych mor agos i awr y brofedigaeth â phan afaelodd Abraham yn y gyllell i aberthu Isaac,' ebe ei thad.

'Hanner blwyddyn,' ebe Olwen, 'hwyrach bydd hynny'n ddigon i ni drefnu pethau yntê, 'nhad.'

Ofnai Rhiannon i'w chwaer syrthio; clywai y bysedd meinion yn tynhau am ei llaw, ac ebe hi, 'Mi rown ni'r ferlen yn y car gwellt bach, Olwen, a mi awn i ddeud wrth Janet Williams bod ninnau'n cael yr un fraint a hitha rŵan, yntê,' a thra y siaradai arweiniai yr eneth allan o'r ystafell, ond nid i hwylio cerbyd na cheffyl, ond wedi myned o ŵydd ei rhieni, cododd ei chwaer yn ei breichiau, a chariodd hi i fyny a rhoddodd hi i orwedd ar ei gwely ei hunan. Ac nid un foment yn rhy fuan, canys cyn i'w phen euraidd gyffwrdd y gobennydd, yr oedd Olwen yn hollol anymwybodol o holl ofidiau'r byd. Sychai Rhiannon y defnynnau chwys oerion oddi ar yr wyneb oedd mor welw, a rhedai y dagrau yn afonydd i lawr ei gruddiau ieuanc tra yr estynnai bob cymorth posibl eu rhoddi i'r chwaer a garai mor fawr. Ni ddaeth i'w meddwl unwaith alw ar ei mam. Y peth mwyaf naturiol ar y ddaear i Rhiannon oedd taflu ei hun i ganol yr adwy ym mhob argyfwng. Sibrydai enw Olwen fel pe yn ofni na welai eto ei chwaer yn gwenu yn ôl arni, a gweddïai weddi ei Harglwydd gyda holl nerth ei henaid, 'Tro heibio y cwpan hwn oddi wrthyf,' ond nid allasai Rhiannon fyned ymhellach. Nid oedd hi wedi cyrraedd i'r sefyllfa y gallai ddweud, 'Dy ewyllys Di a wneler.'

Ond nid oedd loesion byd helbulus drosodd eto i Olwen dyner. Agorodd ei llygaid arno unwaith yn rhagor, eithr heb ganfod dim ond wyneb ei chwaer yn gwenu arni, fel pe buasai Mr Harris, y Plas Dolau, heb ei eni, ac heb gysgod un brofedigaeth i'w weled, nac un cwmwl tywyll yn y ffurfafen iddynt hwy. A gwenodd Olwen yn ôl, yna dechreuodd y dagrau gasglu a cholli dros yr ymylon. Nid ofnai Rhiannon y rhai hynny; gwyddai y rhoddent help i symud y baich oddi ar ysbryd ei chwaer, a sychodd hwy yn ddistaw am rai munudau.

'Rhiannon,' ebe'r eneth, 'mae'n dda dy fod di yma hefo 'nhad a mam, wedi i mi fynd i ffwrdd.'

'Ond ei di ddim i ffwrdd, Olwen, mi neith pawb ohonom ni'n burion, Olwen fach, heb Hafod Olau, ond i ni ymwroli, a phenderfynu dal y tywydd, ond feder 'nhad, na mam, na finna ddim gneud heb Olwen.'

A gwenai Rhiannon yn chwareus, er fod ei chalon ar dorri, ac ychwanegai, 'Mi fydd Nisien yma cyn hir rŵan, ac yn disgwyl gweled Olwen yn rhedeg i'w gyfarfod.'

'Wyt ti yn meddwl y daw Nisien yn ddigon buan, Non?' gan ddweud yr enw arferai y bachgen chwaraeai gyda hwy gynt yn yr amser ymddangosai mor bell yn ôl wedi i drallod y presennol ymestyn megis môr cydrhyngddynt ag oriau mebyd. 'Dydi o ddim diben, Rhiannon. Well i ti beidio treio meddwl am fy nghadw i yma. Ond mi fedri di helpu 'nhad a mam wedi i mi fynd i ffwrdd.' Estynnai ei llaw denau, fach, i'w chwaer. 'Weli di mor fach ydi hi, Rhiannon? Mae hi'n mynd yn llai o hyd, a mi ŵyr Iesu Grist na waeth mynd â fi adref i'r wlad braf yna, na fydd neb yn wylo yno. Wyt ti'n cofio clywed Mr Morgan yn deud, Non, y bydd y deigryn olaf yn syrthio i'r Iorddonen, a dim ond canu wedyn? Ond mae arna i eisiau gweled Nisien eto.'

'Mi gei di weld Nisien, Olwen, ac mi a inna i siarad hefo Syr Tudur Llwyd. Feallai, pe gwelai ef y meistr tir ei hun drosom, na châi Mr Harris ddial arnom fel hyn.'

Siriolai wyneb Olwen, a chodai ar ei heistedd, a phwysai ar ei phenelin.

'Mi fasa'n dda iawn gan 'y nghalon i gael mynd i'r nefoedd yn syth o'r hen Hafod yma.'

'Mi ddeudodd fy chwaer wrtha i ryw dro na fydd hi byth yn amau nad ydi popeth er y gorau i ni. All fy Olwen i ddim credu heddiw fod mynd o'r Hafod, hefyd, yn iawn, os bydd raid i ni gychwyn.'

'O'r gorau, Rhiannon, mi dreia i. Hwyrach y baswn i'n well oni bai mod i'n sâl. A dydw i ddim yn sâl chwaith, ddim ond wedi blino. Mi dreia i, Non, beidio brifo 'nhad a mam, yntê? A mi fydda inna yn iach cyn hir.'

Diddannai y genethod ieuainc ei gilydd yn y dull yma hyd nes i'w mam ddyfod i chwilio amdanynt, a siriolodd ysbryd Gwen Gruffydd, a dechreuodd feddwl y gallai fyw yn ddedwydd wedi gadael yr Hafod Olau, tra y gwenai ei merched arni trwy'r tywydd i gyd.

Pan glywodd y cymdogion y newydd, daethant yn lluoedd i gydymdeimlo â theulu yr Hafod Olau, ond parai eu tawelwch dedwydd syndod nid bychan i bawb a'u gwelent. Colli cartref fel yr Hafod, fu yn gartref ers cynifer o flynyddoedd i hynafiaid Robert Gruffydd! – yr hen annedd gysurus na fu un teulu arall erioed yn trigo ynddi, ond a adeiladwyd i un o'i hen deidiau yn y gorffennol draw – ac eto y teulu yn ddistaw yn y fath brofedigaeth!

Amlhâi y rhybuddion i ymadael i holl denantiaid y Plas Dolau, eithr nid oedd y ffermwyr yn gallu ffrwyno eu dicllonedd fel Robert Gruffydd. Dywedai gŵr Tŷ Canol fod dal fel Robert Gruffydd yn hollol annaturiol.

'Gewch chi weld mod i yn fy lle hefyd, cyn hir. Synnwn i ddim nad ydi'r teulu wedi'u taro mor drwm fel na fedran nhw ddim symud. O'm rhan i, mi fasa arna i lai o ofn amdanyn nhw petae' nhw yn cadw tipyn o fwstwr.'

Dyna ofnai Boba hefyd, er y gwyddai yr hen wreigan yn well nag undyn mor addfwyn eu hysbrydoedd yr oeddynt yn yr Hafod, oddigerth Rhiannon. Ac feallai mai ymddygiad Rhiannon a synnodd Boba fwyaf, a phenderfynodd yr hen wraig geisio deall y cyfnewidiad rhyfedd yn yr eneth. Llawer gwaith y bu Boba yn ceisio tawelu ysbryd cythryblus Rhiannon, pan fyddai yn anfoddog iawn oherwydd dull y byd hwn, mewn llawer modd; ond o'r foment y daeth y rhybudd i law ei thad ni fu Rhiannon yn debyg iddi ei hunan.

Nis gallai Boba ddygymod â'r syniad 'nad oedd Miss Gruffydd, yr Hafod, yn hitio dim colli ei chartref, nad oedd, hwyrach, yn ddigon ffasiwn newydd ganddi,' a geiriau tebyg a glywid yma a thraw gan yr hen ardalwyr, nas gallent ddychmygu na dyfalu pa fodd yr ymddangosai Rhiannon mor llawen a siriol yn awr y gofid. Ni wyddent hwy ddim am y gobennydd a wlychid gan ddagrau, na chwaith am y frwydr galed yn nyfnder enaid y ferch ieuanc a ymleddid yn yr unigrwydd, heb neb ond hi ei hunan a'r Duw y ceisiai ddal ei gafael yn y gred ynddo, er yn methu deall fod un math o gyfiawnder, heb sôn am drugaredd, i'w weled mewn gadael i adyn fel Mr Harris y Plas gael ei ffordd ei hun ar draws cyrff ac eneidiau dynion y teimlai Rhiannon ieuanc ddylasent dderbyn yr amddiffyniad rhag y gelyn. Ceisiai hi ddeall pethau yn ôl geiriau Syr Tudur Llwyd i Francis Glyn, y bu i Dduw eu cuddio, ac oherwydd hynny crwydrai mewn tir tywyllwch, heb lewyrch ynddo.

Yn llwydni'r cyflychwyr, ym mhen tua phythefnos wedi'r diwrnod y daeth y rhybudd i ymadael o'r Hafod, gofynnodd

Gwen Gruffydd i Rhiannon fyned i edrych am Boba, gan nad oedd wedi ei gweled trwy'r dydd, ac ofnai y gallai fod yn dioddef oddi wrth ryw anhwyldeb. Ond pan aeth Rhiannon i Tyn'rardd, ymddangosai Boba yn troi o gwmpas ei gwaith fel arfer; ac mewn atebiad i gwestiwn Rhiannon, dywedodd, 'Mi rydw i'n bur debyg, 'ngeneth i, does fawr wahaniaeth cydrhwng y naill ddiwrnod a'r llall i mi rŵan, ond rwy'n diolch i'ch mam am ei gofal amdana i, er hynny. Mi ddylaswn wybod basa hi'n anesmwyth heb i mi fynd i roi cownt amdana fy hun. Wedi bod yn rhyw ymdroi drwy'r dydd hefo rhyw byncia go ddyrys a didrefn yr ydw i, ac mi roeddach chi i gyd acw yn 'y meddwl i gimin fel na ddaru mi ddim sylwi na welodd neb fi, yn wir. Roeddwn i yn rhyw siarad hefo chi i gyd yma trwy'r dydd, ac fel tase chi, bob un, yma yn gwmpeini i mi; ond er i mi siarad llawer iawn, ches i fawr o drefn o esboniad ar ddim. Sut mae pawb acw? Ydi Olwen yn dal y tywydd? Mi wyddwn i y byddai'ch traed chi ar y Graig acw, ond ddaru mi rioed feddwl, chwaith, y gallech orfoleddu mewn gorthrymderau cystal, nac ymostwng i'r ewyllys fawr sydd wedi arwain Ei bobl i ddyfroedd mor ddyfnion, ond diolch am nerth yn ôl y dydd.'

'Os oes eisiau i mi orfoleddu, neu ymostwng, Boba, fedra i ddim, dyna i chi. Yr ydw i ymhell iawn oddi wrth bob un o'r ddau. Grwgnach a griddfan, a melltithio, am wn i, yw'r pethau fedraf fi orau rŵan. A gwell gen i beidio clywed am ewyllys fawr os y hi sy'n gyfrifol am roddi rhaff sydd yn nwylo dyn fel Mr Harris y Plas,' a disgleiriai llygaid Rhiannon gan ddicllonedd, nes yr oeddynt megis sêr yn y ffurfafen.

'Eto, mae pawb yn deud fod Miss Gruffydd, yr Hafod, mor siriol ag erioed, a does dim golwg grwgnach ar wyneb 'y ngeneth i, llawer llai ôl melltithion.'

'O, Boba,' dolefai Rhiannon, yr argae wedi torri er ei gwaethaf, 'mae Olwen yn gwywo bob dydd, a 'nhad a mam wedi torri eu calon, a'r unig beth fedra i neud ydi peidio 'u blino nhw.'

'Roeddwn i'n rhyw led feddwl mai dechre dal yr ymbarelo roeddet ti, 'ngeneth i – oeddwn, oeddwn – ond fedri di ddim 'i ddal o mor union, Rhiannon, os colli di dy ymddiried yn y Daioni Mawr. Mae troeon bywyd yn chwerwi rhai ohonom ni, ac yn caledu y lleill. Fynnwn i ddim i'r un o'r ddau ddigwydd i ti, ond, yn hytrach, fod i droeon yr arfaeth dy dynnu di yn nes at yr Hwn sydd yn rhoi modd i ni ganu yn y nos.'

'Boba, lle mae y Daioni Mawr y soniwch chi amdano? Sut y gwyddoch chi fod gofal dros neb ohonom ni? Canu yn y nos! Fedra i byth ganu eto. Fedra i neud dim. Dim, ond treio'u harbed nhw, a fedra i ddim gneud hynny chwaith.'

Ac wylodd Rhiannon yn chwerw iawn, a Boba yn tynnu ei llaw dros y gwallt tywyll, cyrliog, fel pe yn cysuro plentyn bach.

'Doedd ryfedd yn y byd i Job felltithio dydd ei enedigaeth, Boba. Fedra i ddim rhesymu paham yr anfonir ni i'r byd i'n poeni a'n gofidio; yn sbort i ryw allu nas gwn i beth ydyw, yn wir.'

'Sôn am Job rwyt ti, Rhiannon? Yna mi ddylet ti orffen y stori, a chofio am ddiwedd yr hen batriarch. Yr oedd y diwedd i Job yn well na'r dechrau, 'ngeneth i, ond anaml iawn y bydd yr un ohonom ni yn cofio hynny, yntê?'

'Y diwedd, Boba. Wel, pwy ŵyr beth fydd y diwedd, yntê?'

'Oes dim gobaith, Rhiannon, wedi i Syr Tudur geisio gweld y Mistar 'i hun?'

'Does dim posib i Syr Tudur i'w weld o. Mae o wedi mynd i ffwrdd i Dde Ffrainc, ac mi fydd yno am dipyn eto.'

Yna dechreuodd wylo yn ddistaw wedi hynny. Ymhen ysbaid, cododd ei phen.

'Rhaid i mi ddysgu ymddwyn yn well na hyn. Neith hi mo'r tro i mi adael ffrwyn i'm teimladau.'

'Neith hi mo'r tro i ti i sathru nhw o dan dy draed chwaith, Rhiannon. Mae'n fwy naturiol, 'ngeneth bach i, i ti grio tipyn weithia. Mi fendi lawer, gei di weld, a phaid ti â phoeni yn ceisio deall y drefn fawr. Fedri di ddim. Does yr un ffordd i ddeall y Tad ond yng ngolau y Mab, Rhiannon, a cheisia dithau nesu yn agos, agos, at yr Iesu. Mae O wedi cyffwrdd y gwaelod 'i hunan, a mi ŵyr O'n well na'r hen Boba sut i gydymddwyn â chi, er fod gin inna amcan go lew. Oes gwir yn y gair fod Nisien Wyn yn troi yn ôl? Chlywsom ni ddim oddi wrth y gŵr ifanc ers talwm rŵan, ai do? Ond mi ddeudodd Huw Huws fod 'i enw fo yn y papur, ddoe, yn cychwyn i'r hen wlad yn ôl.'

'Gobeithio ei fod. Mae 'nhad wedi ysgrifennu ato i ddweud ein hanes ni, ac mae Olwen yn hiraethu am ei weled. Boba bach, oes olion crio ar fy wyneb? Rhaid i mi ofalu rhag i neb weled hynny beth bynnag.'

'Paid ti â gwlychu gormod dy hun wrth ddal yr ymbarelo uwchben y lleill, Rhiannon. Cofia ddŵad yma at dy hen Foba pan eith hi'n galed arnat ti. Mi fedra i gydymdeimlo, er na fedra i neud dim arall.'

Cododd Rhiannon i gychwyn adref, ond cyn iddi orffen canu'n iach i Boba dros y nos, clywodd y ddwy yr oernadau mwyaf torcalonnus yn dyfod tua'r bwthyn, megis ar adenydd y gwynt.

Edrychodd y ddwy ar ei gilydd, ac ebe Rhiannon, 'Mae'r sŵn i'w glywed yn y coed, Boba.'

'Ydi, does bosib fod y cipars yna wedi dal pobol yn 'u hen drapia. Dyn a'n helpo, mae petha wedi newid yn Llangynan.'

Dyna, yn wir, ddwedai pawb y dyddiau hynny. Nid aeth un ardal wledig erioed trwy gymaint o gyfnewidiadau â Llangynan mewn cyn lleied o amser, a thra y cerddai Rhiannon tua'i chartref – oedd yn fwy annwyl iddi nag erioed pan ystyriai fod yr oriau yn cyflymu tua'r adeg y byddai raid cefnu arno – sibrydai wrthi ei hun ddarn o adnod a ddysgasai ryw dro, 'A'u tai hwynt a lenwir o ormeswyr, a'r ellyllon a lamant yno.' Yna safodd cyn rhoddi ei llaw ar y llidiart i'w agor, a gorffwysodd ei phen ar y post, ac ebe hi:

'O, lle mae Efe y sonia 'nhad a phawb yma gymaint amdano? Paham y mae yn Duw yn ymguddio, os ydyw yn Un sydd yn gofalu am Ei greaduriaid? Gwallt ein pen wedi ei gyfrif, medda' Iesu Grist.'

Gwasgai ei harleisiau cyd-rhwng ei dwylaw. 'Rydw i bron â mynd i feddwl na wyddon ni ddim, ac i golli golwg ar bopeth yn y niwl tywyll yma. "Hir oedi," ebe 'nhad, "yn eich amynedd y meddiennwch eich eneidiau," ebe mam, ond fedra i ddim gweled y gofal drosom ni.'

Cyn iddi orffen y frawddeg, wele law ar ei braich, ac Elin, yr eneth wirion, yn sefyll o'i blaen, ei dwy glocsen wedi eu bachu wrth ei gilydd, ac yn hongian yn un llaw iddi, a hithau yn droednoeth, goesnoeth, a'i hwyneb wedi ei wlychu â dagrau mawr.

'Peidiwch â chrio, Miss, ne mi gorffenna i nhw, bob un. Mi clywas i chi'n deud i fod O'n hir, a mi roeddwn inna wedi blino'n disgwyl 'i weld o'n styrio o gwmpas 'i betha. A meddaf i wrth mam, meddaf i, "Mi ro i help llaw iddo Fo, pwy bynnag ydi O." Roedd yna lot o ddynion yn gofyn iddo Fo ddŵad yn ofnadwy yn y capel, ond chlywas i mo sŵn i droed O'n dŵad, a meddaf i, "Mi dynna i 'nghlocsia," meddaf i, "a rŵan amdani hi," a mi ro i ddau dro am un yn droednoeth. A meddaf i wrth mam, meddaf i, "Cheith Miss na neb ddim cam trw wbod i mi."'

Ceisiodd Rhiannon leddfu dicllonedd Elin yn erbyn yr Un nad ymddangosai yn gwrando gweddïai ei bobl, a holodd hi ynghylch y bloeddiadau yn y coed, ond ni allai gael unrhyw eglurhad gan Elin. Yr unig atebiad roddai oedd, 'Os gofynnith rhywun i chi, Miss, deudwch nag ydach chi ddim yn gwbod.

A medda mam wrtha i, "Maen' nhw'n siŵr o fod yn llonydd i ti wed'n," medda hi, a meddaf i wrth mam, "Mae'n well iddyn nhw, ne mi ro i gelpan iddyn nhw. Well iddyn nhw beidio nhynnu fi yn 'u penna," meddaf i.'

Nis gallai Rhiannon benderfynu a oedd a wnelai Elin rywbeth ai peidio â'r ddamwain gyfarfu Ned William, y stiward bach, pan glywodd drannoeth fod ei droed wedi myned i un o drapiau'r cipars tra ar ei ffordd adref trwy'r coed. Bu ymchwiliad manwl i'r helynt ym Mhlas Dolau. Galwyd y cipars o flaen Mr Harris, i dderbyn cerydd llym oherwydd eu diofalwch yn gosod y trapiau ar ganol y llwybr. Yn ofer yr haerai y dynion nad oeddynt yn euog o'r trosedd: onid oedd Ned wedi myned yn syth i un ohonynt, wedi archolli ei droed yn anaele, a gorfod bod am wythnosau o dan ofal llawfeddyg. Tyngai y cipars mai gwaith y gŵr drwg oedd, am a wyddent hwy, a rhoddodd un rybudd i ymadael, gan ei fod yn dymuno dychwelyd i'w wlad ei hun. Ni fynnai aros yn hwy mewn gwlad lle y gwelid ellyllon ac ysbrydion drwg yn ymrithio ym mhob cornel wedi iddi fyned yn llwyd dywyll; ac er i Mr Harris wneud a allai i'w berswadio i aros, gan ei fod yn was ddeallai waith helwriaeth i'r dim, a chan hynny yn werthfawr, ni thyciai cynnig un peth i'r gŵr am aros dros aeaf mewn ardal y credai ef y meddai yr ysbryd drwg ddiddordeb neilltuol ynddi. A chyn iddo ymadael, dychrynodd gymaint ar holl weision a morwynion y Plas gyda'i storïau am ddrychiolaeth mewn gwisgoedd gwynion yn wylo o dan y derw, fel yr aeth yr arswyd a'u meddiannent yn flaenorol yn ddychryn nas gallent ddianc oddi wrtho, a thipyn o gamp fyddai cael gan un ohonynt roddi eu troed dros y rhiniog i wneud un gymwynas ar ôl wyth neu naw o'r gloch y nos hyd doriad y wawr drannoeth.

Credai y bobl yn yr ardal, gan mwyaf, mai Mr Wyn aflonyddai ar deulu'r Plas oherwydd trahauster a gormes Mr

Harris, ond tybiai eraill mai barn oddi uchod oedd ymweliadau bodau ysbrydol â hwy. A chan nad oedd y ddamwain i Ned William namyn dechrau helyntion tebyg, nid yw yn anodd cydymdeimlo gyda'r hen ardalwyr syml yn eu gwahanol ddehongliadau o'r naill drychineb ar ôl y llall, ac hefyd yn eu hofnau ynghylch pethau rhy ddyrys iddynt hwy eu deall. Nid cynt y lledaenwyd y newydd mai gwirionedd oedd fod John Thomas, y Siop, i gael meddiant o Hafod Olau, nad oedd un o'i deisi gwair gorau ar dân yn y nos; ac er i'r goleuni oddi wrth y tân ddeffro'r holl gymdogaeth, ac iddynt heidio yno yn lluoedd i wneud a allent i'w ddiffodd, methasant ei orchfygu, a llosgwyd y cwbl. Dywedai rhai o'r ffermwyr mai yn y das ei hun y cychwynnodd y tân a rhoddent y bai ar ffarmio siopwr, ond ni wybu neb ddim yn ei gylch heblaw a ddychmygent. Collodd Twrna Cefn Mawr y ceffyl gorau a feddai; y creadur wedi syrthio i hen ferddwr yn y nos a boddi yno. Pa fodd y bu i'r ceffyl fyned i gae y merddwr oedd y dirgelwch, pan ddylasai fod yn gynnes yn ei le yn y stabl. A dywedai gweision Tyddyn Dafydd nad oedd un diben iddynt hwy gau drws ysgubor, na beudy, na stabl; yr agorid y cwbl y funud y troent eu cefnau. Mynnai ambell un fod yr ardal wedi ei rheibio, ond gwnâi William Williams, John Meredydd, a Robert Gruffydd yr oll a allent hwy i ymlid ofergoeledd ymaith o'u plith; ac, yn ddiau, gwirient ddihareb Solomon, 'Yr annuwiol a ffy heb neb yn ei erlid, ond y cyfiawn sydd hyf megis llew.'

Ysgydwai Boba ei phen, ac mewn atebiad i Gwen Gruffydd dywedodd, 'Wn i ddim, wir, beth sydd yn yr hen fro annwyl yma. Fedra i ddim bod yn siŵr oes ysbrydion yn tramwy o gwmpas yr hen ddaear yma ai peidio. Ond dydi o ddim diben beio pobol am gredu ynyn nhw, wir. Mi wyddoch, Gwen fach, fod y disgyblion yn tybio mai drychiolaeth oedd Iesu Grist ryw dro, a rywsut ym mhob oes o'r byd mi gewch rai yn credu bod nhw, a rhai yn peidio. Mae yma betha nad ydw i'n deall monyn nhw; a waeth i mi na neb arall heb, am wn i. Ychydig iawn o'r drefn sydd yn yr amlwg, ac i ni weld y cwbl fedrwn ni. Mae'r Gair yn deud fod yr Arglwydd yn ysgythru ambell i le â dychryn. Hwyrach mai dyna sydd yn myned ymlaen hefo ni. Sut mae'r plant acw?'

'Mae Olwen yn bur debyg; rhyw led orwedd hanner ei hamser ar y clustogau o flaen y ffenestr, nes y bydd yr oerni yn ei gyrru at y tân.'

Gwelwodd wyneb y fam, a gafaelodd yn llaw denau yr hen fam arall a gollodd ei rhai annwyl. Gwasgodd Boba hi yn dyner, ond heb ddweud gair, ac ebe Gwen Gruffydd, wedi munud o ddistawrwydd, 'Mae Olwen yn paratoi i'n gadael ni, Boba, a ninnau yn methu yn lân â gollwng ein gafael ynddi.'

'A Rhiannon, beth amdani hi?' gofynnai Boba.

'Mae Rhiannon ym mhob man ar unwaith, yn helpu pawb, ac yn ceisio cuddio maint ei gofid, a faint mae hi'n ddeall am wendid Olwen, oddi wrth ei thad a minnau. Ond mi fydda i'n gweld rŵan ac yn y man mor drwm ydi'r baich, fel mae hi bron syrthio dano fo. Ac mae Robert i'w weld yn curio bob dydd, Boba.'

'A chwitha, Gwen Gruffydd?'

'Wel, Boba, rhaid i mi dreio dal i fyny gorau gallaf. Mae'r brofedigaeth o golli cartref wedi mynd o'r golwg rywsut; mae colli Olwen yn gyrru pob colli arall i'r cysgod.'

'Ydi, ydi, a does dim, Gwen Gruffydd, dim, ond y gred mai cael tragwyddol – nid colli – Olwen feder liniaru'r gofid yna. Nid plentyn gaea ydi Olwen; un o flodau'r haf ydi hi, a dyna'r pam mae Efe am fynd â hi i'w fynwes ei Hun, rhag iddi orfod dioddef grym y gwyntoedd croes yn y byd yma. Rydw i ers talwm iawn wedi dod i ddeall na fedra' hi ddim dal y tymhestloedd, a does dim modd 'u hosgoi nhw os byddwn ni yma. Os medrwn ni, Gwen Gruffydd, gadewch i ni fod yn fodlon i weled Olwen yn myned i'r wlad nad oes un gorthrymydd o'i mewn.'

'Mae hi yn llon iawn, ac yn cael mwy na mwy o gysur hefo geneth fach y felin. Fase neb yn meddwl, wrth edrych ar y ddwy yn eistedd ac yn siarad, neu Dyddgu yn darllen, fod y fath beth ag angau a marwolaeth yn bod. Mae'r ddwy yn ddifyr iawn, a Rhiannon yn gofalu na fydd Olwen ddim yn blino gormod. Ac mae Syr Tudur Llwyd a Mr Glyn yn gofalu fod y lle acw yn llawn o flodau. Mae pawb yn neilltuol o garedig i ni, a mae yma lawer o bobl eraill wedi eu rhybuddio i fyned o'u cartrefi sy mor galed arnyn nhw ag ydi hi arnom ninnau, os nad gwaeth, fel na ddylem ni ddim grwgnach. Mi fydd Janet Williams yn peri i mi deimlo yn aml mor bell ar 'i hôl hi yr ydw i. Chlywodd neb hi yn ceisio symud y groes oddi ar 'i chefn 'i hun.'

'Ydi, mae Sioned wedi dysgu beth i neud hefo'i chroesau. Mi glywes ryw bregethwr yn pregethu yr ha' dweutha am y croesau yma, a fedra i yn 'y myw beidio cofio 'i sylwadau o. Dyn call iawn ydi o, a mi bregethodd fel dyn call, er 'i fod o dipyn yn ysmala. A mi ddeudodd o nad oedd pobol ddim yn rhyw ddeall yn iawn beth oedd codi'r groes yn 'i feddwl.'

Cyn i Boba allu myned ymlaen, wele Rhiannon yno i chwilio am ei mam.

'Gorffennwch, Boba,' ebe'r eneth. 'Y porthmon moch sydd yn y tŷ. Does dim brys.'

'"Wel," meddai'r pregethwr, "mae rhan fwya' o bobol yn meddwl mai ystyr y gair codi'r groes ydi gafael ym mhob un ddôn nhw o hyd iddi. Ie, a chwilio am rai fyddan nhw ddim yn weld yn eglur iawn, ac i fyny â nhw ar y cefn. Beth ddylem ni wneud?" gofynnai'r pregethwr. "Beth hefyd? Codi'r croesau, bid siŵr. O! ie, os 'n croesau ni fyddan nhw. I beth? Wel, nid i neud pac ohonyn nhw cyn uched â Thŵr Babel ar gefn dyn. O! na, 'u taflu nhw dros'n hysgwydd a ffwrdd â nhw, a bod yn barod i godi'r nesa." Yn wir, mi ddaliodd 'i bregeth o wrtha i, gwaetha i yn 'y ngên. Mae'n siŵr fod o yn 'i le, a mi fasa'n burion gin i glywed y gŵr unwaith eto, pwy bynnag ydi o.'

Gwenodd Gwen Gruffydd, y wên dyner, garuaidd, a hoffai Rhiannon weled ar wyneb ei mam, ac ebe hi, 'Mi wn i pwy oedd o, Boba. Pregethwr Sentars ydi o, a Mr James ydi enw o. Mi ro'n innau yn 'i leicio fo hefyd.'

'Wel, cofiwch chi, 'mhlant i – rydach chi'ch dwy yn ddigon ifanc i fod yn blant i mi – blodau i gyd dyfith ar y croesau, heb ddim drain ond i ni codi nhw fel yna. A mi fydd y cwbwl yn ola ryw ddydd, os ydi hi'n dywyll heiddiw. Bydd, bydd.'

Pennod XXI
Cyrraedd adref

Digon tebyg oedd hanes pob sir trwy Gymru ar ôl Etholiad 1868: y merthyron yn amlhau, traha a gormes y tirfeddianwyr a'u goruchwylwyr ar eu heithaf, a'r offeiriaid a'u cyfeillion yn ymysgwyd oddi wrth eu difrawder, ac yn ymroi ati i weithio, rhag, meddent hwy, i'r un dynged eu goddiweddyd â'r eglwys a'r wladwriaeth yn yr Iwerddon. Dechreuodd Cymry Anghydffurfiol weithio hefyd. Ystyrient hwy nad oedd Eglwys Loegr yng Nghymru yn eglwys y genedl, mwy nag yn yr Iwerddon, ond yn hytrach fod ei holl ddylanwad yr amseroedd hynny dros Seisnigeiddio y Cymry, lladd eu hiaith a'u cenedlaetholdeb, a'u cadw o dan iau orthrymus rhyw Sais o dirfeddiannwr, pwy bynnag fyddai. Peth diweddarach yn hanes yr eglwys yw y ddefodaeth ymgripia i fewn yn llechwraidd fel y gwna y cynllwynion Jeswitaidd ym mhob oes, am na ddaliant oleuni'r dydd.

Hannai llawer o'r tirfeddianwyr o hen deuluoedd Cymreig, ond ni fynnai y mwyafrif ohonynt gydnabod y graig y'u naddwyd ohoni, ac ystyrient y fraint o loddesta oddeutu Llys Sant Iago yn y brif ddinas yn fwy ei gwerth iddynt hwy, na meithrin hen draddodiadau gwych eu cenedl eu hunain. Nid oedd ond prin un neu ddau yma ac acw ohonynt nas gwadent eu haniad ar air a gweithred, ac ni feddent ddigon o ddysg i allu ffurfio un ddirnadaeth am werth yr iaith y bu i'w llenyddiaeth ddylanwadu ar lenyddiaeth y byd gwareiddiedig, ac a werthfawrogir heddiw yn fwy nag erioed gan yr ysgolheigion mwyaf diwylliedig. Na, iaith y werin oedd y Gymraeg, a chodai y mawrion eu ffroenau yn uchel, a moelient eu clustiau fel ceffylau, yn hytrach na gwrando ar ei hacen groyw.

Meddai Cymru haid arall o dirfeddianwyr. Dynion digon anllythrennog, heb fod yn hyddysg iawn yn eu hiaith eu hunain, oedd y Saeson hynny a wnaethant eu ffortiwn mewn rhyw ffordd neu gilydd. Meddai'r hen Gymry aml i chwedl ynghylch y dull y casglodd y giwed yma arian. Y farn gyffredin amdanynt oedd mai trwy aml driciau anonest, a chlywid sibrydion distaw i rai fyned yn gyfoethog trwy ddal Negroaid yn Affrica a'u gwerthu yn yr America. Faint o wir oedd yn y chwedlau, nis gŵyr neb, ond casâi y Cymry unieithog y bobl yma â chas cyfiawn. Dynion trahaus iawn oeddynt, a mwy o'r taeog na'r bonheddig yn eu holl gysylltiadau. Dynion eilw'r Saeson yn *self-made men* oeddynt, ac addolent eu creawdwyr. Prynent dir yng Nghymru, adeiladent dai, a chyn iddynt yn brin orffen eu dodrefnu, ceid hwy yn Ustusiaid Heddwch. Disgwylient i'r Cymry – oeddynt hyd yn oed yr adeg honno yn llawer mwy diwylliedig dynion na'r crach foneddigion hyn – foesgrymu iddynt, a rhoddi ufudd-dod gwasaidd i'w holl ddymuniadau. Oni bai am yr anghyfiawnder dybryd a ddioddefodd y Cymry o'u herwydd, gallesid cael llawer o ddigrifwch oddi wrth yr Ustusiaid Heddwch rhyfedd oeddynt mor anwybodus ag oeddynt o ymffrostgar o'u mawredd tybiedig. Trinient pob Cymro ddygid 'o flaen ei well' yn erwin, gwawdient ei anwybodaeth o'r iaith a lurgunient hwy, a gwawdient y Gymraeg fwy fyth.

A dyna y trioedd, yn offeiriaid, pendefigion a chrach fonheddwyr, mewn perffaith gyd-ddealltwriaeth, a chydweithrediad â'i gilydd, y bu gwerin Cymru yn aberth i'w cynddaredd ar ôl y fuddugoliaeth fawr Ryddfrydig. Maint y dioddefaint nis gellir ei olrhain. Wele, ceir ef yn unig yn rhôl y llyfr a ysgrifennir yn y nef. Ceisiodd ambell ardal gadw ar gof er mwyn yr oesau a ddêl, enwau y rhai nad ofnasant lid y gelyn, a chodwyd llechfaen i'w coffadwriaeth fel y gallo plant y Cymry ymhen cenhedlaethau i ddyfod wybod rhyw gymaint am rai o'r arwyr fu ar y blaen yn y frwydr fawr, pan gododd gwlad ar ei thraed i ymladd dros ei rhyddid.

Pwy all fesur gwerth eu haberth? Hen wroniaid a ddioddefasant mor fawr, a gollasant bopeth. Heddwch i'w llwch. Er gwaethaf trais a chreulondeb, cysgant yn dawel ym mynwentydd ein gwlad, ond erys eu coffadwriaeth yn fendigedig tra bo clogwyn yn Eryri. Hwy a lafuriasant, hwy fu'n dioddef pwys y dydd a'r gwres. Na ato Duw i'w plant fod yn annheilwng i edrych yn eu hwynebau ddydd a ddaw, canys yn sicr er gwerth mawr y prynwyd rhyddid crefyddol a gwleidyddol Cymru Fydd.

I wlad yn dioddef, yn gwaedu dan ei harchollion, y daeth Nisien Wyn yn ôl wedi tramwy dros dir a mor gyda'i ddisgybl ieuanc am fisoedd lawer. Cyrhaeddodd llythyr Robert Gruffydd ef yn rhywle yn Neheudir America. Tua'r adeg honno cyrchodd lluoedd o Gymry o'u gwlad eu hunain mewn gobaith am ryw dawelach byd i fyw ynddo, a daeth yr ymfudo i Patagonia gyda'r amcan o sefydlu gwladfa Gymreig yno yn fwy poblogaidd na phan gafodd y syniad o eiddo'r hen wron ardderchog, Michael Jones y Bala, ychydig o ddewrion i ymgymeryd â'r gwaith yn y dechrau. Teithiodd Nisien Wyn a'i barti i'r cwmpasoedd er mwyn ceisio deall rhywbeth ynghylch ansawdd y wlad a'i chymhwyster fel gwlad o nodded i'r Cymry.

Nis gallai'r disgybl ieuanc a'i dad lai na theimlo diddordeb yn yr oll a berthynai i wlad a phobl Nisien Wyn. Fel Joseff yng ngwlad yr Aifft, enillodd Nisien serch ac ymddiried ei noddwyr, a chreodd yn eu calonnau awydd am wybod mwy ynghylch y bobl a drigent ymysg y bryniau yr arferent hwy, fel y rhan fwyaf o Saeson, edrych arnynt fel cornel fechan yng ngorllewin Lloegr, heb ystyried fod y trigolion yn genedl ar ei phen ei hun, ei nodweddion a'i hiaith yn wahanol i'r eiddynt hwy. Yng nghwmni Nisien Wyn daethant i ddeall pethau fel yr oeddynt, a mynych y siaradai y dynion ieuainc gyda'i gilydd, ac y tynnent gynlluniau er rhyddhau gwlad y bryniau, a rhoddi mantais i'w phobl ddatblygu eu galluoedd. Deallai Nisien y sefyllfa yn well na nemawr ddyn ieuanc o'i oed ef. Bu Robert Gruffydd yn cymeryd poen i'w wneud yn hyddysg ynghylch tiroedd Cymru, y gwahaniaeth oedd cyd-rhwng rhenti y ffermydd o'u cydmaru â'u bath yn Lloegr; y gorbris nad oedd ond rhyw fath o ddial ar y bobl am eu cenedlaetholdeb.

Gwyddai Nisien Wyn hefyd hanes crefydd Cymru i'r dim. Carai ei dad ei wlad a'i bobl, a gobeithiai weled ei unig fab ryw ddydd yn codi ei lais drosti, ac yn gweithio yn egnïol erddi. I'r diben hwnnw hyfforddiodd ef ei hunan, a rhoddodd fanteision neilltuol iddo i edrych drosto ei hun y dull y rhoddid hufen bywiolaethau eglwysig y wlad i Saeson uniaith, dynion hollol anghymwys i fugeilio eneidiau y Cymry o'u deutu. A gwaeth na'r cwbl, ni feddent ryw gymwysterau neilltuol fel Saeson chwaith, ar wahân i'r ffaith eu bod yn berthnasau neu gyfeillion i ryw bobl o ddylanwad. Deallodd Nisien fod y dynion yma yn byw yn fras mewn bywiolaethau Cymreig, tra y gwelid offeiriad o Gymro yma a thraw heb ddigon i gadw ei deulu yn barchus, ac eto yn llawer amgenach dyn na'r creaduriaid tewion estronol a fwynhaent fyd da a helaethwych beunydd, heb wneud dim ar y ddaear ond rhedeg dros y gwasanaeth mewn lleisiau undonog weithiau, bryd arall gyda nodau aflafar, ond pob un o'r ddau mor annealladwy a'i gilydd, hyd yn oed pe buasent yn iaith y bobl. Bu Nisien yn ofalus i roddi yr holl wybodaeth yna i dad ei ddisgybl, canys gwyddai fod gydag ef ddyfnder daear i'r had da, ac ni chamgymerodd chwaith. Nis anghofia Nisien Wyn fyth yr awr pan roddodd ei noddwr caredig ei law ar ei ben, ac y dywedodd wrtho yn ei iaith ei hun, '*My boy, those evils must be remedied, but they must be remedied by Welshmen. We can sympathize, we can encourage, but the work must be your own. The redemption of a nation can only be accomplished by her own children. And what a glorious work you have before you.*'

Pan yn ymgomio ynghyd fel yna y derbyniodd Nisien Wyn lythyr Robert Gruffydd.

'Gadael yr Hafod. Olwen yn wael.' Eisteddai Nisien fel dyn wedi ei syfrdanu. Ceisiodd lefaru, ond glynai ei dafod wrth daflod ei enau. Anghofiodd nas gallai neb ond efe ddarllen llythyr Cymraeg, a phwyntiodd ato. Rhoddodd ei ddwylaw ar ei wyneb, ac ocheneidiodd fel un ar ddarfod amdano.

Ymhen ychydig daeth i ystyried pethau yn well, a cheisiodd egluro i'w gyfeillion caredig gynnwys y llythyr o fro ei enedigaeth. Gwaith anodd i Nisien Wyn oedd sôn llawer am hen gartref ei febyd heb fradychu ei serch tuag ato a'r oll o'i gwmpas. Ac er nad oedd ef yn siaradus, nac yn hoffi dweud ei gyfrinachau yn ôl arfer rhai dynion, yn ogystal â merched, eto buan iawn y deallodd y pendefig a'i fab fod trallod Nisien yn un mwy na'r cyffredin; ac wedi holi tipyn arno, penderfynwyd troi tuag adref yn ddiymdroi, gan obeithio y gallent gyrraedd yno cyn i ragor o ofidiau ymgrynhoi i'w gyfarfod.

Distaw iawn fu y dyn ieuanc ar hyd y fordaith hir. Adnabyddai efe Robert Gruffydd, Hafod Olau, yn ddigon da i ddeall fod yno drallod mawr tu cefn i'r llythyr, er iddo ysgrifennu yn brin am y cyfan. Ceisiai gysur o'r ffaith nad oedd ei thad wedi dweud fod Olwen mewn perygl, ac ni fynnai ei enaid yntau goleddu y syniad. Ceisiai berswadio ei hunan mai ymadael â'i chartref oedd wedi peri iddi ymofidio, a hithau mor dyner ei theimladau, ac y gallai efe ei diddanu a'i hadfer i'w chynefin iechyd. Ni ddacth y drychfeddwl am fyd heb Olwen ynddo gymaint ag unwaith yn eiddo iddo. Atgofiai amdani yn ei gwisgoedd gwynion, ni welodd un lliw arall erioed amdani, a'i gwallt fel aur gawod yn disgyn dros ei hysgwyddau. Dychymygai glywed y llais oedd yn fwynach na nodau yr eos yn canu iddynt yn yr hwyrddydd. Cofiai ei geiriau olaf wrtho, 'amynedd, gobaith, cariad,' a thebygai ei fod yn teimlo y llaw wen fechan yn ei eiddo ef, yna griddfanai yn uchel, a llawer gwaith y bu iddo yntau weddïo gweddi Dafydd brenin Israel, 'O! na bai i mi adenydd megis colomen,' gan fel y chwenychai yntau hefyd ehedeg yn fuan tua Llangynan i gyd-ddioddef â'i rai annwyl.

Darllenai y llythyr lawer gwaith yn y dydd, a darganfyddai lawer math o destunau galar neu lawenydd yn yr un geiriau, yn ôl mesur y gofid beunyddiol a'i hamgylchynai. Methai â dirnad paham na fuasai rhyw grybwylliad am Rhiannon ymysg geiriau ei thad, y foment nesaf gwelai fod Robert Gruffydd yn dweud fod pawb rywbeth debyg eu hiechyd ond Olwen. Gwnaeth ei noddwyr tosturiol yr oll yn eu gallu erddo, arweiniai y tad a'r mab ef i siarad am y dyfodol a'r gwaith oedd yn rhaid ei gyflawni dros ei wlad, ond llithrai yr atgofion am oriau mebyd i fysg y cynlluniau i gyd. Oni ddygent ar gof iddo yr amser pan chwaraeent hwy yn blant dedwydd, ac y tynnent hwythau hefyd gynlluniau am y dyfodol euraidd y tybient hwy oedd yn eu haros, hyd yr awr bruddaidd y bu farw ei dad ac y chwalwyd eu holl obeithion gyda'r pedwar gwynt. Cofiai am ramantau Rhiannon, a hen ddywediad Boba, 'Cestyll yn yr awyr, 'mhlant i, ddôn nhw byth i lawr,' ac fel y chwarddent hwy oblegid anghrediniaeth yr hen wraig, ac y ceisient ei hargyhoeddi. Galwai ar gof fwynder Olwen yn ceisio lleddfu ei ofid, a Rhiannon yn symbylu ei uchelgais, ac yn cydymdeimlo â'i anfodlonrwydd. Nid oedd trefn y byd wrth ei bodd hi mwy nag yntau. Feallai mai dyna'r paham y galwai Syr Tudur Llwyd hi yn 'eli llygaid,' am ei bod yn gweled mwy na'r cyffredin o'r anhrefn a'r annhegwch o'i deutu. Wrth gerdded yn ôl ac ymlaen ar fwrdd y llong gyda'i gyfaill ieuanc, aeth Nisien i siarad am hen draddodiadau ei wlad, a hanes Arthur y Ford Gron a'i farchogion, a'r modd y bu Rhiannon yn ei addysgu yn yr ystorïau henafol, ac yn tynnu gwersi oddi wrthynt i'r presennol.

'A ydyw hi yn dlos fel ei chwaer?' gofynnai ei ddisgybl.

Safodd Nisien yn sydyn, a gwenodd y wên gynhesaf fu ar ei wyneb ar ôl derbyn llythyr ei hen gyfaill.

'Rhiannon,' ebe fe, 'wel, yn wir, Charlie, fedra i ddim ateb eich cwestiwn chwi; feddyliais i erioed am y peth, a wn i ar y ddaear sut wyneb fedd hi. Ond na, nid yw hi fel Olwen. Mae'r ddwy yn annhebyg iawn. Mae'n rhaid nad yw hi yn hyll, neu buaswn wedi sylwi. Hwyrach y galwech chwi hi yn hardd. Yn sicr, nis gwn i, ches i yn fy mywyd amser i feddwl dim amdani hi. Pan fyddem yn gwrando arni yn siarad byddai yn hen ddigon o waith ceisio deall y meddyliau a fyrlymiai mewn geiriau wrthym heb sôn am i neb ddadansoddi ffurf ei hwyneb hi. Ond mae gennyf ryw gred na welais wyneb undyn yn cyfnewid mor aml. Os am y lleddf y traethai wrthym, byddai ei hwyneb yn llawn o'r hyn a elwch chwi yn pathos, ond os am y llon, byddai yr wyneb yn adlewyrchu'r enaid. Dyna gymaint o ddisgrifiad allaf fi roddi. Ddywedodd ei thad yr un gair amdani, ond mi alla i roddi fy ngair fod Rhiannon ynghanol y tywydd mawr yn yr hen ardal yn ceisio sefyll cyd-rhwng pawb arall a'r ddrycin.'

'Dyna ddisgrifiad nad oes eisiau ei well, Nisien,' ebe tad ei gyfaill ieuanc. 'Ryw ddiwrnod gobeithiaf weled y feinwen yna. Byddai'r byd yma yn tynnu yn nes at ddyfod i'w le pe ceid ynddo fwy o'i thebyg hi. Methu gollwng ein hunain yn angof na gadael i neb arall wneud hynny, chwaith, yw un o'n ffaeleddau ni, bryfed mân y ddaear yma.'

'Fy Arglwydd, nis gwyddwn eich bod yn clywed ein hymgom, lleferais yn union fel y teimlwn wrth Charlie, rhyw siarad fy meddyliau yn uchel, ond nis gallaf byth ddweud yr hanner am y caredigrwydd a gefais yn eu ffordd syml hwy gan y teulu sydd heddiw yn dioddef creulondeb olynydd fy nhad. Maent yn annwyl iawn i mi, bob un ohonynt.'

'Bûm i yn meddwl, Nisien, wedi i ni gyrraedd y lan, y gallaf fi wneud rhywbeth dros eich cyfeillion. Yr wyf yn lled adnabyddus i *Squire* y Plas Dolau, ac er nad ydym yn perthyn i'r un blaid boliticaidd, credaf pe gwyddai ef am yr holl gamwri a wneir yn ei enw, ei fod yn ddigon o fonheddwr i fyrhau gallu ei oruchwyliwr. Y rhan amlaf, y goruchwylwyr annheilwng yma sydd fwyaf i'w beio, ond nis gellir mesur y camwedd o ddifrawder a bâr i ddynion yn meddu tiroedd fod yn ddiofal ynghylch y bobl sydd yn dibynnu arnynt hwy am eu cysur.'

'Dyna fel y sieryd Syr Tudur Llwyd, mae ef yn gofalu am bob dyn a dynes sydd yn byw ar ei diroedd ef, a Rhiannon yn ei helpu meddai ef.'

'Ac felly y dylai pob tirfeddiannydd o egwyddor wneud.'

Gwrandawai ei fab, a chadwai y geiriau yn ei galon, ei fynwes yn chwyddo gan y teimlad diolchgar fod ei dad yn ddyn allai anrhydeddu o wirfodd ei ewyllys ei hun pe heb orchymyn i'r perwyl i'w gael yn unman. Yr oedd yno foneddigion eraill ar y bwrdd ond tybiai Charlie nad oedd yno un ohonynt gyfuwch â'i dad, canys teithwyr er mwyn pleser a difyrrwch oeddynt hwy, tra y gwyddai y bachgen fod diben uwchlaw hynny i bob taith i'w dad, ac na fyddai ei ymweliad ag un wlad heb ddwyn ffrwyth mewn rhyw ddull neu gilydd.

Wedi i'w llestr gyrraedd tua hanner y ffordd, canfyddwyd ei bod yn gollwng dwfr a bu raid iddynt droi i dueddau Sierra Leone yng ngorllewinbarth Affrica i gyweirio y llong cyn iddi ailddechrau mordwyo, ac er cofio geiriau olaf Olwen, a gwneud a allai ef i gadw meini eu cyfamod yn wynion, methai Nisien â bod yn amyneddgar, a gwelai bob munud o'r dyddiau yn awr hir. Pwy na all gydymdeimlo ag ef? Gŵyr y rhan fwyaf o ddynolryw mor hir yw pob ymaros, a gallai y dyddiau yma ar hyd y rhai nis gallai efe wneuthur dim ond disgwyl, osod gagendor cydrhyngddo ef am byth a'r fanon dlos a garai. Rhywbeth fel yna a ddywedodd yn ei ing wrth ei gyfeillion, ac ni fynnai ei gysuro er iddynt hwy fod yn dad a brawd iddo, a gweini arno yn bryderus. Ofnent hwythau hefyd y gallai y dyddiau a gollwyd beri fod trallod mawr yn ei gyfarfod, ac wedi iddynt lanio ar dir Prydain, buont yn daer ar Nisien adael iddynt fyned gydag ef i Langynan bob cam. Ond tra y diolchai efe mewn llais yn crynu gan deimlad iddynt, eto gwell oedd ganddo fod ei hunan. Wedi cyrraedd yr orsaf fechan yng nghwr y pentref, ofnai ofyn y cwestiwn i'r naill a'r llall o'i hen gydnabod a'u cyfarchent yn foesgar fel cynt. Gadawodd y coffr lledr yng ngofal rhywun oddeutu'r orsaf ac ymaith ag ef ar frys. Safai dyn mewn lifrai wrth ddrws cerbyd ar ei ffordd yn ymyl yr adwy, 'Mr Nisien Wyn?'

'Ie, dyna fy enw.'

'Dyma gerbyd Y Friog, Syr, at eich gwasanaeth.'

'Ond nid i'r Friog yr wyf fi yn myned.'

'Syr, i'r Friog yn ôl gyda chwi y cyfarwyddodd fy meistres fi, heb ymdroi,' atebai'r gwas yn foesgar.

Edrychai Nisien yn syn, ond meddyliai fod rhyw drefniadau wedi eu gwneud gan rywun er ei fwyn. Ac yr oedd yn rhaid pasio'r Hafod Olau i fyned i'r Friog; felly er mwyn prynu yr amser, aeth i mewn i'r cerbyd, ceisiwyd ei baciau ac ymaith â hwy.

Gan fod Hafod Olau ar ben rhiw pur serth arafodd y gyrrwr y cerbyd, disgynnodd Nisien Wyn ohono a cherddodd yn ei flaen ar garlam tua'r Hafod. Ond yr oedd y lawnt o flaen y tŷ fel pe buasai bwystfilod gwylltion wedi bod yno yn codi pob blodeuyn o'i le, ac yn sathru'r glaswellt fel ffordd. Ceisiai y bachgen anadlu tra y gofynnai iddo ei hunan beth oedd hyn. Ni welai y llian main oddeutu'r ffenestr, a chafodd y drws yn gloedig.

'O fy Nuw, yr wyf yn rhy hwyr, pa le mae Olwen, oes yma neb?' dolefai. Ond dyma law ar ei fraich a throdd a gwelodd Boba yn ei ymyl.

'O, Boba, lle mae Olwen, ydyw hi'n fyw? Lle mae pawb?'

'Ydyw mae Olwen yn fyw 'machgen i, er bod hi'n bur wan. Mi ofnas i y mynnech chi droi i'r hen gartref yma, a mi ddeudais wrth Lady Llwyd y byddwn i o gwmpas. Mae Olwen a phawb yn Y Friog, Mr Nisien.'

'Lady Llwyd, pwy ydi hi? Fyddai yno 'run Lady.'

'Rhiannon Gruffydd oedd ein henw ni ar Lady Llwyd, Mr Nisien, a does neb yn deall petha am wn i. Ond peidiwch chi â'i brifo hi.'

'Neb yn deall, Boba, o oes.' Rydw i'n deall Rhiannon. Neith un o'ch adnodau chi mo'i ffitio hi Boba?'

'Rhiannon, Lady Llwyd!' ebe fe, yna edrychodd ar yr hen wraig, 'Rhoi hunan ydi'r aberth mawr yntê Boba, er mwyn eraill.'

Cododd yr hen wraig ei ffedog at ei llygad, a neidiodd Nisien Wyn i gerbyd Lady Llwyd.

Pennod XXII
Glyn cysgod angau

I ddeall y cyfnewidiadau yn hen fro dawel Llangynan, a drodd amaethdy prydferth Hafod Olau yn anghyfannedd, a'i diroedd mor ddidrefn ag anialwch i olwg Nisien Wyn, rhaid arwain y darllenydd yn ôl am rai wythnosau; wythnosau llawn o ofid i'r hen drigolion fuont mor ddedwydd, er eu holl lafur caled, cyn hyn. Ar bob tu ni chlywid ond yr un hanes: hwylio i gychwyn o'u cartrefi, rhai o'r ffermwyr yn dechrau rhoddi eu heiddo oll ar werth, eraill yn ceisio chwilio am leoedd i gludo eu dodrefn a'u da iddynt. Y gyntaf i weled ei stoc yn myned dan forthwyl yr arwerthwr oedd Janet Williams, mam William Williams y Pregethwr; ac er y gwyddai pawb yn eithaf mor fawr oedd y brofedigaeth i'r hen wraig o golli ei haelwyd ei hun, arhosodd yn yr arwerthiant hyd y diwedd, ac wedi i'r cwbl fyned, a'r dodrefn na fynnai ei mab eu gwerthu gael eu cludo i'w breswylfod ef yn y pentref, clodd yr hen chwaer ardderchog y drws â'i llaw ei hun, a'i gwên ar ei hwyneb, a rhoddodd yr agoriad i'w mab.

'Dyna fo, 'machgen i. Dos di â hwnna i'r Plas Dolau. Methu gweddïo, "O Dad, maddau iddynt" yn iawn mae dy hen fam, eto, mi ddaw o dipyn i beth. Ond mi rydw i wedi medru deud "Dy ewyllys Di a wneler" ers amser bellach.'

Rhoddodd William Williams help ei fraich i'w fam, ac felly yr arweiniodd hi oddi wrth ddrws ei chartref hyd at ei dŷ ei hun, a llawer o'r trigolion yn eu dilyn, am eu bod rywfodd yn methu peidio, a chyn cyrraedd y pentref dechreuodd rhywun ganu yr hen bennill adnabyddus:

Ni phery ddim yn hir
    Y ddu dymhestlog nos;
Ni threfnwyd oesoedd maith

I neb i gario'r groes:
Mae'r hyfryd wawr sy'n codi draw
Yn dweud fod bore braf gerllaw.

A chanu a wnaeth pawb, er bod eu dagrau yn llifo i lawr eu gruddiau. Wedi dyfod at Siop y Pregethwr, trodd Janet Williams ei hwyneb at ei hen gyfeillion, ac ebe hi wrthynt â llais crynedig, er fod ei hwyneb yn siriol, 'Mae'r ffwrn yn boeth, ffrindia bach. Ydi, mae hi. Mae'r treial yn ych aros chitha, fy hen gymdogion, lawer ohonoch chi. Ond mae O yma, ydi mae O, a gwŷr rhyddion, ffrindia bach, sy'n rhodio ynghanol y tân eto, fel yn amser Nebuchodonosor. Ie, yn rhodio, cofiwch chi, nid ar 'u hyd ar lawr, ac mi fydd yna rywun yn siŵr o fod hefo'r gwŷr rhyddion eto. "A dull y pedwerydd sydd debyg i Fab y dyn." Fel yna, yntê William bach, mae pethau'n bod. Prynhawn da i chi bob un, a diolch yn fawr i chi. Fedra i neud dim ond gweddïo drosoch chi i gyd. Na fedra'.'

'Dim ond gweddïo ddeudsoch chi, Sioned William,' ebe Huw Huws y gof, o rywle ynghanol y fintai. Fedar neb neud mwy na hynny. Glywsoch chi ddim be ddeudodd yr hen fardd hwnnw, coffa da amdano. Dydw i ddim yn cofio'r pennill i gyd, ond dyma i chwi ddigon o ddarn ohono,

Fe gryna uffern fawr,
Pan wêl y sant eiddilaf
Yn plygu glin i lawr.

Hen foi go anodd i neud iddo fo grynu ydi Satan, ac os ydi gweddi'n medru gneud hynny, rydw i'n rhyw led gredu nad oes dim gallu mwy ar y ddaear yma.'

'Ie, Huw bach, ie. Dwyt ti ddim ymhell ohoni hi,' ebe'r hen wraig. 'Wel, fyddwch chi a'ch achos ddim ar ôl. Mi rho' i chi yng ngofal y Gŵr yfodd y cwpan chwerw 'i Hunan.'

Ac aeth Janet Williams – neu Sioned William, fel y galwai'r hen frodorion hi – i'r tŷ. A chwarae teg i Mary Williams, cafodd amser i adael y siop a'r cwsmeriaid i fyned i groesawu ei mam-yng-nghyfraith, ac estyn y gadair esmwythaf iddi yn y gornel yn ymyl y tân. Eisteddodd y fam a'i mab yno yn ddistaw law yn llaw, eu calonnau yn rhy lawn o ing i siarad. Ymhen ennyd, cododd yr hen wraig ei llygaid, ac ebe hi, 'Mi allasai fod yn llawer gwaeth William bach. Mae yna rai fydd raid iddynt ddioddef mwy, dyn a'u helpo. A mae'n dipyn o beth fod cartre machgen i yn medru agor y drws yn llydan i dy fam. Mi derbyniodd Mary fi yn ots, yn wir.'

'Mam bach, braint fawr i Mary a minna ydi meddu cartref i'ch derbyn chi iddo. Diolch iddo am y fraint.'

'Sut mae petha yn yr Hafod Olau, William?'

'Dim hanes lle yn unman eto, medda Robert Gruffydd. Mae'n edrych yn debyg y rhaid gwerthu'r anifeiliaid i gyd. Wrth gwrs, mae'r teisi gwair a'r tyrra tatws, a phopeth fel yna, i fynd yr wythnos nesaf.'

'A John Thomas, y Siop Goch, sydd wedi cael y cymeriad?'

'Felly mae pobl yn dweud o gwmpas. Mae hi'n dipyn o job, mam, peidio gofyn hen gwestiwn Habacuc: "Paham yr edrychi ar yr anffyddloniaid, ac y tewi, pan lynco yr anwir un cyfiawnach nag ef ei hun?"'

'Ydi, William bach, ydi, ond y cyfiawn a fydd byw trwy ffydd, yntê? Mae geneth ieuanc yr Hafod Olau yn wael iawn, hefyd.'

'O! ydi, mae Olwen Gruffydd yn suddo yn bur gyflym, i bob golwg ddynol, ond yn edrych yn brydferthach a mwy annwyl nag erioed, pe hynny yn bosibl. Druain ohonynt!'

Pan ddaeth y newydd am yr orymdaith a hebryngodd Janet Williams o'i hen gartref i dŷ ei mab yn sŵn cân a moliant i glustiau Mrs Harris, y Plas Dolau, meddiannwyd hi gan ofnau lu. Estynnodd ei Beibl, a darllenodd y gorchymyn pendant y bu i Dduw ei roddi i Moses ar ben y mynydd tanllyd, a chrynai Mrs Harris tra yn darllen geiriau y gyfraith: 'Na chystuddiwch un weddw, nac amddifaid.' Os oedd y weddw yn wrthrych gofal arbennig y Duwdod, fel y bu iddo ddysgu ei bobl pa fodd i ymddwyn tuag ati, beth, ebe Mrs Harris, fyddai y canlyniadau i'r rhai a estynasant eu dwylaw i'w hysbeilio a'i chystuddio? A dechreuodd y foneddiges ymofidio yn ei hysbryd am yr holl gamwri a wnelai ei phriod yn feunyddiol, a sibrydwyd yn yr ardal iddi ddylanwadu cymaint ar Mr Harris, fel y gadawyd John Meredydd, y melinydd, heb ei rybuddio i ymadael. Ysgydwai John Meredydd ei ben, a dywedai fod yn debycach ganddo ef fod Mr Harris yn deall mai dyn pur anodd dod o hyd iddo oedd melinydd da, yn deall y gwaith o falu haidd a gwenith, a'u peillio wrth fodd y ffermwyr, yn gystal â silio'r ceirch heb adael yr eisin ar ôl yn y blawd, a gofalu fod yr holl lwch wedi ei droi o'r neilltu. Gwyddai John Meredydd trwy brofiad beth oedd methu dyfod o hyd i felinydd at waith gwlad. Bu lawer gwaith yn chwilio am help ar amseroedd prysur iawn, ac arferai ddweud fod chwilio am felinydd y peth tebycaf i chwilio am nodwydd ddur mewn tas o wair. A pha faint bynnag oedd a wnelai cydwybod Mrs Harris â pherswadio ei gŵr i beidio ymyrryd â John Meredydd, diau fod y melinydd yn ei le fod a wnelai cadw melinydd da ar y stad gryn lawer yn fwy â'r pwnc.

Ar hyd y dyddiau trallodus hyn, cerddai Elin Tyn'ffordd yn ôl ac ymlaen, yn ddistawach lawer nag yr arferai hi ymddwyn. Weithiau, byddai ar ei chodiad yn yr Hafod Olau, yn holi rhai o'r gweinidogion, 'Sut mae Miss heddiw, Miss glws?' Ac wedi cael ateb ei chwestiwn, ymaith â hi tuag adref. Wedi hynny, byddai yn nhŷ Boba, yn holi yr hen wraig oedd 'dyn y Siop yn mynd i fyw i'r Hafod Olau, ne i ble roedd pawb yn mynd.' Unwaith cyfarfyddodd Francis Glyn yn myned i Hafod Olau gyda phwysi o flodau, a safodd yn syn o'i flaen. Yna rhoddodd ei llaw ar ei hwyneb, a gofynnodd ddo, 'Ble mae nefoedd? meddaf i wrth mam, 'dwn i ddim ble mae fan honno, a dydw i ddim yn mynd 'run fath â Miss glws.' A thorrodd i wylo yn hidl.

Ceisiodd y bonheddwr ieuanc ei diddanu ond wylai Elin fel un na fynnai ei chysuro, am fod rhywun wedi dweud wrthi fod pawb yn myned o Hafod Olau. 'A fedra i ddim byw heb Miss. Y hi fydd yn 'y nysgu i i fynd fel Miss glws.'

Trodd fel pe am fyned i'w ffordd, ond ymhen ychydig eiliadau, wele hi eilwaith wrth ei ochr.

'Rydach chi'n leicio Miss a phawb, a mae Mr Harris y Plas yn frwnt iawn wrthyn nhw. Newch chi helpu ni i dalu iddo fo? Mae Dyddgu am helpu; mi neith hi lot, a mi geith o gelpan gin inna. Rydan ni o ochor Miss. Ydach chi?'

'O ydwyf, Elin, rydw inna o ochor Miss,' atebai'r dyn ieuanc, ei galon yn ei eiriau.

'Ydi Miss yn gwbod bod chi o'i hochor hi, a chitha yn byw yn y Plas? Ddaru chi ddeud wrthi hi?'

'Rwy'n meddwl 'i bod hi, Elin, ond na, ddwedais i ddim wrthi chwaith. Ac rwyf fi yn cychwyn i ffwrdd o'r Plas prynhawn heddiw.'

'Duwc annwyl, syr. I ble rydach chi'n mynd?'

'Rhaid i mi fynd i ffwrdd, Elin, i weithio.'

'Y chi'n gweithio,' a chwarddodd Elin yn watwarus. 'Be fedrwch chi neud? Does dim golwg gweithio arnoch chi, a Duwc annwyl, meddaf i wrth mam, meddaf i, rêl gŵr bynheddig ydi o.'

'Wel, ffarwél, Elin. Mi ddof fi yn ôl cyn hir iawn i edrych sut y bydd pawb yma, a mi gofiaf am bresent i chwithau am fod yn eneth dda, ac yn gofalu am Miss?'

'Lle mae Iesu Grist, Syr? Fedra i ddim dŵad o hyd iddo Fo. Waeth i mi ble i browla amdano Fo, mae O fel tasa Fo'n chwara mic ymguddiad hefo mi.'

Ni feddai Francis Glyn ddigon o oleuni yn ei enaid ei hun i allu rhoddi fawr o gymorth i Elin i ddod o hyd i'r Gwaredwr a dybiai allasai wneud meistr ar Mr Harris y Plas, a chynghorodd hi i ofyn amdano i Syr Tudur Llwyd.

Cychwynnodd Elin tuag adref, ac aeth Francis Glyn yn ei flaen at Hafod Olau. Ond cyn iddo fyned yn brin ganllath o'r ffordd, clywai lais Elin unwaith yn rhagor.

'Well i chi ddeud wrth Miss bod chi o'i hochor hi cyn i chi fynd i ffwrdd. Be tase hi'n mynd i'r nefoedd i ddanfon Miss glws. Newch chi ddeud wrthi hi rŵan bod chi o'i hochor hi? Cofiwch chi.'

Ac aeth y dyn ieuanc i'w ffordd yn sŵn y gair 'cofiwch' o enau Elin. A phe gwybuasai Francis Glyn faint y gofid y bu raid iddo ef ei ddioddef am nad ufuddhaodd i'r 'cofiwch' hwnnw, diau y buasai Rhiannon Gruffydd wedi deall ei fod ef 'o ochor Miss.'

Ond wedi cyrraedd yr Hafod Olau, yn ei fyw nis gallai ddirnad pa fodd i gael hanner dwsin o eiriau gyda Rhiannon ei hun. Gwelai fod Olwen yn waelach y diwrnod hwnnw, a'i chwaer a'i mam yn gweini arni yn ddi-baid. Cododd o'i eisteddle, gan dybied nad doeth oedd iddo aros yno ond am ychydig amser, a lled obeithiai y deuai Rhiannon i agor y drws iddo. Eithr cyn iddo ganu yn iach ag Olwen a'i mam, wele Robert Gruffydd yn yr ystafell, ac er iddo edrych ar Rhiannon â'i galon yn ei lygaid, eto ei thad aeth gydag ef i'w arwain allan. Ysgydwodd law yn garedig iawn â'r bonheddwr ieuanc, ac ebe fe, 'Ffarwél, Mr Glyn, ffarwél. Mi fuoch yn garedig iawn i mi, ac y mae'n dda gan bawb yma amdanoch chi. Dydi bod chi'n nai i Mr Harris yn gneud un gwahaniaeth yma. 'Dwn i ddim paham rydw i'n teimlo awydd i ddeud wrthoch chi wrth ymadael fel hyn, ond mi fydd yn dda iawn gan 'y nghalon i ddeall bod chi wedi cael y golau, Mr Glyn.' Crynai gwefusau Francis Glyn, tra y dywedai, 'Gweddïwch drosof,

Robert Gruffydd, mae'r niwl yn bur dew o'm cwmpas, ac mae'r ffaith fod yr hyn alwch chwi yn Ragluniaeth yn goddef fy ewythr i drin pobl dda, oeddynt yn ddedwydd nes y daeth ef yma, yn gwneud fy nhywyllwch yn fwy. Fedraf fi ddim peidio ofni fod yna ryw gamesbonio yn rhywle, ond ymbalfalu yr wyf finnau hefyd, ac waeth i mi beidio ceisio deall, am wn i,' ac edrychodd tua drws yr ystafell y daeth ohoni.

'Ydi, Mr Glyn, ydi, mae ein Holwen dlos ni, sydd mor annwyl i'n henaid, yn prysur hwylio tua'i chartref nefol,' ebe Robert Gruffydd, gan dybied mai yr olygfa oeddynt newydd ymado â hi y meddyliai Francis Glyn amdani. 'Fedraf finnau, chwaith, ddim tewi fel y dymunwn i o dan y ddyrnod yma. Mi fyddaf yn meddwl pe cawswn Gwen a'r genethod hefo mi na fuasai troi cefn ar fy hen gartref fawr o beth, ond Efe sydd wrth y llyw, ac ni wiw i ni rwgnach os yw Efe am fyned â fy mhlentyn i'w fynwes ei Hun, lle y bydd cystudd a galar wedi ffoi oddi wrthi am byth. Ac Efe ŵyr orau, pe y gallem ni gredu, Mr Glyn,

O fryniau Caersalem ceir gweled
Holl daith yr anialwch i gyd.

A mi fydda i'n rhyw led feddwl, pan welwn ni'r daith i gyd, Mr Glyn, y byddwn ni yn ei gweled hi y

Ffordd unionaf, er mor arw,
I'r ddinas gyfanheddol yw.

Gobeithio y cawn ni eich gweled yn yr Hafod Olau yma unwaith eto, Mr Glyn. Ond os na chawn ni yma, mae yna Hafod Olau arall nas gall neb ddiffodd ei goleuni hi yn dragywydd. "Ei goleuni hi yw yr Oen," ac mi wnewch ych gorau, oni wnewch chwi, i rodio'r ffordd y mae ei phen draw hi wrth y pyrth o berlau. Byr, ysgafn gystudd, wedi'r cwbl, ydyw hi yma, ond yno y tragwyddol bwys gogoniant. Ie, ie.'

'Rydw i'n gobeithio bod yn ôl cyn amser eich ymadael chwi, Mr Gruffydd, os nad ellir osgoi hynny. Mae'r caredigrwydd dderbyniais i yma wedi bod yn fawr iawn. Cefais olwg newydd ar fyd yma, ac mae'm ffydd mewn dynolryw gryn lawer yn amgenach na phan agorwyd y drws yma i mi y tro cyntaf. Gobeithio, erbyn y deuaf yn ôl, y byddaf yn fwy teilwng o'r ffafr ddymunaf ofyn i chwi.'

'Wel, os bydd rhywbeth ar fy llaw i wneud i chwi, gellwch fod yn sicr y bydd i mi geisio, os gallaf, fod o ryw gymorth i chwi, er nad wn i ddim sut heddiw. Ond pe na chaem byth gyfarfod eto, peidiwch anghofio, 'machgen i, mae'r goleuni yn bod p'run bynnag welwn ni o neu beidio.'

Ysgydwodd y ddau law yn garedig, ac felly yr ymadawsant.

'Mae'r brofedigaeth yn bur lem o'r ddeutu iddo,' ebe Francis Glyn wrtho ei hun, 'ond galwodd fi "'machgen i" am y tro cyntaf. Beth yw meddwl fy ewythr yn poeni dynion fel hyn? Os ydyw pechod yn sicr o gosbedigaeth, mor ofnadwy fydd taledigaeth gweithredoedd fel hyn.'

Trodd ei wyneb tua'r felin i ganu'n iach â Dyddgu fechan, ond cyn dyfod o hyd i'r plentyn, cyfarfyddodd ei thad, ac yn ôl arfer pobl o siarad ynghylch yr hyn fydd nesaf at eu calon, dechreuodd Francis Glyn draethu ei gondemniad o'r trallod di-alw-amdano oedd yn yr Hafod Olau.

'Yn wir, Mr Glyn, rydw i bron yn methu dal i edrych ar neb yno. Mae Robert Gruffydd fel pe wedi torri ei galon, ac yn paratoi i ymadael â'r hen babell bridd yma gynta meder o. Roedd William Williams yn dweud y bore yma fod yno ryw deimlad ym mhob gair mae Robert Gruffydd yn siarad. Fuo mi rioed yn 'y mywyd yn y fath le ag yn y seiat neithiwr. Roedd pob un ohonom ni'n crio fel plant yno, ond Robert

Gruffydd 'i hun, ac mi roeddwn i'n cael rhyw olwg arno fel y disgrifia'r efengylwr oedd ar wyneb Steffan: fel wyneb angel. A dyna'r eneth ieuanc yna, mae hi i'w gweled yn gwywo bob dydd, a'i mam yn gwenu mor siriol ar ei merch, a does neb ŵyr fel mae hi'n dioddef ei hun. Mae'n fwy na fedraf fi ddal, yn wir, i edrych arni hi. Fedra i ddim credu, Mr Glyn, y caiff ych ewythr farw yn 'i wely fel dyn arall. Mae'r dyn fel petai o wedi 'i wneud o haearn.'

'Beth am Miss Gruffydd, John Meredydd? Ydych chwi'n meddwl bod hi'n dal y tywydd drwg yma?'

'Mi ddeil hi tra rhaid iddi hi, Mr Glyn. Mae Miss Gruffydd wedi 'i gneud o well stwff na'r rhan fwya' ohonon ni.'

'Ydych chwi ddim yn meddwl fod Miss Gruffydd yn teimlo'r trallod gymaint?'

'Teimlo? Chewch chwi na finna ddim gwybod faint. Ond mi wn i sut un ydi hi er pan oedd hi'n eneth fach. Teimlo? Na, fydd Rhiannon Gruffydd ddim yn gweiddi a chrio; ond pe gwelech chi a finna'r galon fawr fedd yr eneth yna, mi gwelem hi'n gwaedu, Mr Glyn, ond chymer hi ddim amser i edrych ar ei briw 'i hun. Mae'i hunan-angof hi yn rhy berffaith. Druan ohoni! Ac roedd pawb yma mor ddedwydd cyn i Mr Harris ddŵad yma. Dyma Dyddgu wedi clywed sŵn ych llais chi. Mi fydd yma alar mawr wedi i chi gychwyn, yn siŵr ddigon. Peidiwch â bod yn hir heb roi tro o'n cwmpas ni. Does yma neb yn yr hen ardal yma na fyddai'n dda iawn ganddynt pe bai modd gwneud y cyfnewidiad y canodd Elin Tyn'ffordd amdano i ni o flaen y lecsiwn. Rhaid i mi fynd tua'r felin yna, rhag ofn i'r hopran fynd yn wag. Duw yn rhwydd i chi ar ych taith.'

Erbyn hyn, yr oedd llaw Dyddgu yn llaw ei chyfaill, a hithau yn siarad cymaint fel nas gallai ef gael un gair i mewn. Ond o'r diwedd gallodd roddi ar ddeall iddi ei fod yn myned ymaith at ei waith. A synnai Dyddgu eto ei fod ef yn sôn am weithio, ond er ceisio eu cuddio, rhedai y dagrau mawr ar hyd gruddiau y fechan.

'Peidiwch â bod yn hir iawn, Mr Glyn. Mae mam yn deud bod ni ynghanol yr amserodd enbyd yr oedd yr Apostol Paul yn sôn amdanyn nhw wrth Timotheus – rydw i wedi dysgu Timotheus i gyd, bob gair – a mi fasa'n dda iawn gin i i chi beidio bod ymhell. Mae pawb yn sôn am ddrycin ond y chi, Mr Glyn, a mae pawb yn crio lot fawr, a fydda i ddim yn leicio crio. A mae pobol yn deud mai Mr Harris, y Plas, sy'n gneud dryga. Piti na fasa fo'n mynd i ffwrdd yn ych lle chi, yntê?'

'Dyddgu fach, mi leiciwn inna aros yma hefyd, er bod pawb yn crio; a dyma fy enw i a'r lle rydw i'n mynd iddo fo, ac mae arna i eisiau un llythyr bob wythnos gan fy ffrind fach yma, i ddweud hanes pawb a phopeth wrthyf fi fydd ymhell. Newch chwi gofio, Dyddgu?'

'Cofio? G'na'. Fydda i ddim yn peidio cofio dim byd. Mi ddeuda i bob dim – bopeth.'

'A sut y bydd Boba, a Syr Tudur Llwyd, a phawb yn Hafod Olau, yntê, Dyddgu?'

'O! ie, a Bel a phawb, a Llew, a Ted. Y cwbwl i gyd.'

'Ac mi fydd Dyddgu yn mynd i Hafod Olau bob dydd?'

'Bydda', i helpu Miss Rhiannon i dendio ar Miss Olwen. Mae Miss Olwen yn sâl – yn sâl iawn – a mae hi'n mynd i'r nefoedd; a mi ddeuda i wrthoch chi pan fydd hi'n cychwyn. Mi fydd hi yno o flaen pawb, medda Huw Huws wrth Boba. A wydda Boba ddim pwy aetha gynta, medda hi. Ond mi gewch chi wybod?'

Cusanodd Francis Glyn ruddiau yr eneth fechan, ac ymaith ag ef i gychwyn ar ei daith. Ond bychan feddyliodd ef na neb arall yn y plwyf pwy fyddai'r cyntaf i fyned i'r nefoedd oddi yno, neu digon prin yr ymadawsai Francis Glyn y diwrnod hwnnw.

Yn fore drannoeth, gyda'r wawr cychwynnodd Robert

Gruffydd, hefyd ar gefn ei geffyl dros y mynydd. Clywsai fod yno fferm led helaeth wedi myned yn wag oherwydd marwolaeth y penteulu, ryw ugain milltir o Langynan, a'r meistr tir yn fonheddwr llai Torïaidd ei syniadau na'r mwyafrif, a phenderfynodd Robert Gruffydd wneud cais amdani. Cafodd daith gysurus iawn tuag yno, ac ni siomwyd ef yn y meistr tir chwaith. Bu ymgom led faith cydrhyngddynt, a chytunwyd ynghylch y pris, a'r amser i gymeryd meddiant, a threfnwyd fod y cytundeb cyfreithiol i'w baratoi a'i anfon i Robert Gruffydd ar fyrder. Ac wedi gorffen y drafodaeth, trodd Robert Gruffydd ei wyneb yn ôl tuag adref, ei galon lawer yn esmwythach na phan yn dechrau ei daith. Wedi cyrraedd i'r ucheldir ar ben y mynydd, disgynnodd oddi ar ei geffyl ac offrymodd weddi ddiolchgar i'w Dad Nefol am Iddo baratoi man i gartrefu ynddo iddynt unwaith eto, gweddi o foliant am y gofal y teimlai Robert Gruffydd a'i canlynai bob modfedd o daith yr anialwch er gwaethaf grym y gelynion. Ond pan encyd o ffordd oddi wrth yr Hafod Olau dechreuodd y nef uwchben dduo, a'r cymylau dywallt glaw mawr ar y ddaear. Gwlychodd Robert Gruffydd at ei groen. Pan ddaeth at ddrws ei gartref, yr oedd yn crynu gan oerfel. Buan y daeth Gwen Gruffydd a'i ddillad sychion iddo at y tân yn y gegin, ac ebe hi, 'Mi gaewn y drysau yma, Robert, mi ofala i na ddaw yma neb i fewn. Mae'n well i chwi newid o flaen y tân cynnes yma o lawer, Robert bach, yn wir mae'r cryndod yma yn boenus iawn.'

'Mi fydda i'n burion, 'ngeneth i, wedi i mi gael gwared o'r dillad gwlybion yma. Un digon symol ydw i i ddal gwlychu erioed rywsut.'

Tynnodd Gwen Gruffydd yr esgidiau a'r hosanau ei hunan, yna rhwbiodd ei draed a'i goesau gyda thywel sychion, wedi hynny tra bu efe yn gorffen ymwisgo, aeth i dwymo llefrith iddo, ac ymhen tua hanner awr wedi iddo fwyta ac eistedd yn ochr y tân i ddweud hanes ei daith wrthynt, ymddangosai Robert Gruffydd yn union fel arfer: siaradai yn llawen fel yn y dyddiau cyn y trallodion, a cheisiai bortreadu mor hapus fyddent yn eu cartref newydd.

'Sut drefn fydd ar y capel yma, 'nhad, hebddoch chwi?' gofynnai Olwen, dan wenu yn chwareus.

'Mi fydd yma eitha trefn, Olwen fach, welest ti rioed fel y llenwir y lleoedd gweigion, 'ngeneth i, a maen' nhw wedi dysgu cerdded 'i hunain yno i gyd, ac yn bur sad ar 'u traed hefyd chwarae teg iddyn nhw. Mae'n pobol ni wedi dal y treial fel gwroniaid, yn well nag y bu i mi erioed feddwl y gwnaent. Ond "Efe a rydd nerth a chadernid i'w bobl," a phan ddaw'r cyfyngder, Efe eto yw yr Arglwydd a barthodd y môr pan ruodd ei donnau. Dyna'r hanes, Olwen fach, "y nefoedd yn darfod fel mwg, y ddaear yn heneiddio fel dilledyn, ei phreswylwyr yn meirw ond Fy iachawdwriaeth I a fydd byth, a'm cyfiawnder ni dderfydd." Ac felly, 'ngeneth i, lle bynnag byddwn ni, mi fydd yr Arglwydd yng nghanol Seion. Heddiw wrth groesi'r mynydd yna roedd yr adnod honno ar fy meddwl i o hyd. "Wele ar gledr fy nwylaw y'th argreffais; dy furiau sydd ger Fy mron bob amser," ac roeddwn i'n teimlo yn euog iawn o'i flaen Ef, deulu bach, oherwydd yr holl boen meddwl a'r gofid ynghylch troi o'r hen gartref yma. Mi ddylaswn i fod wedi ymddiried mwy yn y cof tragwyddol amdanaf.'

'Pa ddisgyblion eto, Robert, fu yn yr hen fyd yma na orfu i'w Harglwydd roddi yr un esgus drostynt? Yr ysbryd yn ddiau sydd barod, ond y cnawd sydd wan; ac mae gofid oherwydd fod yn rhaid gadael yr hen gartref yn deimlad mor naturiol fel na fynswn i er dim ych gweld chi hebddo, Robert bach.'

'Cas gŵr na charo'r wlad a'i maco, yntê mam,' ebe Rhiannon, 'dyna egwyddor ddi-fai i undyn, fel y dywedsai Boba, 'nhad.'

'Ie debyg cin i, Rhiannon. Wel, dowch, gadewch i ni gael dyletswydd, i ni fynd i'n cadw, rydw i'n teimlo wedi hario tipyn er fy ngwaetha.'

Estynnodd Rhiannon y Beibl mawr, a galwodd ar y gweinidogion i fewn, ac agorodd ei thad y cloriau. Wedi troi aml i ddalen darllenodd y drydedd salm ar hugain, ac wedi hynny y bedwaredd bennod ar ddeg yn Efengyl Ioan, a chaeodd y Beibl. 'Beth fyddai i ni ganu pennill, 'mhlant i, rŵan hefo'n gilydd? Rydan ni i gyd yn cofio i'r Gwaredwr a'r disgyblion ganu emyn y noson olaf honno yn yr ardd. Mi ganwn ninnau am unwaith eto.'

Melysach tŷ fy Nhad
  Ar ôl y storom gref;
Po fwya'r croesau gaed,
  Mae'n hawddach gado tref:
O! hyfryd weld fydd yn y man
Pob bryn a ddringais i i'r lan.

Wedi canu'r pennill drosodd a dyblu'r ddwy linell olaf, gwenodd Robert Gruffydd arnynt oll, ac ebe ef, 'Fuo yma erioed well canu na heno, deulu bach. Mae llais Olwen yn gliriach nag y clywais i o ers talwm. Ond beth fydd y canu draw os ydi hi fel yma hefo ni. Ond ran hynny mae pawb yn hoffi'r wlad fry a'r glanio draw ynddi hi. Ofn y glyn sydd arnom ni i gyd, yntê? Ond raid i ni ddim, deulu bach, na raid, na raid. Ie, dim niwed yn y glyn i'r un o'r plant, ac yna mynediad helaeth i mewn i'r llawer o drigfannau, yntê? Gweddïwn.'

A'r fath weddi oedd honno! Ymhen blynyddoedd meithion cofiai pob un a adawyd amdani. Nid rhyfedd i Olwen egwan afael yn dynnach yn llaw ei mam, a gofyn yn ddistaw iddi edrych ar wyneb ei thad. Crynai Rhiannon gan deimlad, ac wylai y gweinidogion bron yn ddieithriad. Ymddangosai eu meistr fel Jacob yn benderfynol o ddal ei afael hyd nes cael y fendith. Offrymwyd gweddïau taerion lawer iawn oddi ar yr aelwyd yn Hafod Olau, ond dyma'r weddi nad â byth yn angof. Cododd Robert Gruffydd oddi ar ei liniau, ei wedd wedi newid.

'Wn i ddim be sy ar Mistar,' ebe'r hwsmon wrth ei gydweision, 'mae'r olwg arno yn dychryn 'y nghalon i. Ac eto mae o'n edrych yn fwy calonnog heno na gwelais i o er pan dderbyniodd o'r notis oddi wrth y sgriw yna.'

'Mae Miss Olwen a Mistar yn misio cuddio fod nhw wedi torri'u calon,' ebe Siôn, 'a mi leiciwn i ddŵad ar draws Harris, y Plas, yna yn y twllwch ar 'i ben 'i hun. Ond does dim dichon cael y sgerbwd allan wedi iddi hi ddechra twllu; mae arno fo ormod o ofn ysbryd Mr Wyn sy'n troi o gwmpas y Plas.'

'Na, Siôn bach, mae Mr Wyn yn ddigon tawel, dydi o'n aflonyddu dim ar neb, cydwybod euog Mr Harris sydd yn creu bwganod o'i gwmpas o ym mhob man.'

Ar hyn wele'r drws cefn yn cilagor, ac Elin Tyn'ffordd yn pigo ei phen i fewn.

'Sut mae Miss Olwen heno, Siôn? Ydi hi'n well?' a sychai yr eneth y dagrau mawr a redent i lawr ei gruddiau, ac ysgydwai ei chorff yn ôl ac ymlaen. 'Fuo Iesu Grist hwnnw yma, Siôn? Mae arna i eisio i weld O. 'Dwn i ddim lle mae O, a mae arna i eisio Iddo Fo beidio ymdroi, achos does dim amsar. Dydw i ddim yn gwybod beth mae O'n ddeud chwaith, Miss sy'n gwybod.'

Clywodd Rhiannon lais Elin, a daeth yno, a gofynnodd iddi, 'Sut rwyt ti heb fod yn dy wely, Elin?'

'O! Miss, peidiwch â dwrdio, a meddaf i wrth mam, meddaf i, "Mi a i ofyn sut ma' Miss Glws", a meddaf i, "Welas i byth mo Iesu Grist yma", a medda mam, "Weli di mono fo chwaith," ond mi rydw i'n gweld Harris y Plas, Miss, bob dydd.'

Tynnodd ei llaw o dan ei siôl a thusw o 'hen ŵr' ac ychydig o ddail bôm ynddi.

'Newch chi roi rhein i Miss Glws? Mae hogla da arnyn nhw.'

'Well i ti ddod i fewn a'u rhoi nhw i Olwen dy hun, Elin, cyn iddi fynd i'w gwely.'

Camai Elin cyn ddistawed â llygoden ar ôl Rhiannon, ac aeth ymlaen at Olwen, a rhoddodd y blodau ar ei glin. Gwenodd Olwen arni, a diolchodd iddi yn dyner. Safodd Robert Gruffydd am foment ar garreg yr aelwyd, a gwenodd yntau hefyd ar Elin, ac ebe efe yn ei ddull caredig wrthi, 'Da, 'ngeneth i, mae'n dda iawn gennyf fi a phawb yma dy weld ti yn eneth dda, Elin.'

'Welsoch chi Iesu Grist, Rhobat Gruffydd? Ddoethoch chi hyd ddo Fo? A meddaf i wrth mam, Duwc annwyl, meddaf i, wn i ddim ble i chwilio amdano Fo chwaith.'

'Elin bach, mae Iesu Grist o'n cwmpas ni yn gofalu amdanom ni bob dydd, ym mhob man, ac mae O'n clywed y gair hyll yna wyt ti yn ddeud o hyd. Weli di hwn, Elin? Dyma i ti chwe cheiniog a thwll yno fo i gadw yn bres poced. Treia di gofio peidio deud geiriau hyll. Mae Iesu Grist yn clywed y cwbwl i gyd.'

Edrychodd Elin ar Robert Gruffydd yn syn, a gwasgai y chwe cheiniog yn ei llaw, ac ebe hi, 'Be sy matar arnoch chi, Rhobat Gruffydd? Ydach chi yn i weld O? Dydw i ddim.'

'Mae 'nhad wedi blino, Elin, ac am hwylio i'w wely. Well i titha fynd, hefyd,' ebe Rhiannon.

'Noswaith dda i ti, Elin. Cofia fod yn eneth dda bob amser,' a chyn i neb gael ei wynt ato, diflannodd Elin mor ddistaw ag y daeth i fewn.

'Wel, 'mhlant i, tangnefedd i chi'ch dwy dros y nos. Tangnefedd! Rhodd arbennig yr Arglwydd Iesu, yntê? Tangnefedd!'

Daeth Gwen Gruffydd atynt, a llefrith cynnes a llwyaid o

fêl ynddo mewn cwpan yn un llaw, a photel a dwfr poeth yn y llall.

'Rŵan, Robert, gore po gyntaf i chwi gynhesu yn eich gwely.'

Ond er yr holl ofal drosto er pan ddaeth adref yn ei ddillad gwlybion, ymhell cyn iddi dorri'r wawr drannoeth, ceid teulu Hafod Olau i gyd ar eu traed, a golwg dychrynedig arnynt, ac un o'r gweision yn gyrru nerth carnau ei farch i chwilio am y meddyg at erchwyn gwely y meistr a hoffent oll gymaint; ac yntau yn hollol anymwybodol o'r oll o'i gwmpas, y meddwl clir a'r synnwyr cryf yn aberth i wres ei glefyd, a'i ddryswch yn boenus i deimladau ei wraig a'i ferch. Olwen yn unig, oedd eto heb ddeall fod 'tywyllwch y glyn' yn gor-doi pob cornel o'r Hafod Olau.

Pennod XXIII
Cysgod angau yn foreuddydd

Am lawn tridiau, bu Robert Gruffydd yn ymladd â'i glefyd, heb ddeall dim oedd yn myned ymlaen o'i gwmpas, a mawr fu'r drafferth i'w gadw yn ei wely. Yn ei ddryswch, gwaeddai am ei ddillad. Ar brydiau, tybiai ei wraig ei fod yn meddwl ei fod yn garcharor gan Mr Harris yn y Plas Dolau; dro arall, erfyniai arni hi adael iddo gael ei ddillad, er mwyn iddo roddi tro oddeutu'r fferm a'r anifeiliaid; ac er ei galar, gwelai Gwen Gruffydd ef yn teimlo dillad y gwely, a'u trin yn ôl dull y cleifion pan yn dechrau rhydio'r afon. Nid oedd mwyach le i obeithio yn ei mynwes hi, dim ond gweddïo yn ei hing am nerth i weini arno; a chynorthwyid hi gan ei merch. Ymddangosai Rhiannon fel ym mhob man ar unwaith: ei gruddiau yn welw a'i llygaid yn sychion. Daeth Boba yno o'i bwthyn y bore cyntaf.

'Dydw i fawr o iws, Rhiannon, ond mi fedra gadw cwmpeini i Olwen, a cheisio gwneud y mân betha iddi hi rhynga i a Dyddgu, yn lle tynnu y morwynion yma oddi wrth'u gwaith, i Gwen Gruffydd a chitha gael chware teg hefo'ch tad.'

Wylai Olwen yn barhaus, ei wylo distaw gwanaidd hi, a deallai yr hen wraig y math hwnnw o alar. Y wên dangnefeddus ar wyneb Gwen Gruffydd, a'i thawelwch pwyllog yn nyfnder y dyfroedd ystormus, a ofnai Boba, a chanlynai ei llygaid symudiadau Rhiannon yn ôl ac ymlaen.

'Rhiannon,' ebe hi un bore, pan ofalai y ferch ieuanc am yr oll i mewn ac allan yng ngwaith y dydd. 'Rhiannon, sut mae 'y ngeneth 'i hun?'

'Y fi, Boba, y fi? Wn i ddim. Fedra i ddim 'u brifo nhw. Mi ddeudodd 'nhad rhyw dro stalwm, pan oeddwn i'n eneth fach, hwyrach byddwn i'n gorfod gofalu am mam, ac Olwen, pan fydde fo'n methu. Rydw i'n treio. Wn i ddim arall, Boba.'

Ocheneidiodd yr hen wraig yn ei chalon. Gwelai ei bod ym mhresenoldeb galar rhy ddwfn i ddagrau, ac aeth hithau yn fud o'i flaen.

Fore'r pedwerydd dydd, agorodd Robert Gruffydd ei lygaid, ac adnabyddodd Rhiannon. Gafaelodd yn ei llaw, pan estynnodd hi y gwpan a'r ffisig iddo, ac ebe fe wrthi, 'Rhiannon, rydw i'n gorfod ych gadael chi, 'ngeneth i, a does yma fawr o drefn, fel baswn i'n ddymuno; ond mae adnod dy fam yn para: "Yr Arglwydd sydd yn teyrnasu."'

Ceisiodd gael ei wynt, ond yn ofer am rai eiliadau. Yna aeth ymlaen, 'Rydw i'n gadael dy fam ac Olwen yn dy ofal di, Rhiannon, ac mi gei help. Fy nghysur i yn y fan yma, pan raid i mi ych gadael chi yn y tywydd mawr, ydyw ei addewid Ef: "Gad dy amddifaid, Myfi a'u cadwaf hwynt yn fyw; ac ymddirieded dy weddwon ynof Fi." Mi gei di help y Gŵr bia'r fraich Hollalluog, Rhiannon. Fydd Olwen fawr iawn ar fy ôl i, a fydd hi ddim yn hir cyn y dowch chitha'ch dwy, ac wedyn mi fyddwn yn deulu cyfan yn y wlad nad oes marwolaeth o'i mewn.'

Bu distawrwydd cydrhyngddynt am ychydig, a Rhiannon yn gafael yn y llaw fu yn ei harwain hyd yn hyn. Yna ebe ei thad, 'Well i ti alw ar dy fam. Mae hi a finna wedi bod yn hapus iawn, a mi leiciwn i gael tipyn o hamdden i ganu ffarwél â hi cyn cychwyn. A mi fydda'n eitha gen i weld Syr Tudur Llwyd am funud neu ddau; mi fydd o'n dipyn o gefn i chi. Mi ŵyr o'n well sut i fod na neb arall.'

Cusanodd Rhiannon dalcen ei thad yn dyner, ac ymaith â hi.

'Mam, mae 'nhad fel fo'i hun, ac yn gofyn amdanoch chi,' ebe hi wrth Gwen Gruffydd. 'Mi fedra i neud y cwbwl fan yma.'

Wedi hynny, anfonodd genadwri i'r Friog, a daeth Syr

Tudur Llwyd i lawr ar unwaith. Nis gallai Syr Tudur lefaru yr un gair: yr oedd yr ing enaid yn wyneb ieuanc llon Rhiannon yn ormod iddo i'w ddal, a digon cymysglyd oedd ei atgofion am y bore hwnnw, ar wahân i'r ymdrafodaeth fu cydrhyngddo a Robert Gruffydd. Pan yn troi o'r ystafell, bu ymron â syrthio. Nis gallai weled dim o'i gwmpas, canys gorchfygasid ef gan ei deimladau.

Aeth Boba gydag ef at lidiart yr ardd, ond cerddent yn ddistaw ochr yn ochr. Trodd Syr Tudur ati, 'Boba, fi meddwl drws nefoedd agor i neb gwell erioed ond Iesu Grist, pan fo myned yno. Ond fi gofalu cystal fi medru am pawb. Fi gneud llw i Duw, Boba: nhw yn gofol fi tra fi byw.'

Ac ysgydwodd law â'r hen wraig, 'I selio ei lw, am wn i,' ebe Boba wedi hynny.

Yn yr ystafell, pan ymadawodd Syr Tudur Llwyd, gorweddai Robert Gruffydd yn dawel ar y gobennydd, a gwên siriol ar ei wyneb.

'Mae popeth yn iawn, Gwen, 'ngeneth i, y cwbwl yn 'i gneud hi'n hawdd i mi gychwyn. Dyma fi yn cael cadw noswyl yn yr hen Hafod Olau, yn lle rhoi mhen i lawr mewn tŷ dieithr, yntê? A choeliech chi ddim mor dda ydyw hynny i mi. Feddyliais i ddim mod i'n teimlo'r mynd i ffwrdd mor fawr nes i mi ddeall nad oedd raid i mi symud i un man nes cael fy hun, gobeithio, yn y tŷ nid o waith llaw. A dyma Syr Tudur Llwyd yn addo gofalu amdanoch chi bob un, a'r addewid fawr hefo mi: "Tad yr amddifaid a Barnwr y gweddwon yw Duw yn Ei breswylfa sanctaidd."'

'Mae popeth yn iawn,' sibrydai, 'yr awyr yn glir i fyny, a'r cwbwl mewn trefn i lawr, a brenin y dychryniadau yn llaw yr Iesu. Neith o ddim niwed i mi, Gwen fach. Dyna hi, yntê: nid ofnaf niwed. Gwen, newch chi'ch tair geisio peidio galaru gormod?'

Rhoddodd ei wraig garuaidd ei phen ar y gobennydd, ac

ebe hi, ‘O, Robert bach! Rydw i’n methu gollwng ’y ngafael, a fydda i ddim yn hir heb ych dilyn chi – ac Olwen.’

‘Ie, ac Olwen. Mi fydd Olwen yno yn fuan, Gwen. Ond Rhiannon, fy ngeneth, fy nghyntafanedig; ar ei hysgwyddau hi y bydd y baich. Ond bydd bendith ei Thad Nefol yn eiddo iddi, ac ewyllys da Preswylydd y Berth. Rhiannon, Rhiannon! Rydw i’n teimlo yr adnod honno, Gwen: “Ni wêl Efe anwiredd yn Jacob, ac ni wêl drawster yn Israel.” Mi faddeua fy Nhad i mi am mod innau yn methu gweld beiau Rhiannon. Well i mi gael un olwg ar y plant, Gwen, ’ngeneth i.’

Daeth y ddwy yno, Olwen wedi ei hamgylchu gan fraich ei chwaer, ac yn pwyso yn drwm arni. Trodd y tad ei olygon tuag atynt, ac er fod ei lygaid yn pylu yn nhywyllwch y glyn, gwelodd y dagrau mawr yn rhedeg ar hyd gruddiau Olwen, a’r tristwch dwfn yn wyneb Rhiannon, er ei bod yn ymdrechu gwenu arno, ac ebe fe: ‘“A Duw a sych ymaith bob deigr oddi wrth eu llygaid hwynt,” Olwen. “Dros brynhawn yr erys wylofain,” ’mhlant i, “erbyn y bore y bydd gorfoledd.” Ie, erbyn y bore, cofia di, Rhiannon, fydd y nos ddim yn hir. Erbyn y bore, ac mi fyddi di yn y cysgod er y tywydd mawr i gyd. Cofiwch fi at Nisien, Nisien Wyn. Ac os medrwch chi roi help i Mr Glyn i ddod o hyd i’r golau, gwnewch. Y golau wna’r llwybrau anhygyrch yn briffordd y Brenin.’

‘O ’nhad, ’nhad!’ dolefai Olwen, ‘Mi fydda i hefo chi yn y munud.’

‘Byddi, Olwen fach, byddi, yn canu yr hen anthem, fydd yn newydd am dragwyddoldeb: “Teilwng yw’r Oen,” yntê, ’mhlant i? Ond digon prin mae’r hen fyd yma wedi haeddu ei alw yn “gystudd mawr”, i ni, yntê, deulu bach? Mi fuo ni mor hapus yma hefo’n gilydd; ’dwn i ar y ddaear lle bu’r diodde?’

Teimlai Rhiannon fod yn bosibl crynhoi dioddefaint oes faith i un awr weithiau, ond nis ynganodd air. Gwelodd fod anadl ei thad yn byrhau, ac nas gallai siarad, a phenliniodd y ddwy wrth y gwely. Ymhen ennyd, sibrydodd eilwaith, 'Erbyn y bore, Efe "a dry gysgod angau yn foreuddydd," yntê? Peidiwch â dal dig at Mr Harris, 'mhlant i. Allsa fo neud dim i ni heb gennad y Meistr Mawr. A mi fydd yn help i fy Olwen fach i wybod fod 'i thad yn disgwyl amdani hi yr ochr draw.' Estynnodd ei law, a rhoddodd hi ar ben euraidd ei ferch ieuengaf. '"Anwylyd yr Arglwydd a drig mewn diogelwch gydag Ef," Olwen fach. Ac mi fydd Rhiannon yn gofalu amdanoch chi, Gwen.'

Sychodd ei wraig y chwys oer oddi ar ei dalcen, ac amneidiodd ar Rhiannon i fyned ag Olwen, allan o'r ystafell. Agorodd eu tad ei lygaid, a murmurai, 'Prynhawn da, 'mhlant i, erbyn y bore, yntê?' Syrthiodd i gysgu wedi hynny, a bu yn ei gwsg tawel am yn agos i hanner awr.

Gorweddai Olwen ar ei chlustogau yn ymyl y tân, Boba yn gweini arni, a Dyddgu fechan yn estyn popeth i law Boba; a Rhiannon yn trefnu y cyfan yn barod, fel na cheid dim o le pan ddeuai yr alwad. Wedi hynny, aeth i fyny yn ddistaw at ei thad a'i mam, ac eisteddodd ar stôl fechan mewn cornel neilltuedig o'u gŵydd, a'i llaw o dan ei phen. Ymhen ychydig, clywai lais ei thad yn dweud mewn geiriau eglur, '"Dy noddfa yw Duw tragwyddoldeb." Mi rydw i'n rhoi pob un ohonoch chi i'w ofal Ef, Gwen: yn ych ymddiried chi i *honour* yr Hwn a'ch lluniodd. Y Graig sydd uwch na mi, yntê, Gwen?'

'Ie, Robert, ie,' meddai Gwen Gruffydd yn floesg, ei geiriau yn crynu.

Daeth Rhiannon ymlaen, a gwelodd ei thad hi, ac ebe fe, 'Fedri di ganu pennill i mi unwaith eto, 'ngeneth i? Mi leiciwn i glywed dy lais di yn canu i lawr yma. Mi ganasom ni lawer, yn'do?'

Crynhodd Rhiannon ei nerth, ac ebe hi, 'Medraf, 'nhad bach. P'run fynnwch chwi glywed?'

'"Gorffennwyd" Dafydd Jones yntê, 'ngeneth i?'

A dechreuodd Rhiannon ganu, ei llais clir yn treiddio i bob congl yn nistawrwydd Hafod Olau. Faint oedd ei dioddefaint, pwy all fesur? Ond nis bradychwyd ef yn seiniau aceniad croyw pob gair a ganai i'w thad. Plethodd yntau ei ddwylaw, ynghyd â llaw ei wraig cydrhyngddynt, ac ymdaenodd gwên nefolaidd dros ei wedd tra gwrandawai y geiriau:

Pan hoeliwyd Iesu ar y pren,
  Yr haul uwchben dywyllwyd;
Ond wele, yn y twllwch mawr,
  Daeth gwawr o'r gair "Gorffennwyd!"

Pan y dechreuodd Crist dristáu,
  Telynau'r nef ostegwyd;
Ond dyblodd cân y drydedd nef,
  Pan lefodd Ef, "Gorffennwyd!"

Troes cysgod angau'n fore ddydd,
  Ei stormydd a ostegwyd,
Wrth gofio yn yr oriau blin
  Am rin y gair "Gorffennwyd"!'

Ac yn sŵn y gair 'Gorffenwyd!' ehedodd ysbryd cywir Robert Gruffydd, Hafod Olau, at y Gwaredwr a garodd yn ei fywyd pur, dilychwin. Bu farw, fel y bu fyw, yn dawel a digyffro, yn ôl yr Ysgrythyr: 'Ni frysia'r hwn a gredo.'

Deallodd Rhiannon ei bod yn eneth amddifad, ond arbed ei mam oedd y peth mwyaf naturiol iddi hi, a thynnodd y llaw orffwysai yn nwylaw ei thad, a rhoddodd ei breichiau amdani.

'Mam, mam bach, dowch hefo mi. Mae 'nhad yn dechrau canu "cân Moses a chân yr Oen."'

Edrychodd ei mam arni hi, ac yna ar y corff hawddgar ar y gwely. Ceisiodd ddweud rhywbeth, ond methodd, a gwelodd

Rhiannon fod ei mam mewn llewyg yn ei breichiau. Eto, ni fynnai hi weiddi am gymorth, rhag peri braw i'w chwaer. Ond yr oedd help yn ymyl. Deuai William Williams i fyny'r grisiau, wedi aros am foment yn y gwaelod i geisio rheoli ei deimladau, ac yn rhyfeddu at y nerth rhyfedd alluogai Rhiannon ieuanc i ganu y pennill wnâi 'gysgod angau'n foreuddydd' mewn gwirionedd i'w thad. Hyd nes dyfod i'r ystafell, nis gwyddai efe fod y cwbl drosodd. Yna canfyddodd yr olygfa nas anghofiodd tra bu anadl ynddo. Cymerodd William Williams y weddw oddi ar fynwes ei merch, a chariodd hi i ystafell arall.

Trodd Rhiannon at y gwely, a chaeodd lygaid ei thad, a chusanodd ef lawer gwaith, gan sibrwd, 'Rydw i'n cofio, 'nhad. Cheith mam ac Olwen ddim cam.'

Penliniodd wrth ymyl y marw, a gweddïodd weddi yr Arglwydd. Yna aeth i lawr i ofalu am Olwen a'i mam. Deallai Rhiannon fod y nerth goruwchnaturiol a gynhaliodd Gwen Gruffydd am bedwar diwrnod, heb gysgu munud na bwyta ond ychydig iawn, wedi ymadael â hi y foment yr aeth ei phriod o gyrraedd yr angen am iddi weinyddu iddo mwy, ac ofnai Rhiannon y canlyniadau, heb ystyried ei bod hi ei hunan yn yr un perygl.

Pennod XXIV
Gweddi Dyddgu

Diwrnod tywyll, du, ym mhlwyf Llangynan oedd y dydd y rhoddwyd yr hyn oedd farwol o Robert Gruffydd, Hafod Olau, i orwedd ym meddrod y teulu hyd y bore mawr pan agorir y llyfrau, ac na fedd marwolaeth awdurdod mwyach. Efe oedd merthyr cyntaf Etholiad '68, a phan daenwyd y newydd pruddaidd drwy yr ardaloedd meddiannwyd y trigolion gan ofn a dychryn: siaradent â'i gilydd mewn sibrydion, fel pe yn methu sylweddoli y braw disymwth a ddaethai i'w mysg. Croesai aml un ohonynt dros gae cyfan allan o'r ffordd, a neidiai eraill dros gloddiau a ffrydiau dyfroedd, rhag cyfarfod â 'Harris y Sgriw,' fel y galwent Mr Harris, Plas Dolau. Ni fu i un gwahanglwyfus erioed gael ei osgoi fwy gan y bobl a drigent o'i ddeutu na'r bonheddwr a gaseid ganddynt oll yn ardal Llangynan fel achos eu holl brofedigaethau. Distaw iawn oeddynt yn yr Hafod Olau. Deuai y cymdogion o bob gradd tuag yno i ddangos eu cydymdeimlad â'r teulu bychan adfydus a hoffid gymaint gan yr oll ohonynt; ac aent oddi yno yn fuan iawn i dywallt dagrau yn lli gyda'i gilydd, tra yn siarad am yr olygfa na welwyd ei thebyg yn eu plith cyn hynny.

'Mae rhywbeth yn 'y nhagu i yno,' meddai'r gof yn yr efail wrth y meibion a gyrchent yno gyda'r nos. 'Mae Boba yn eistedd un ochor i'r tân, a Gwen Gruffydd yr ochr arall, a'r eneth annwyl yna ar 'i chlustoga, a'i llaw yn llaw 'i mam, a 'run o'r tair yn dweud fawr ddim ar hyd y dydd; a Miss Gruffydd yn mynd a dŵad fel pe na bai bosibl iddi fod am foment yn llonydd. O'r annwyl, dydw i ddim yn rhyw ots o deimladwy, fechgyn bach, ond mae o'n fwy na fedra i neud beidio crio wrth 'i gweld hi,' ac wylai Huw Huws er ei waethaf. 'Ac wedyn pan gofia i nad oes yna ond tŷ o glai i'r addfwyn a'r hynaws Robert Gruffydd – dyn oedd mor werthfawr yn ei ardal – rydw i'n colli'n lân arnaf fy hun, dyna i chwi. Ond mi fyddaf yn ceisio cofio beth fuasai o 'i hun yn ddweud wrtha i, ond rhyw adnod felly sy'n glynu fwya', yn y meddwl i drw'r cwbl: "Mi bia dial; mi a dalaf, medd yr Arglwydd."'

Digon tebyg oedd yr hanes glywid gan bawb; yr ardal megis wedi ei gor-doi â thywyllwch, y bobl wedi gollwng yn angof eu gofidiau eu hunain yn wyneb y gofid a'r ing yn yr Hafod Olau. A phan ddaeth y bore i dalu y gymwynas olaf i Robert Gruffydd, ymgasglodd tyrfaoedd ynghyd o bob cwr, yn feibion a merched pob un ohonynt a feddent ryw fath o ddillad duon wedi ymwisgo ynddynt nes rhoddi i'r orymdaith fawr, a gyrhaeddai lawn filltir o hyd, ryw olwg fwy pruddaidd nag a welir yn aml hyd yn oed mewn cynhebrwng. Nis gallai Gwen Gruffydd fyned. Er pan ddeallodd y wraig garuaidd ei bod hi yn weddw, a'i merched yn amddifaid, ymddangosai fel wedi ei syfrdanu gan rym y ddyrnod; ac yr oedd Olwen yn rhy egwan iddi hi beryglu yr hyn oedd yn weddill o'i bywyd brau. Rhiannon yn unig a ganlynodd ei thad hyd at lan y bedd, a rhedai y dagrau yn afonydd dros ruddiau dieithriaid, yn ogystal â'i hen gydnabod, wrth edrych ar y fanon ieuanc, ei hwyneb yn welw a'i llygaid yn sychion, yn cerdded yn unig ar ôl yr elor a ddygai gorff ei thad ar hyd yr hen eglwys nes cyrraedd y gangell. Yr oedd yno lu o gyfeillion yn barod i roddi help iddi; Syr Tudur Llwyd a William Williams yn ei hymyl yn gwylio ei holl symudiadau, ond cerddai hi ei hunan â'i dwylaw ymhleth, ei galarwisgoedd llaesion hyd y llawr, a'i holl ymddygiad yn peri i'r ddau gofio am ing Mair wrth droed y Groes.

'Fi gweld lot o pobol yn bywyd fi, William Williams, ond fi erioed gweld dim yn hollti calon fi tebyg i hyn,' ebe Syr Tudur Llwyd yn ddistaw.

'Ing na fedd iaith, galar nas gall dywallt dagrau, yw hwn. Gwareder ni rhagddo, Syr Tudur,' atebai y pregethwr a'i lais yn crynu.

Ond wele Mr Prys yn dechrau y gwasanaeth claddu, ei lais yntau hefyd yn crynu gan deimlad, a chafodd gweddillion Robert Gruffydd deyrnged o barch nas telir yn aml i goffadwriaeth y marw, sef darlleniad y gwasanaeth ardderchog fel y dylid ei ddarllen: nid rhedeg drosto mewn llais undonog, annaturiol, yn ôl arfer y mwyafrif, eithr rhoddi i bob gair ac adnod eu cenadwri oddi uchod fel balm ar ddoluriau enaid y byw. Mae'n haws esgusodi dideimladrwydd yng nghyflawniad pob rhan o wasanaeth y cysegr y gorfydd i ni wrando arnynt nag yng nghladdedigaeth ein hanwyliaid, a deallai Mr Prys hynny yn dda. Bu gwasanaeth claddu Robert Gruffydd yn foddion gras i aml un digon anystyriol y diwrnod hwnnw. A phan ddaeth y munudau olaf wrth y bedd, gwelid llond mynwent o bobl yn cydalaru â'r ferch ieuanc a benliniai i gymeryd yr olwg olaf ar arch ei thad. Nis gwelai Rhiannon neb. Yr oedd hi megis mewn gweledigaeth, yn danfon yr ysbryd pur hyd at yr orseddfainc wen fawr, a chodai ei llygaid i fyny, gan sibrwd yn ddistaw, 'Fy nhad, fy nhad, rwy'n cofio yr addewid, 'nhad.'

Wrth ei hymyl yr adeg honno safai Elin Tyn'ffordd, ei wylofain uchel yn torri ar y tawelwch. Ond symudodd John Meredydd hi ymaith yn dyner, er y mynnai Elin ddweud wrth Robert Gruffydd y byddai hi 'yn eneth dda, am iddo chwilio am Iesu Grist yn y nefoedd a'i yrru O i'w helpu hi i dalu iddyn nhw gynta medra Fo.'

Trodd Rhiannon ei phen, a chododd oddi ar ei gliniau, a rhoddodd ei llaw i William Williams, ac arweiniodd y pregethwr hi at y cerbyd o'r tu allan i'r mur. Yn hwnnw eisteddai ei fam, a phan gymerodd Rhiannon ei lle yn ei hymyl, rhoddodd yr hen wraig ei braich amdani, gan ddywedyd,

O, angau, pa le mae dy golyn?
O, uffern, ti gollaist y dydd.

‘’Ngeneth fach i, mae’ch tad heddiw yn mwynhau yr etifeddiaeth anniflanedig sydd ynghadw i bawb o’r plant.’

Eithr nis ynganodd Rhiannon yr un gair; yn unig gwasgai law yr hen wraig, ac felly yr aeth adref i Hafod Olau am y tro cyntaf erioed heb obaith gweled ei thad. Yn y drws safai Dyddgu, fel pe yn benderfynol fod yn rhaid i rywun dderbyn Rhiannon, a gafaelodd y fechan yn ei braich, a dywedai, ‘Mae Siân wedi hwylio te yn y gegin. Dowch i fyny, Miss Rhiannon.’ Ac arweiniodd y plentyn hi i’w hystafell ei hun, a helpodd hi i dynnu ei het. ‘Os gwnewch chi orwedd ar y gwely yma, mi ddo i â the i chi, Miss Rhiannon.’

‘Na, na, rhaid i mi fynd i ofalu am mam ac Olwen.’

‘Well i chi beidio mynd am dipyn bach,’ a chyda chyfrwystra rhyfedd plentyn ychwanegai, ‘Mae’ch wyneb chi’n rhy wyn, Miss Rhiannon, mi ’ddylian bod chi’n sâl. Mi a’ i i nôl te i chi.’

‘Dyddgu, mae arna i eisiau gweddïo am nerth i ofalu am y ddwy, ac rydw i’n methu, yn methu, Dyddgu. Fedra i gofio yr un gair.’

Aeth Dyddgu ar ei gliniau, ac meddai hi yn symlrwydd ei chalon, ‘Ein Tad yr Hwn wyt yn y nefoedd, rwyt Ti wedi myned â thad Miss Rhiannon atat Ti i’r nefoedd, a does yma neb yn gwybod beth ’na nhw. Mae gin Ti lot, o Dad yn y nefoedd, ’nei Di roi un ohonyn nhw i gymyd gofol o bawb yma? Mi rydw i rhy fach, ne mi naethwn i; ond mi rwyt Ti yn medru gneud popeth. Mi gododd Iesu Grist lot o bobol wedi marw yn ’u hôl yn fyw, a mi ddaru Fo grio Ei Hun hefo Mair a Martha; a nei Di neud i rywun roi help i Miss Rhiannon, achos mai merch ifanc ydi hi, a mae lot o ddynion yn rhwystro dynes i neud dim yn y byd yma? Fedra nhw ddim dy rwystro

Di; neb yn unlle, na Satan na neb, a mi ddeuda i fy adnod rŵan, cyn y seiat nos yfory. Dyma hi – adnod fydda tad Miss Rhiannon yn ddeud cyn i Ti fynd â fo i ffwrdd – "Canys y mynyddoedd a giliant, a'r bryniau a symudant; eithr Fy nhrugaredd ni chilia oddi wrthyt, a chyfamod Fy hedd ni syfl, medd yr Arglwydd sydd yn trugarhau wrthynt." Os deudaist Ti honna, Arglwydd, mi rydw inna'n gofyn i Ti gofio am Miss Rhiannon. Dydi hi ddim yn hen, ddim ond cyn hyned ddwywaith â mi, a deg ydw i. Mae yma lot fawr o bobol yn y byd yma, a mae gwaith edrych ar 'u hôl nhw i gyd; a mae mam yn deud mai Dy blant Di ydi pawb, a mae tad a mam yn edrych ar ôl plant. A 'nei Di gofio am Miss Rhiannon? Mae hi'n torri'i chalon.' Arhosodd am ennyd, a sibrydodd, 'Tybed ga' i ofyn iddo Fo dalu i Mr Harris! Na, well i mi beidio. Mi geith gymyd 'i amser i dalu iddo fo, ond iddo Fo edrych ar ôl Miss Rhiannon yrŵan.' Yna aeth ymlaen i adrodd hanner dwsin o adnodau a dybygai hi allent weinyddu cysur i Rhiannon, a gorffennodd gyda'r drydedd salm ar hugain.

'Mi gewch chi weld y bydd Iesu Grist yn gofalu deud wrth 'i Dad amdanom ni, Miss Rhiannon.'

Adferodd symlrwydd y plentyn dangnefedd i fynwes dromlwythog Rhiannon, a chymerodd gwpanaid o de gan Dyddgu cyn myned o'i hystafell i weinyddu i'r ddwy adawsid eto'n ôl yn wrthrychau ei gofal hi, ac hefyd i gyfarfod y sefyllfa ddifrifol oedd yn ei hymyl, sef hwylio ymlaen mor fuan ag y gallai yr ymadael o'u cartref.

Pennod XXV
Cartre newydd

Ni chymerodd ond ychydig ddyddiau i Rhiannon ddeall eu sefyllfa. Nid oedd y tirfeddiannydd y bu i'w thad ei gyfarfod yn barod i osod ei fferm i wraig weddw a dwy ferch ieuainc, a phe buasai, digon prin y gallesid dyfod i delerau ag ef o dan yr amgylchiadau. Gwelai Rhiannon y byddai ei dwylaw hi yn ddigon llawn o waith yn gweini i'w mam a'i chwaer, fel nad oedd un siawns iddi allu edrych ar ôl fferm hefyd, a phenderfynodd mai'r peth gorau oedd gwerthu cymaint â allent o bopeth, a throi'r cyfan yn arian, fel y gallai hi ddarparu ar gyfer y cysuron oeddynt mor anhepgorol angenrheidiol i'w rhai annwyl. Ymgynghorodd â Syr Tudur Llwyd, a chytunai yntau ei bod yn ei lle, er ei fod yn canfod yr ing yn ei hwyneb wrth enwi y naill a'r llall o'u trysorau, fel pethau y gellid eu hepgor. Yna edrychodd o'i chwmpas am ryw anheddle fechan i drigo ynddo. Ond nid oedd un tŷ gwag yn unman yn Llangynan, ac nis gallai Rhiannon adael ei mam am nemawr o oriau yn olynol. Cerddai Boba yn ôl ac ymlaen o'i bwthyn bychan i Hafod Olau, a cheisiai eu diddanu, ond ni feddai hithau un gallu i'w cymorth, hyd yn hyn hwy arferent ei chynorthwyo hi. Y bore wedi yr arwerthiant, pan gyrchid y gwartheg, a'r ychain, y ceffylau, a'r moch a'r lloi gan eu prynwyr, ac y deuai eraill i gario y gwair a'r ŷd, y tyrrau lle y cedwid y llysiau cochion, a'r tatws, ynghyd â'r rwdins, bu Rhiannon ymron â cholli meddiant arni ei hun. Gwelai rywun yn arwain dau geffyl, ei merlen hi a cheffyl ei thad; rhedodd tuag atynt a rhoddodd ei braich am wddf yr olaf a cheisiai ddweud ffarwél wrthynt yn doredig ei geiriau.

'Miss Rhiannon,' ebe llais tyner y melinydd yn ei hymyl, 'peidiwch â phoeni. Eiff y rhein ddim ymhell. Mae Syr Tudur Llwyd wedi prynu'r ddau, ac i'r Friog mae'r bachgen yn mynd â nhw rŵan. Miss Gruffydd, 'ngeneth i, mae yma bawb yn teimlo drosoch chi, ac rydan ni i gyd trwy'n gilydd wedi treio'n gorau i gadw'r cwbl roedd Boba wedi rhoi rhyw amcan i ni bod chi â'ch gafael ynddyn nhw.'

Tynnodd Rhiannon ei braich oddi am wddf y ceffyl, ac estynnodd ei llaw i John Meredydd, ac ebe hi, 'Ddowch chwi i mewn i weld oes yma ryw ddodrefnyn garech chwi gael ymysg y pethau i gofio am 'nhad? Rydw i newydd orffen mynd trwy'r cwbl, a marcio popeth sydd i fynd erbyn y daw'r arwerthwr yma i'w hedrych fory.'

Ond gorchfygwyd y melinydd caredig gan ei deimladau: ymddangosai dioddefaint mor ofnadwy yn yr wyneb ieuanc. Ofnai John Meredydd na fyddai i un o'r teulu ddianc o grafangau brenin y dychryniadau, a dywedodd y deuai yno ymhen tuag awr; ac ymaith ag ef, ei ddagrau yn rhedeg, dagrau oeddynt yn arddangosiad o'i ddynoliaeth serchog. A cherddodd Rhiannon Gruffydd ymlaen tua'r berllan, ac oddeutu yr hen gornelau oeddynt mor annwyl, lle y chwaraeent pan yn blant: Nisien ac Olwen a hithau. Eisteddodd dan gysgod yr eiddew gwyrdd, lle y mynnai yr ieir glwydo yn yr haf, ac y bu i aml i lwynog cyfrwys ladrata un o'u nifer yn foreufwyd iddo ef a'i deulu. Dechreuodd hen atgofion am ddyddiau dedwydd mebyd ymwthio o'i blaen, a hi a ocheneidiodd yn uchel, gan ddweud geiriau y Gwaredwr yn ddiarwybod iddi ei hun: 'Fy Nuw, fy Nuw, paham y'm gadewaist?' Ond wele law ar ei hysgwydd. Neidiodd ar ei thraed, a chanfu Syr Tudur Llwyd yn sefyll yn ei hymyl, ei wyneb yn welw gan deimlad. Ceisiodd ddiolch iddo am brynu'r ceffylau, a cheisiodd ymesgusodi a beio ei hunan. Nis gwyddai Syr Tudur pa un, ond meddyliai fod y baich yn myned yn rhy drwm iddi hi i'w ddwyn. Bu efe yn y tŷ cyn myned i chwilio am Rhiannon, a chanfu fod Gwen Gruffydd yn ymddangos fel pe yn prysuro i ganlyn ei phriod, ac Olwen yn gwanhau yn amlwg. Am oriau cyn dydd, ceisiodd Syr Tudur Llwyd resymu cydrhyngddo ag ef ei hun ynghylch y ffordd orau i helpu Rhiannon. Gwyddai ef yn well na hi mor greulon y gall y byd sydd yr awron ymddwyn tuag at ferched diamddiffyn. Ond hyd y foment honno yn y berllan, nid oedd wedi gallu crynhoi ei feddyliau fel y dymunai. Yn ôl arfer y rhan fwyaf o rai rhagorol y ddaear, nid ymffrostiai Syr Tudur Llwyd yn ei feddiannau na'i sefyllfa, ond cofiai eiriau ei fam dduwiol wrtho, 'Pwy sydd yn gwneuthur rhagor rhyngot ti ac arall, a pha beth sydd gennyt ar nas derbyniaist,' ond aeth ingoedd a gofid Rhiannon yn ormod iddo i'w ddal. Dyheai ei galon fawr drugarog am ei chysgodi hi a'r oll a garai rhag pob cam, ac ebe ef wrthi, 'Miss Gruffydd, Rhiannon, fi dim medru byw a chi poeni fel hyn, fi cofio chi geneth bach, a fi gweld chi tyfu yn fwy tebyg i mam fi na neb arall fi gweld yn byd yma, a fi dymuno lawer iawn o gwaith fi dim ond yn ifanc. Fi rioed wedi gweld neb arall fi leicio rhoi yn lle mam fi yn Lady Llwyd, ond fi gweld tri ugain blynedd ond un mis, a chi dim ond gweld un ugain, a fi meddwl dim yn iawn i fi gofyn i chi dod i'r Friog. Ond chi poeni, Rhiannon, fi gwbod chi poeni, a chi dim medru gneud mam ac Olwen fach ni yn hapus yn helyntion difri yma. Fi eisio helpu chi, a haws i fi helpu chi Miss Gruffydd fel Lady Llwyd nac un ffordd arall. Fi addo i Robert Gruffydd cadw golwg arnoch chi, fi am cadw addewid honno.'

Edrychodd Rhiannon arno yn ddifrifol fel pe heb sylweddoli yr hyn a ddywedai, ac feallai i Syr Tudur gamddeall ei hedrychiad, canys ebe fe mewn llais toddedig, 'O! fi gwybod yn iawn fi yn edrych yn hen iawn i geneth ifanc, Miss Rhiannon, ond fi dim ofn edrych yn wyneb chi, a deud fi wedi ceisio byw fel mam fi deud, a chi byth dim cwilydd gwisgo enw Lady Llwyd, fi cadw enw fi yn ffit, ie, i Rhiannon Gruffydd i gwisgo fo, a fi cadw chi fel cannwyll llygad tra fi byw. A Friog yn barod i chi, a'ch mam ac Olwen fach.'

Llanwodd llygaid sychion Rhiannon â dagrau am y tro cyntaf wedi i'w thrallod mawr ddyfod i gyd-fyw â hi. Synnai hi at garedigrwydd hunanymwadol Syr Tudur Llwyd, a dechreuodd ddweud hynny wrtho.

'Na fi dim *credit* am ddim o'r fath. Fi hunanol iawn, fi gwbod chi gneud Friog gwell i mi na rioed o'r blaen, fi dim piti na dim o'r fath, fi dim medru byw a chi diodde Miss Rhiannon. Fi gofyn i chi dŵad gartre i'r Friog,' ac estynnodd ei law iddi.

Safodd Rhiannon yn synfyfyriol am foment neu ddwy. Ar un llaw gwelai ei mam ac Olwen yn nychu, a hithau heb do uwch eu pennau yn fuan. Chwarae teg iddi, ni feddyliodd unwaith amdani ei hun; nid Rhiannon fuasai hi pe gallasai gofio ei bodolaeth ei hunan. Ar y llaw arall, wele hen blasty'r Friog yn agored iddynt, a Syr Tudur Llwyd yn sefyll cydrhyngddi a'r ddrycin i gyd, a'i rhai annwyl yn ddiogel rhag pob dyrnod, a Mr Harris, Plas Dolau, yn analluog i'w drygu mwy. Y foment nesaf rhoddodd ei llaw ieuanc i Syr Tudur yn ddistaw. Cododd yntau hi at ei wefusau, a chusanodd hi gyda moesgarwch. Yna ymgrymodd i Rhiannon ac ebe fe, 'Fi cael mwy na'r byd i mi heddiw, Miss Gruffydd, fi gofyn i Duw mawr fo dysgu fi i fod yn ddiolchgar,' a thynnodd ei het iddi, yna rhoddodd ei llaw ar ei fraich ac arweiniodd hi i fewn i'r Hafod Olau.

Parodd y newydd draddodi llawer math o wahanol farnau yn yr ardal. Dywedai Mrs Jenkins, Cefn Mawr, fod 'hen ffŵl yn priodi geneth ieuanc er mwyn ei phrydferthwch, a geneth ieuanc yn priodi hen ffŵl er mwyn ei gyfoeth a'i sefyllfa.' Mynnai eraill fod Rhiannon wedi bod yn ddoeth yn gofalu am ennill y fath gartref, ac nad oedd hyn yn ddim mwy nag a ddisgwyliai pawb fu yn sylwi ar Syr Tudur a hithau yn marchogaeth o gwmpas yr ardal gyda'i gilydd. Nid oedd wiw i undyn ddweud y sylwadau yma yng nghlyw William Williams y pregethwr, na chwaith o fewn cyrraedd braich Huw Huws y gof, a byddai John Meredydd yn troi clust fyddar i bob cwsmer ddeuai i'r felin os crybwyllid enw Rhiannon Gruffydd. Ond Dyddgu fechan fyddai yn amddiffyn ei ffrind, ac yn rhoddi taw ar bawb yn ei ffordd ei hun. Ystyriai Dyddgu nad oedd neb i'w gymharu â Syr Tudur Llwyd ond Francis Glyn, ac yr oedd yn mawr lawenhau. Yr oedd Dyddgu yn rhy ieuanc i ystyried un peth ynghlyn â'i hanes ond dyrchafiad Rhiannon Gruffydd i fod yn Lady Llwyd ac yn Feistres Y Friog, yr hen blasty henafol a edmygai y fechan gymaint, a thynnai fil a mwy o gynlluniau ar gyfer y dyfodol oedd yn eu haros oll yng nghysgod Lady Llwyd. Safai Dyddgu y dyddiau hynny ar binacl uchaf dedwyddwch. Gofynnodd Gwen Gruffydd lawer gwaith i'w merch a oedd hi yn sicr y byddai yn hapus yn ei sefyllfa newydd, ond unig ateb Rhiannon fyddai dweud wrth ei mam am baratoadau Syr Tudur er ei chysur hi ac Olwen. Ac anodd oedd canmol gormod ar y gofal a gymerai i droi tair ystafell yn ei blas mor debyg ag oedd bosibl i rai Olwen a'i mam yn yr Hafod Olau. Cludwyd eu trysorau oll o'u blaen fel pan symudodd y ddwy yno nis gallent beidio bod adref er eu gwaethaf. A sibrydai Rhiannon lawer gwaith yn y dydd wrthi ei hun mor dda oedd Syr Tudur, fel pe yn ofni anghofio ei diriondeb.

Ysgydwai Boba ei phen, a galarai yn ddistaw dros Rhiannon. Lled anghymharus yr ystyriai yr hen wraig y tri ugain a'r ugain mlwydd oed, a chythryblid ei chalon. Feallai y deallai hi Rhiannon yn well na neb arall, a cheisiodd fwy nag unwaith siarad â hi ar y mater. Ond yr oedd teyrngarwch Rhiannon i Syr Tudur Llwyd yn berffaith, ac nis ynganodd air hyd yn oed wrth Boba, a gofidiai yr hen wreigan, a gweddïai lawer dros yr eneth, am iddi gael ei chadw dan yr aden y meddai Boba y fath ymddiried yn ei nodded.

Priodas ddistaw iawn heb neb yn bresennol ynddi ond William Williams y pregethwr, John Meredydd y melinydd, a Dyddgu fechan oedd priodas Syr Tudur Llwyd a Rhiannon Gruffydd. Dywedai yr oracl o Gefn Mawr fod ar yr hen ffŵl gywilydd gofyn i bobl yn ei sefyllfa ei hun ddyfod iddi. Ond camgymeriad mawr oedd hynny: ni fu un priodfab erioed yn ymfalchïo mwy yn ei briodferch na Syr Tudur Llwyd. Eithr teyrnged o barch i goffadwriaeth y tad oedd yn gorwedd yn y fynwent, ac i waeledd y fam a'r chwaer oeddynt yn rhodio glan yr afon yn nwylaw ei gilydd barodd i briodas Syr Tudur fod mor ddi-stŵr. Ond cofiodd Dyddgu amdani yn hir, ac arferai ddweud ymhen blynyddoedd yr hanes fel y dychrynodd hi pan welodd Rhiannon yn myned ar ei gliniau ar fedd ei thad ac yn siarad wrtho. Tybiai Dyddgu fod yr wyneb oedd mor laswyn ag angau, a'r corff ieuanc lluniaidd a grynai fel deilen grin yn yr awel, yn rhywbeth na ddylasai fod ar ddydd priodas; ac wrth sylwi ar Rhiannon dechreuodd ystyried ei bod yn ei galarwisgoedd duon. Er na wyddai Dyddgu fechan ddim am yr ofergoeledd ynghylch priodi mewn du, ymddangosai yr olygfa rywfodd allan o drefn, a thynnodd y plentyn ychydig o flodau gwynion gwylltion a dyfent o gwmpas a gosododd hwynt yn bwysi bychan destlus ar fynwes Rhiannon. Cododd yr eneth ieuanc oddi ar ei gliniau a cherddodd ymlaen hyd borth yr eglwys lle y disgwylid hi gan Syr Tudur Llwyd a Mr Prys, yr offeiriad, ac ni wybu neb a wrandawai y llais clir peraidd yn dweud ei rhan hi o'r gwasanaeth am yr olygfa wrth y bedd. A chadwodd Dyddgu y gyfrinach iddi ei hun. Gorfu i Dyddgu gadw cyfrinach arall hefyd cyn pen nemawr o oriau.

Tra yr elai ar neges i'w mam i'r siop, cyfarfyddwyd hi gan Francis Glyn, yn cerdded yn frysiog i fyny'r ffordd arweiniai tua Hafod Olau. Deallodd Dyddgu fod y dyn ieuanc heb wybod dim am ddigwyddiadau'r dydd er ei bod hi wedi ysgrifennu'r oll iddo, a dechreuodd ei oleuo. Edrychodd yntau arni fel dyn gorffwyllog, rhoddodd ei ddwylaw ar ei wyneb a llefodd, 'O! fy Nuw, rhy hwyr, rhy hwyr.'

Dychrynodd y plentyn fwy yn y prynhawn nag yn y bore, ac aeth ato a rhoddodd ei phen bychan wrth ei ben ef yn ddistaw, a thynnodd ei llaw dros ei ddwylaw yn ôl ac ymlaen fel pe yn anwesu ei chath ddu fach. Gwelai Dyddgu fod rhywbeth o le ond nis gwyddai hi ragor. O'r diwedd sibrydodd wrtho 'Lle rydach chi am fynd Mr Glyn? I'r Plas?'

Neidiodd yntau ar ei draed yn gynhyrfus, 'i'r Plas, Dyddgu. Lle rydw i am fynd? Na gorau i mi pan gyntaf i fynd yn ddigon pell, Dyddgu fach.'

'Oes eisiau i mi ysgrifennu eto, Mr Glyn?'

'Ysgrifennu? O, ie, waeth p'run. Ie, hanes Dyddgu a'i gwersi, yntê. A well i 'ngeneth fach i beidio dweud wrth neb iddi hi fy ngweled i.'

'Dim wrth neb byth, Mr Glyn?'

'Ie, Dyddgu, ie,' ac ymaith ag ef ar garlam wyllt.

Syrthiodd wyneb Dyddgu ac ebe hi. 'Chofiodd o ddim deud *goodbye* wrtha i.'

Ond cadwodd yr hanes yn gyfrinach yn ei chalon ieuainc am lawer blwyddyn er iddo ei gadael heb gofio amdani.

Effeithiodd y digwyddiadau rhyfedd yn fwy ar Mr Harris y Plas Dolau, nag ar neb arall. Ofnai ei gysgod ei hun, a thybiai fod ei fywyd mewn perygl bob awr oddi wrth ryw elynion anweledig. Er hynny, cafodd John Thomas, y Siop Goch, gymeriad Hafod Olau, ac yr oedd yn dechrau prynu anifeiliaid a threfnu ar gyfer myned yno i fyw pan ddaeth Nisien Wyn yn ôl i'w hen ardal.

Pennod XXVI
Wedi eu gwisgo mewn gynau gwynion

Ar y lawnt o flaen Y Friog safai Rhiannon yn barod i dderbyn Nisien Wyn. Neidiodd yntau o'r cerbyd a gafaelodd yn ei dwylaw, ond nis gallai ddweud yr un gair wrthi: yn unig edrychai arni â'i lygaid yn llawn wylofain. Methai y dyn ieuanc ddeall y cyfnewidiad yn yr wyneb arferai fod mor llon nes y galwent hi yn heulwen Hafod Olau. Gwelai ef rywun nas adnabu o'r blaen yn y foneddiges ieuanc, Lady Llwyd, a safai wrth ei ochr mewn galarwisgoedd duon, gan mor annhebyg oedd i'r fanon serchog a dedwydd adwaenai ef gynt.

'Croesaw i'r Friog, Nisien,' ebe hi, 'bydd Syr Tudur yma yn union, gwyddwn i y carech fy ngweled i yn gyntaf.'

Cyffyrddodd Nisien ei llawes ddu yn ysgafn, 'Beth yw'r du yma, Rhiannon? Olwen? Dywedodd Boba ei bod yn fyw a phawb yma. Lle mae'ch mam, a fy hen gyfaill Robert Gruffydd?'

Pwyntiodd Rhiannon ei bys tua'r nen, 'Os oes yna nefoedd yn bod yn rhywle, Nisien, yno mae 'nhad, ac mae mam yn mynd ato, fydd hi ddim yn hir yma eto. Fydd yma neb yn fuan ond chwi a minnau, Nisien.'

'Ac Olwen?' sibrydai y dyn ieuanc yn ddistaw fel pe yn ofni y cwestiwn.

'Ie, Olwen, Olwen, bert ac annwyl, yn doedd hi'n dlos, Nisien, erstalwm. Oes mil o flynyddoedd er hynny, Nisien? Olwen ein Mabinogi ni, yntê? O Nisien, Nisien, mi wnes i ngorau, chafodd hi na mam ddim cam, ond dydi'r diwrnod olaf ddim ymhell. Mae Olwen 'mron gorffen y daith, ac nid oes dim ond awydd cael un olwg arnoch chwi yn ei chadw yn fyw. Oni bai am ofal caredig Syr Tudur, buasem wedi ei cholli cyn hyn. Wnewch chwi gofio hynny bob amser, Nisien? Iddo ef mae'n dyled ni fod mam ac Olwen mor gysurus. Dinas noddfa rhag y dialydd fu'r Friog i ni wedi i'r goleuni fynd yn dywyllwch yn yr Hafod Olau,' a chrynai y gwefusau oeddynt ymron mor welw â'i hwyneb.

Cymerodd y bachgen, oedd megis brawd iddi, ei dwylaw yr ail waith, a gwasgodd hwynt ynghyd, tra y treiglai y dagrau mawr ar hyd ei ruddiau.

'Rhiannon, Rhiannon,' ebe fe, 'er pris y prynwyd eu tangnefedd a'u cysur yn eu horiau olaf, fel y dwyfol y bu eich serch tuag atynt. Tra bo anadl ynof nis anghofiaf eich ffyddlondeb. O! fy Nuw, gwir yw y gair, "Cariad mwy na hwn nid oes gan neb." O! fy nhad, fy nhad, dyfod adref ofnadwy ydyw hwn.'

Rhoddodd Rhiannon ei llaw ar ei fraich, ac arweiniodd ef i'w hystafell ei hun, lle yr ymneilltuai i adennill nerth i'w meddwl pan fyddai pwys gofalon a gofid yn ei threchu. Ystafell brydferth, y bu Syr Tudur Llwyd yn ymdrafferthu ei threfnu ym mhob modd allai blesio Rhiannon cyn iddi ddyfod i'r Friog, ystafell allasai fod yn baradwys o ddedwyddwch tawel. Ond taflai brenin y dychryniadau ei gysgod tywyll dros bob cornel yn yr hen blasty, tra y disgwylient ei weled bob moment yn cymeryd meddiant o'u rhai annwyl. Yma y bu Rhiannon yn gwneud a allai i leddfu galar Nisien cyn iddo fyned i ystafell ei chwaer. Perswadiodd ef i gymeryd ychydig luniaeth, ond methiant oedd hynny, er iddo wneud ei orau. Yna aeth i baratoi Olwen. Er ei dychryn, gwelai Olwen yn gorwedd ar yr esmwythfainc, ei mam yn sefyll yn ei hymyl. Ac nid y codi o'r gwely oedd yr unig wahaniaeth, ond yr oedd wedi ymwisgo mewn gwyn, a phwysi o flodau y *geranium* ar ei mynwes. Mor swynol brydferth oedd; mor anodd credu fod ei thraed yn oeri yn yr afon.

'Ydi Nisien yma? Oes dim drwg gwisgo fel hyn, yn nag oes, Rhiannon? Dyma'r dillad welodd Nisien amdana i y noson olaf wrth y meini. O! mi leiciwn i weld y meini unwaith eto, ond mi gaf weled Nisien. A fydd 'nhad ddim yn disgwyl fy ngweld i mewn dillad duon, fydd o, Rhiannon? Gynau gwynion sydd yno, yntê, mam?' ebe'r llais mwyn, gwanaidd.

'Ie, Olwen fach, ie, wedi eu cannu yng ngwaed yr Oen, Olwen,' ebe ei mam.

'A'r palmwydd gwyrdd, yntê, mam? Syr Tudur dorrodd y blodau yma. Mae o'n garedig wrtha i.'

Ac ebe Rhiannon, 'Na, does dim drwg i ti wisgo dy ddillad gwynion, Olwen, ac mae'r blodau yn glws iawn, a mi fydd Nisien yma hefo ni yn y munud rŵan.'

'Rhiannon,' ac aeth Lady Llwyd ar ei gliniau yn ymyl ei chwaer. 'Rhiannon, mae'r dagrau mawr yn casglu ar dy ddillad di. Wyt ti'n cofio 'mreuddwyd i? Roedd o'n freuddwyd hapus. Bendith nef ar dy ben di, Rhiannon, fy chwaer. Chafodd neb chwaer fel fi, 'dwy'n meddwl. Ryw ddiwrnod mi gei di wybod, Rhiannon, pa mor fawr ydi fy nghariad i at Nisien. Ryw ddiwrnod! A phan weli di Francis Glyn eto, nei di ddeud wrtho fo fod Olwen am iddo fo gredu fod Tad yn y nefoedd, a bod Iesu Grist yno, ac mai rhyw baratoi sydd ar y ddaear yma. A mi leiciwn iddo fo wybod fod yn ddrwg iawn gan Olwen ei bod hi wedi'i rwystro fo i gael rhywbeth oedd o am ofyn i 'nhad.'

Edrychai Rhiannon yn syn ar ei chwaer, ofnai ei bod yn hanner ffwndro, ond ebe Olwen, 'Na, Rhiannon, paid ti â meddwl mod i'n salach. Rydw i'n dal yn codi yn eitha, Rhiannon. Na fy chwaer, deall y cwbwl i gyd: rydw i erbyn hyn yn y fan yma. Ond paid ti â chrio gormod ar fy ôl i. Cofia di y daw goleuni yn yr hwyr. Meini gwynion ydi'r meini o hyd yntê, Rhiannon, er gwaetha pawb, a mi helpi di Nisien i'w cadw nhw felly yn 'nei di, Rhiannon? A Dyddgu, mi fydd Dyddgu, yn helpu pawb. Mae Rhiannon yn gneud Dyddgu yn union fel hi 'i hun, yn tydi hi mam?' A thynnai ei llaw wen denau dros y gwallt du, ac wedi hynny ar hyd yr wyneb gwelw.

'A mi rydw i wedi maddau i Mr Harris y Plas, a chofia di ddeud wrth Elin Tyn'ffordd mod i wedi dod o hyd i Iesu Grist, Rhiannon. Lle mae Syr Tudur? Mae o'n garedig wrth bawb.'

Ceisiodd ei chwaer ei rhwystro i siarad. Dywedai y byddai arni eisiau dweud llawer wrth Nisien pan ddeuai ef, ond atebai Olwen fod arni 'ofn anghofio neb, a cofia ddeud wrth Boba mod i'n gwybod mai amynedd yw coron bywyd. Mae amynedd yn goron ar ben Rhiannon, yn tydi mam? Ust, ydi'r cerbyd yna?' a chododd ar ei lled eistedd. Nis gwyddai hi eto fod Nisien yn y Plas.

'Mi a i i'w gyfarfod, Olwen,' ebe Rhiannon 'ond nid sŵn cerbyd oedd yna rŵan, ydi fy Olwen i yn barod, a neith hi ddim mynd yn sâl.'

'Na, 'da i ddim yn sâl, Rhiannon, mendio 'na i wrth weld Nisien. Mendio yntê, mam fach,' ac aeth Rhiannon allan o'r ystafell. Ymhen ychydig eiliadau dyna Olwen yn codi yn sydyn ar ei thraed, 'Dyma fo, mam, dyma sŵn troed Nisien.' Y foment nesaf yr oedd Rhiannon yn agor y drws a Nisien yn ei dilyn. Ymdaenodd gwrid coch ysgafn dros wyneb Olwen, llamodd y dyn ieuanc i'w chyfarfod a'i freichiau yn agored, aeth hithau i'w fynwes fel aderyn yn ehedeg i'w nyth. 'Olwen, fy nghariad, fy un annwyl,' ebe fe gan bentyrru geiriau anwesol wrthi y naill ar ôl y llall.

'Nisien, Nisien,' sibrydai hithau, 'O! Nisien, mae'r meini'n wynion, Nisien. Amynedd Nisien. Gobaith, yntê, a'n cariad ni sydd mor fawr.'

Daliai Nisien ei anwylyd at ei galon, ei drallod, wrth weled ei gwedd wedi cyfnewid cymaint, yn ei orchfygu.

'Nisien, cofiwch Rhiannon.'

Bu yn ddistaw wedi hynny ac yntau yn sibrwd serch i'w chlustiau.

'Nisien, gwell i Olwen ddod ar y clustogau mae yn rhy wan i fod ar ei thraed yn hir,' ebe Rhiannon.

'Dowch, Olwen, fy mhrydferth,' a gwnaeth ymgais i'w chario yn ôl at ei hesmwythfainc. Ond gwelodd ei hwyneb a rhoddodd lef. 'O! Rhiannon! Olwen fy nghariad, fy nhrysor mae hi wedi marw.'

Yr oedd Rhiannon wrth ei ochr ar unwaith, 'Rhowch hi i mi, Nisien, mewn llewyg y mae,' ond tra y siaradai, gwyddai Rhiannon fod y cwbl drosodd, a'i chwaer hoff wedi gado'r byd a'i boenau o'r tu ôl iddi. Eithr rhaid oedd arbed ei mam rhag sydynrwydd y ddyrnod. Daeth llef dorcalonus Nisien a Syr Tudur ag un o'r morwynion i'r ystafell. Amneidiodd Rhiannon ar Syr Tudur i fyned â Nisien gydag ef, ond taflai y dyn ieuanc ei hunan ar lawr yn ymyl Olwen gan alw arni yn ei ing.

'Nisien,' ebe Rhiannon, mewn llais penderfynol, 'Rhaid i chwi fyned oddi yma am ychydig. Mi gewch weld Olwen eto cyn hir, ewch hefo Syr Tudur.' Ac felly y cafwyd ef allan heb wybod yn sicr fod ysbryd pur Olwen ieuanc wedi dychwelyd at Dduw yr hwn a'i rhoes.

Gofal Rhiannon erbyn hyn oedd ei mam, a rhoes ei braich amdani yn dyner.

'Rhiannon,' ac edrychai yn myw llygaid ei merch, 'mi fedra i ddal, 'ngeneth i. Ydi Olwen wedi mynd at ei thad?'

'Ydi, mam fach, ydi. Mae ein Olwen dlos ni wedi myned i'r cartref na thry neb hi byth ohono, mam fach.'

Gwenodd Gwen Gruffydd, ei hysbryd addfwyn, tawel, yn ei chadw rhag gwrthryfela yn y dymestl, ac ebe hi, 'O! Rhiannon, mi rydw i'n gweld ei thad yn cyfarfod Olwen, a'r fath groeso mae hi'n gael. O! Rhiannon, mae'r oll yn dda i Olwen. Drosot ti mae 'nghalon i'n gwaedu. Fy merch annwyl, fydd mor fuan heb yr un ohonom ni.'

Ac yn nyfnder y galar o'i chwmpas, yr hyn a synnai bawb oedd mai 'Rhiannon, Rhiannon,' oedd cri gwastadol y fam garuaidd.

Anfonodd Lady Llwyd am Boba, a thra bu hi â'i dwylaw ei hun yn paratoi corff hawddgar ei chwaer, ac yn ei wisgo yn y gwisgoedd gwynion a garai Olwen, eisteddai Boba gyda Gwen Gruffydd yn gwrando arni yn sibrwd yn ddistaw, un bob yn ail, enwau ei hanwyliaid, a gwyddai yr hen wraig trwy brofiad y fath alar yw galar mam ym mhob sefyllfa: galar nas medd neb ond y Duw a roddodd galon mam ym mynwes merch un dirnadaeth am ei faint.

Am Nisien Wyn, yr oedd ei lefain ef yn galonrwygol, ac wylai Syr Tudur Llwyd fel plentyn.

'Mae'n dda bod Meistres yn medru cadw 'i phen, ne mi fasa yma le,' oedd sylw un o'r morwynion, 'ond mi fydda'n eitha 'i gweld hi yn crio tipyn. Mi naetha les iddi hi. Mae 'i hwyneb hi yn 'y nychryn i.'

Ond yr oedd gofid arall yn prysur ddynesu. Anadlodd Gwen Gruffydd ei hanadl olaf ym mreichiau ei merch ar doriad y wawr drannoeth, a gorweddai gweddillion y fam serchog wrth ochr ei Holwen ieuanc, wedi ei gwisgo mewn gwyn hefyd, canys cofiodd Rhiannon eiriau ei mam y diwrnod cynt, pan fu i Olwen eu gadael, ynghylch y gynau gwynion. Effeithiodd yr ail ddyrnod yn andwyol ar Rhiannon. Ymddangosai ei nerth wedi ymadael â hi, oherwydd nad oedd angen ar ei rhai annwyl am ei gwasanaeth mwy. Talai ymweliadau mynych â'r ystafell lle y gorffwysai ei mam a'i chwaer hyd y dydd y cludid hwy i dŷ eu hir gartref, a siaradai wrthynt yn serchog. Yna byddai yn galw ar ei thad, ac yn sôn am ei haddewid. Aeth pryder Syr Tudur yn fawr iawn, ac ofnai Boba fod y dioddefaint wedi ei guddio ganddi yn ormodol, a deallai Boba mai 'Gwaethaf gofid, gofid cudd.'

Pennod XXVII
Ni chlywant lais y gorthrymydd

Ond daeth ymwared i feddwl terfysglyd Rhiannon mewn ffordd na ddisgwyliodd neb. Eisteddai hi y rhan fwyaf o'i hamser, pan na fyddai yn ymweled â'r ystafell lle y gorweddai y babell bridd i'w mam a'i chwaer, yn ei hystafell neilltuol ei hun. Deuai Boba yno yn awr ac eilwaith i gael cipolwg arni, ond ni thyciai un ymgais i'w chalonogi. Byddai Nisien Wyn yn dyfod ati, yn gorwedd wrth ei thraed, ac yn gorffwyso ei ben ar ei gliniau, a hithau yn tynnu ei bysedd yn ôl ac ymlaen trwy ei wallt, ond y naill fel y llall mewn trallod rhy ddwfn i allu cysuro ei gilydd. Deuai Syr Tudur yno hefyd, ei wyneb caredig yn brudd gan ofid drosti. Ofnai ddweud geiriau wrthi, rhag iddo beri i'w galar fwy o ddrwg nag o les. Eto, mynnai pe yn bosibl, ei chysgodi rhag holl dymhestloedd byd. Ac hyd y bore olaf cyn symud ei mam a'i chwaer gyda'i gilydd at ochr ei thad, hanner orweddai Rhiannon mewn rhyw fath o lesmair, yn ddiystyr o'r oll o'i chwmpas. Tua deg o'r gloch, cododd a cherddodd yn ôl ac ymlaen yn yr ystafell, a chyfrifai yr oriau y byddent o dan yr un gronglwyd â hi.

'Yna,' ebe, mewn math o sibrwd ddistaw, 'mi fyddaf fy hun am byth.' Sibrydai eilwaith, 'Am byth, am byth.'

Yna tybygai ei bod yn clywed sŵn wylofain oddi allan, yn agos i'w ffenestr.

'Mae pawb yn wylo, fy mam annwyl, Olwen, fy chwaer; ond fi sydd yn unig, heb neb am byth, am byth. 'Nhad a mam ac Olwen wedi 'ngadael i am byth.'

Ond aeth yr wylo yn fwyfwy, ac yr oedd mor naturiol i Lady Llwyd ag a fyddai i Rhiannon Gruffydd bob amser feddwl am eraill hyd yn oed pan ynghanol môr o ofid ei hun. Aeth at y ffenestr agorai i'r lawnt, ac aeth allan trwyddi, gan edrych o'i deutu. Ni fu raid iddi chwilio yn hir, canys gwelai

Elin Tyn'ffordd 'yr eneth wirion' ar ei hyd ar y llawr yng nghysgod llwyn bedw a dyfai yn ffrynt y Plas. Bu aml i arddwr yn ceisio dylanwadu ar Syr Tudur Llwyd i symud y llwyn a rhoddi coed tramor harddach, yn eu tyb hwy, yn ei le. Ond hoffai Syr Tudur ei gartref a'i amgylchedd henafol, ac ni fynnai sôn am ddiwreiddio'r bedw, eithr plannodd rosynau o'i amgylch, a rhoddodd eisteddle yn ei gysgod, fel erbyn y dydd yr aeth i ddewis ystafell i'w wraig ieuanc, nid oedd smotyn prydferthach ar lawnt y plas na'r fan y safai'r llwyn bedw, a dyna'r paham y trowyd yr ystafell ar ei gyfer yn gysegr i Rhiannon ar ei dyfodiad i'r Friog.

'Elin, Elin,' ebe hi, gan blygu ar ei gliniau, a rhoddi ei llaw ar ysgwydd yr eneth dlawd. 'Elin, pam rwyt ti yn crio fel yma, Elin?'

Adnabu hithau lais Rhiannon, a dechreuodd wylo yn fwyfwy, tra y dangosai bwysi o lygad y dydd cyntaf y tymor iddi.

'Cha i ddim gweld Miss Glws a'i mam. Ma' nhw wedi marw. "Ma' pawb wedi marw ym mhob man", meddaf i wrth mam, a mi geith ynta farw hefyd, meddaf i. A mae'r bloda yma 'run fath â Miss Glws – yn aur ac yn wyn – a ro'n i am 'u rhoi nhw iddi hi, ond cha i ddim gin y dyn yna sy'n y Plas yn gneud gwaith dynes.'

Ymhen ychydig, daeth Rhiannon i ddeall fod y bwtler wedi gomedd i Elin gael myned i mewn, a bod trallod y greadures, druan, yn fwy am ei bod yn methu cael gweled 'Miss Glws a'i mam.'

Cymerodd Rhiannon hi gerfydd ei llaw, ac arweiniodd hi i mewn i'w hystafell. Cerddai Elin fel pe yn ofni rhoddi ei thraed ar lawr, yna safodd yn sydyn a gofynnodd, 'Lle fel hyn ydi'r nefoedd, Miss?'

Anaml y cofiai Elin fod gan ei 'Miss' enw arall, a dechreuodd siarad geiriau yn gymysgedig â'i hwylofain.

'Lle mae Iesu Grist? Ddoth O byth i'r golwg i ddeud dim wrtha i, a meddaf i wrth mam, meddaf i, "Sut mae O heb fod o gwmpas'i betha, yn lle gadael i Harris y Sgriw ladd pawb?" A mi wela i'r gŵr bynheddig clws hwnnw ddeudodd bod o o'ch ochor chi, Miss, a meddaf i wrtho fo, "Lle mae Iesu Grist?" A meddo fo, "Does dim Iesu Grist na neb, Elin. Neb," medda fo wrtha i. A medda fo, "Mae yma faint fynnir o gythreuliaid hyllion," medda fo. A mae Sioned William wedi marw'r bore yma, Miss. Mae pawb yn marw ond fi, a medda mam wrtha i, "Dwyt ti da i ddim. O be 'nâi, be 'nâi? A 'dwn i ddim sut i fynd i'r nefoedd yna, a medda'r gŵr bynheddig, "Does yna 'run nefoedd."'

'Sioned William wedi marw, Elin bach? Nac ydi, nac ydi.'

'Ydi mae hi. Mae pawb wedi marw, a mi fydd ynta a'i griw i gyd wedi marw. Mi syrthiodd yn braf. Mi roedd Sioned William yn hir yn codi, a mi aeth Mary Williams i chwilio amdani hi, a mi redodd i lawr o'r llofft, a medda hi, "Mae hi wedi marw." A mae arna i eisio gweld Miss Glws.'

Ceisiodd Rhiannon grynhoi ei synhwyrau gwasgaredig ynghyd, ac unwaith yn rhagor cymerodd Elin yn ei llaw, ac aeth y ddwy i fewn i'r ystafell lle y gorweddai y cyrff, a thynnodd Lady Llwyd y gorchudd oddi ar yr wynebau edrychent mor swynol brydferth fel pe yn huno yn dawel. Aeth Elin ar ei gliniau wrth eu traed, a dododd ei phwysi bychan yn y fan honno, ond cododd Rhiannon y blodau a rhoddodd hwynt cyd-rhwng bysedd ei chwaer.

'Llygad y dydd oedd hi i ni, yntê, Elin, fy Olwen fach annwyl. A mam! Fy mam! Hefo'i gilydd!'

'Yn lle, Miss, os nag oes dim nefoedd yn unlle.'

A chofiodd Rhiannon genadwri olaf Olwen i Elin ac i Francis Glyn pan welai ef. Y foment nesaf sylwodd fod yna megis cawod o flodau gwynion yn gorwedd ar gadair wrth ben ei hanwyliaid, a cherdyn bach wedi ei glymu wrthynt, ac ysgrifen wedi ei hysgrifennu arno fel hyn: 'Er cof am y rhai annwyl oddi wrth un a'u carai yn fawr.' Ond llawysgrifen ddieithr i Rhiannon oedd hi. Gorchuddiodd wynebau ei mam a'i chwaer, ac arweiniodd Elin – yr hon erbyn hyn a wylai yn uchel – o'r ystafell dawel. Ni ddymunai hi glywed hyd yn oed wylofain hiraeth yn nhawelwch distaw y fangre gysegredig. Yn y neuadd cyfarfu Syr Tudur â hwy, ei wyneb yn bryderus. Rhoddodd Rhiannon ei llaw ar ei fraich, a gofynnodd iddo a wyddai am farwolaeth Sioned William.

'Ydi mae hi, mae pawb yn marw,' atebai Elin wrthi ei hun.

Cododd Syr Tudur ei ddwylaw i fyny mewn dychryn.

'Fi gwybod dim am y peth hyd y munud yma, Rhiannon fach. Och! fi meddwl dim lle tebyg i hwn yn byd mawr. Boba deud hi yn rhywle o hyd, ond fi meddwl hi dim tebyg i hyn yn un lle yn aml iawn, fi gobeithio hynny.'

'Pawb yn marw ym mhob man,' sibrydai Elin yn floesg trwy ei dagrau. Trodd Rhiannon ati.

'Rŵan, Elin, dos di adre, i ti gael amser i roi dy ffrog ddu amdanat i ddod i'w danfon nhw Elin, a fory mi fyddai yn disgwyl dy weld di yma i ddeud hanes y nefoedd wrthyt ti, yntê?'

'Cha i ddim dŵad i fewn gin y dyn sy'n gneud gwaith dynes,' ebe Elin yn athrist.

'Cei, Elin, mi fyddwn ni wedi deud fod arnaf fi dy eisiau di.'

Rhoddodd Syr Tudur swllt yn ei llaw, edrychodd Elin arno, '*Tanciw* mawr, Syr Tudur Llwyd, mae pawb sy o ochor Miss yn ffeind wrtha i.'

Dechreuodd wylo drachefn, ac aeth ymaith â'i hwyneb yn ei dwylaw. Gofynnodd Rhiannon i Syr Tudur pwy anfonodd y blodau gwynion prydferth.

'Fi dim siŵr, ond fi meddwl mai cyfaill ifanc fi, Mr Francis Glyn, nai Mr Harris, Plas Dolau. Peters dim gweld fo, ond

Betsy deud fo dim dod i fewn i gweld neb. Piti hefyd, fo dyn ifanc, a helpu Nisien gwell o lawer na fi.'

'Gadawodd Olwen genadwri iddo, ac os daw eto carwn geisio ei dweud wrtho. Feallai y gŵyr ef beth feddyliai fy ngeneth fach annwyl i. Nis gwn, ond rhaid i mi wneud yr oll ofynnodd hi i mi. Lle mae Nisien? O! Syr Tudur, mi ddywedodd Olwen eich bod chwi mor garedig wrthi, fedra i byth ddiolch digon i chwi. Ac mae'n rhaid i mi ofalu am Nisien, dyma William Williams mewn trallod. Ac mae Boba'n mynd yn hen. Mae yma lawer o waith i'w wneud eto, ond rydw i wedi blino, wedi blino.'

Rhoddodd Syr Tudur Llwyd ei fraich amdani, ac agorodd ddrws y llyfrgell, lle yr eisteddai Nisien Wyn wrth y tân, a'i law dan ei ben.

'Rhiannon wedi blino, Nisien, chi helpu hi nes fi dod yn ôl. Fi mynd â'r ceffyl i'r pentre i weld William Williams. Fo dyn da iawn, a fi meddwl nhw...' gan edrych tua chyfeiriad yr ystafell ddistaw, ac wedi hynny ar Lady Llwyd.

'Fi meddwl nhw dymuno i fi cofio am William Williams, fo cofio pawb yn Hafod Olau.'

'Hafod Dywyll, dywyll,' griddfanai Nisien Wyn, ond daeth gwên dyner ar wyneb Rhiannon. Rhoddodd ei phen ar fraich Syr Tudur; cusanodd yntau ei thalcen. 'Fi gneud cwbwl fi gallu, Rhiannon fach, fi dim llawer o amser eto cyn bydd Olwen fach ni yn dod i cwrdd fi â llond ei dwylo o blodau, fi leicio gneud byd yma mor dda sy'n bosibl i chi a pawb.'

Cododd Nisien Wyn ei olygon i fyny, 'Syr Tudur mae pob man o'ch cwmpas chwi yn well i bawb, mewn byd sydd mor llawn o ysbrydion aflan; oni bai am ambell un fel chwi beth ddaethai ohonom? Mae'r Hafod Olau, a phob man ond y Friog, yn llawn o dywyllwch i mi heddiw, ond mi geisiaf fyw am y gweddill o'm hoes i wneud yn amhosibl i'r fath drueni ymweled ag un ardal arall yn y wlad yma eto fel hyn oblegid fod y bobl yn meiddio ceisio rhyddid fel eu genedigaethfraint oddi ar law dynion nad ydynt ond cig a gwaed fel hwythau, ond eu bod yn meddu pocedau llawnach.'

Tra y siaradai Nisien, daeth Dyddgu fechan i fewn i'r llyfrgell, a phlethdorch hardd o'r blodau bychain prydferth a eilw'r Saeson yn *heart's ease* yn ei llaw. Gwelodd Rhiannon hi, ac ebe wrthi, 'Roedd Olwen yn hoff iawn o'r blodau yna, Dyddgu.'

Edrychai y plentyn ar y blodau, yna ar Rhiannon a Nisien, ac ebe hi yn ddistaw,

'Oedd roedd Miss Olwen yn leicio blodau fel yma, a dyna pam daethon nhw o bell bell iddi hi. Mr Glyn yn dŵad â nhw i mi i roi iddi hi. Mae Mr Glyn yn crio hefyd 'run fath â chi a Mr Wyn.'

'Mr Glyn eto,' meddyliai Rhiannon, a llanwyd ei henaid gan ofid drosto. Yn niniweidrwydd ei chalon tybiodd hi i'r dyn ieuanc roddi ei serch ar Olwen, ei chwaer brydferth a ddenai bawb o'i chwmpas i'w charu, a phenderfynodd wneud rhywbeth i'w gysuro. Cofiai am y mwynhad fu ei gwmni iddynt yn y dyddiau cyn i'w gwynfyd ymadael, ac wedi hynny pan ddechreuodd yr wybren dduo uwch eu pennau, a'i siomedigaeth am na wyddai pa le yr oedd pan aeth ei thad ymaith, am yr ymddangosai Mr Glyn yn ei barchu mor fawr. Cododd ac aeth ar ôl Syr Tudur, ac ebe hi wrtho, 'Os gwelwch Mr Glyn, neu os gallwch anfon cennad ato feallai y carai ef weled eu hwynebau hwy am y waith olaf. Mae'n ddrwg gennyf drosto, nid yw yn cael gwneud dim erddi.'

Addawodd Syr Tudur ofalu anfon y genadwri i Mr Glyn, ac ebe Lady Llwyd eilwaith, 'Cofiwch roddi fy nghydymdeimlad i William Williams. Bu ef yn dda iawn i mi, a hwythau,' a bendithiai'r hen fonheddwr bob amgylchiad barai i Rhiannon gymeryd diddordeb mewn bywyd unwaith eto. Trodd hithau yn ôl tua'r llyfrgell a gwelai Dyddgu yn sisial yn ddistaw yng nghlust Nisien.

Dychrynnodd, ac ebe hi, 'Oes rhywbeth eto, Nisien?'

'Dim ond fod Dyddgu yn dweud fod y dyn yna sydd yn lle fy nhad wedi torri ei goes.'

'Ie, hefo bwgan, a does dim bwgan medda 'nhad, a Mr Glyn hefyd, a Huw Huws yn deud ma' Mr Harris ydi'r bwgan.'

'Na, does dim bwgan, Dyddgu fach,' ebe llais mwyn Rhiannon. 'Wel, mi welodd Mr Harris ryw fwgan medda fo yn ymyl y Cerrig Gwynion, dan y coed derw mawr, roedd o'n hwyr yn mynd adre, a mi ddychrynodd y ceffyl a Mr Harris, a mae o wedi torri 'i goes.'

Edrychodd Nisien a Rhiannon ar ei gilydd, ac ebe efe 'Mae'r meini yn wynion loergan lleuad, a'i gydwybod yntau yn euog, Rhiannon.'

'Arferai fy ngeneth i fynd atynt yn aml tra y gallai, Nisien, a bûm innau rai gweithiau drosti, er mwyn ei boddio. Byddai mor falch clywed fod y meini yn union fel cynt, a dywedai eu henwau, a soniai am y gwahanol rinweddau, a heddiw...'

'Ie, ond heddiw, Rhiannon, mi gollwn olwg arnynt am byth: fydd dim eisiau meini'r cyfamod mwy.'

'Fedra i ddim deall pethau yn iawn, Nisien. Mae'r tywyllwch yn ddu iawn i mi, ond rywbryd yn rhywle fedra i ddim peidio disgwyl y bydd 'nhad a mam ac Olwen yn fy nghyfarfod i ryw ddiwrnod. Fedra i ddim credu y gall cymaint o ddaioni farw, Nisien. Mae'n rhaid eu bod nhw yn byw yn rhywle. O, mae 'mhen i'n brifo wrth geisio deall pethau yn iawn. Yng nghartre'r saint maen' nhw, Lady Llwyd,' a pherliai llygaid tywyll Dyddgu tra yn setlo'r cwestiwn ar unwaith. 'Roedd Mr Glyn yn deud petha 'run fath â chi, ac yn crio lot fawr, nes gnes i ddeud wrtho fo am gartre'r saint, a sut un oedd o, a fel bydda Robert Gruffydd yn falch gweld Gwen Gruffydd a Miss Olwen yn mynd ato fo, a fynta yn dangos nhw i Iesu

Grist, a neb mor glws yn y cartre â nhw, a Iesu Grist yn canmol 'u dillad gwynion nhw, a Iesu Grist yn dangos nhw i'w Dad, ac yn rhoi coron aur ar eu penna nhw, a gyrru angylion i ddangos y Plas, y cartre iddyn nhw, achos gweision i'r saint ydi'r angylion, medda mam. A dydi Hafod Olau ddim byd i gartre'r saint, Lady Llwyd. Mae hi mor olau yno medda 'nhad fel nad oes arnyn nhw ddim eisio haul na lleuad na sêr, na dim byd i neud golau, a deith hi byth yn dywyll yno chwaith. Dyna lle mae'ch tad, a'ch mam a Miss Olwen, a mi gawn ni gyd fynd yno atyn nhw os gnawn ni fyw 'run fath medda mam. Mae Janet Williams wedi mynd ben bora.'

'O enau plant bychain y peraist nerth,' ac felly y bu i eiriau syml Dyddgu fechan fod yn falm i glwyfau ysbrydoedd dolurus Nisien Wyn a Lady Llwyd. Rhoddodd Rhiannon ei braich am y plentyn, a thynnodd hi i'w mynwes. 'Fy angel bach i wyt ti yntê, Dyddgu?' a chusanodd hi yn dyner.

'Dyna fydd Mr Glyn yn 'y ngalw i hefyd,' ebe Dyddgu.

'Os felly, beth fydda i ti fynd i chwilio am Mr Glyn? Rydw i'n meddwl y leicie fo weld ein rhai annwyl ni am unwaith, a mi fydda'n biti iddo fo beidio.'

Aeth Dyddgu yn ddistaw i'r ystafell nesaf, a gosododd ei phlethdorch yno yn ymyl y ddwy arch o dderw destlus, rhai plaen heb ond ychydig addurniadau arnynt yn unig yr enwau ar blât bychan o arian pur ar y caead i'r ddwy. Nis gwyddai Dyddgu beth oedd ofn ym mhresenoldeb y marw. Magesid hi gan rieni doeth ymhell uwchlaw i'w sefyllfa mewn gwybodaeth, ac ni oddefid i neb ddychryn y plant gyda bwganod, nac un math arall o ofergoeledd. Wedi iddi fyned allan o'r Friog, rhedodd fel y wiwer yn syth tua'r Plas Dolau, gan mai yno y disgwyliai weled ei ffrind. Eithr cyn myned nepell o ffordd, canfyddodd Dyddgu Francis Glyn yn dyfod i'w chyfarfod, a phan geisiai y fechan ddweud ei chenadwri, atebodd hi ei fod yn barod i fyned i'r Friog, fod Syr Tudur

Llwyd ei hun wedi ei wahodd yno ac, felly, law yn llaw aethant gyda'i gilydd. Wedi cyrraedd y ffrynt safodd Francis Glyn yn sydyn. Methai â rheoli ei deimladau, a deallai yr eneth fach ei fod yn drallodus iawn. 'Mr Glyn,' ebe hi, 'Mae'r ddwy yn glws iawn.' Gwasgodd yntau ei llaw fechan yn ddistaw, a'r foment nesaf wele'r bwtler yn eu harwain i'r llyfrgell, a Lady Llwyd yn cyfodi o'i chader i'w cyfarch. Munud ofnadwy oedd honno i'r dyn ieuanc pan edrychai i'r wyneb gwelw, y gruddiau yn denau gan ofid, a chleisiau du-las oddi tan y llygaid a hoffai; a melltithiai y dyn, ewythr neu beidio, a barodd y fath gyfnewidiad yn yr eneth arferai fod mor llon ac iach. Cyflwynodd Nisien iddo, a gofynnodd iddo eistedd gyda hwynt. Yna trodd ei hwyneb ato drachefn, a diolchodd iddo am y blodau 'gwynion fel hwy eu hunain, fy anwyliaid.'

Ond nis gallai Francis Glyn ei hateb heb golli ei hunanfeddiant yn llwyr. Ymhen ennyd ebe hi, 'Ddowch chwi i'w gweled gyda mi? Maent yn brydferth iawn, ac yn edrych mor hapus.' Ceisiodd ganddi beidio dyfod, a dywedodd rywbeth am rywun arall i fyned gydag ef, ond ysgydwodd Rhiannon ei phen, a chymerodd ei fraich, ac arweiniodd ef i'r ystafell fyddai yn fuan iawn yn wag am byth iddi hi. Cychwynnodd Dyddgu gyda hwy, ond archodd Rhiannon iddi fyned yn ôl at Nisien i'r llyfrgell. Yna tra yn sefyll yn ymyl ei rhai annwyl, ac yn ôl ei thyb hi yn edrych ar weddillion yr eneth dlos y bu i Francis Glyn ei charu, rhoddodd ei llaw iddo a dywedodd, 'Mr Glyn, hwyrach y bydd yn gysur i chwi wybod i Olwen sôn amdanoch yn ei munudau olaf, a dyma ei chenadwri i mi, "A phan weli di Francis Glyn eto, 'nei di ddweud wrtho fod Olwen am iddo gredu fod Tad yn y nefoedd, a bod Iesu Grist yno, a mai rhyw baratoi sydd ar y ddaear yma. A mi leiciwn iddo fo wybod fod yn ddrwg iawn gan Olwen ei bod hi wedi ei rwystro i gael rhywbeth oedd o am ofyn i 'nhad." Dyna, Mr Glyn, eiriau Olwen i chwi.'

Aeth y dyn ieuanc ar ei liniau, ei drallod yn ei orchfygu, ac ebe Rhiannon, 'Mr Glyn, mae Mr Wyn yn dioddef hefyd. Gwell i mi ddweud wrthych fod Nisien ac Olwen yn meddwl ers pan yn blant, am wn i, am fyw eu bywyd gyda'i gilydd.'

Druan o Rhiannon, nis gwyddai hi mai ei cholli hi oedd yn achos o ing Francis Glyn, a gweled ei galar a'i gofid, ac yntau heb un hawl i'w diddanu, wnâi ei drallod mor chwerw. 'Gweddïwch drosof am i mi allu credu,' ebe fe yn doredig 'yn awr nid fan yma yw'm lle i.'

Rhoddodd Rhiannon ei llaw ar ei ysgwydd, a dywedodd, 'Mr Glyn, nid chwi yw'r unig un sy'n methu deall y byd yma, yn methu gweld pethau yn iawn. Mi fydda inna yn y tywyllwch yn aml iawn, ac yn methu, ie'n methu'n lân a gweled fy ffordd o'm blaen. Mi wn i y gwyddoch chwi fwy o lawer na mi am bopeth. Ond, Mr Glyn, mae'r Beibl yn dweud mai rhai bychain nid y doethion sydd yn deall y pethau yma orau. Ond hwyrach y bydd yn help i beidio anobeithio gwybod fod rhywun arall yn yr un brofedigaeth.'

Cododd Francis Glyn oddi ar ei liniau, ac ychwanegodd Rhiannon.

'Dywedodd Olwen cyn marw ei bod wedi maddau i Mr Harris, a chlywais fy nhad yn dweud na buasai ganddo yr un awdurdod arnom oni bai ei bod wedi ei rhoddi iddo. Am fy mam annwyl ni ddywedai hi ond geiriau tyner am bawb,' ac yna tynnodd y gorchudd dros yr wynebau, a chymerodd ei fraich. Teimlai yntau hi yn pwyso yn drwm arno, ac edrychodd arni a gwelai ei hwyneb yn wyn a'r chwys oer ar ei thalcen. Cododd hi yn ei freichiau gan ei galw yn 'Rhiannon, fy nghariad, O! Rhiannon! Fy Nuw, y mae yn marw,' a chusanodd ei hwyneb unwaith ac eilwaith heb ystyried dim ond fod Rhiannon a garai fel ei enaid ei hun yn gorwedd yn ei freichiau fel un marw.

Agorodd Nisien Wyn ddrws y llyfrgell wrth glywed ei wylofain cryf, a neidiodd Dyddgu o'i chader mewn dychryn, a gwaeddodd, 'Beth sydd? Ydi Lady Llwyd yn sâl?'

Aeth y geiriau fel saeth at galon y dyn ieuainc, Lady Llwyd nid ei Riannon ef oedd hi.

'Mae hi yn wannaidd iawn, mewn llewyg y mae,' ebe Nisien Wyn, ac erbyn hyn gwelent yr amrannau yn symud, a'r llygaid yn cilagor. Rhoddodd Francis Glyn ei law i Nisien, 'Well i mi fynd, caf eich gweld eto gobeithio. Gofalwch amdani hi. Nis gallaf fi,' a rhuthrodd allan o'r ystafell ac o'r tŷ fel dyn gorffwyllog.

Dywedodd Mrs Harris wedi hynny iddo fyned yn syth i'w ystafell wedi cyrraedd Plas Dolau, a chloi y drws, ac na welwyd ef mwy y diwrnod hwnnw, er iddi hi erfyn yn daer arno ddweud wrthi hi beth barodd iddo ymneilltuo i'r unigrwydd ei hunan.

Daeth Rhiannon ati ei hun ymhen ychydig amser. Gwyliai Nisien a Dyddgu bob symudiad o'i heiddo, a gweinyddai ei gweinidogion arni mewn pryder, canys hoffent oll eu meistres ieuanc. Daeth Boba yno cyn amser cychwyn y cynhebrwng, a bu presenoldeb yr hen wraig yn help i Rhiannon i ymgynnal. Feallai fod cydymdeimlad Boba yn debycach nag un neb arall i gydymdeimlad mam â hi yn awr ei gofid. Ond gweled William Williams y pregethwr yn eu mysg a doddodd galon pawb. Daeth at Rhiannon i'w hystafell, ceisiodd hithau lefaru mwy na'i diolch.

'Wel, 'ngeneth i,' ebe William Williams, 'mi wyddwn i mai fan yma y dywedasai fy mam y dylaswn i fod. Mae hi yn gorwedd yn dawel fel hwythau heddiw, fedra i wneud fawr yn rhagor iddi hi, ond mi fedra fod yn ceisio dilyn ôl ei throed hi, ac yma basa hi, 'ngeneth i, pe gallai hi heddiw.'

A phan ddaeth yr awr i symud y fam a'r ferch gyda'i gilydd, a'r dorf fawr o flaen yr hen blas heb un llygad sych yn eu mysg, a'r wylofain a'r ocheneidiau i'w clywed ar bob ochr, yn uwch na'r oll roedd llais William Williams yn ledio'r hen bennill roddodd gysur i lawer enaid trallodig cyn hynny:

Llais un gorthrymydd byth ni ddaw
　I'w deffro i wylo mwy
Na phrofedigaeth lem na chroes,
　Un loes ni theimlant hwy.'

Canu heb ei fath oedd y canu hwnnw, canu a'i lond o ddagrau yn tagu'r lleisiau er eu gwaethaf. A pha ryfedd fod yr hen ardalwyr yn anghofio eu bod hwythau druain mewn penbleth a dryswch yn eu hamgylchiadau, pan edrychent ar y bachgen, mab y bonheddwr fu yn byw yn eu plith am flynyddau, ac yn dda wrthynt i gyd, yn dioddef galar mor fawr am y fanon dlos oedd yn annwyl gan bawb o'i deutu; ac yna ar Lady Llwyd, yr eneth a adnabyddent hwy fel Rhiannon Gruffydd yn gorfod edrych ar ei mam dyner, a'i chwaer yn myned gyda'i gilydd i orwedd at ochr ei thad. Nid yn aml trwy drugaredd, fel y dywedodd Syr Tudur, y gwelid trychineb o'r fath yn yr un teulu mewn ardal, a gweddïodd William Williams fel pe yn penderfynu mynnu'r fendith i'r ddau ieuainc yn eu hing. Yna gofynnodd i Dad y trugareddau dywallt yn helaeth orau nef a daear ar ben Syr Tudur Llwyd eu noddwr a'u cyfaill yn y ddrycin oedd wedi gorddiwes yr hen ardal dawel, a chofiodd am bawb y gorfyddai iddynt hwythau hefyd oddef llid y gelyn cyn pen nemawr o ddyddiau. Anodd disgrifio teimladau y bobl pan waeddodd y pregethwr, 'Atal Dy law, Arglwydd, cofia mai llwch ydym, nyni ydym glai, Tithau yw ein lluniwr ni. Atolwg, Arglwydd, atal Dy law cyn y byddom oll feirw. Paham y dywed y cenhedloedd, Pa le mae eu Duw hwy? Na fydded i Ti fod yn Dduw yn ymguddio yn hen fro Llangynan heddiw. Datoder rhwymau anwiredd yma, a thyner ymaith feichiau trymion, tyrd dy Hun i ollwng y rhai gorthrymedig yn rhyddion.'

Torrodd y dorf i wylo yn uchel, ac wylodd y pregethwr gyda hwy. Wedi ychydig amser trefnwyd yr orymdaith i gychwyn a hebryngwyd y fam a'r ferch i'r hen fynwent.

Ac yno y gadawyd y tri gyda'i gilydd i huno yn dawel heb glywed mwyach sŵn y boen sydd yn y byd. Canys 'Yno yr annuwiolion a beidient â'u cyffro, ac yno y gorffwys y rhai lluddedig.'

Pennod XXVIII
Gorau Duw i ddyn: cyfeillgarwch

Ymhen ychydig ddyddiau wedi rhoddi Gwen Gruffydd a'i merch yn ei gorffwysfan olaf cludwyd Janet Williams hefyd at ymyl ei phriod, ac er ei bod wedi byw bywyd hir ac y gellid dweud amdani, 'Ti a ddeui mewn henaint i'r bedd, fel y cyfyd ysgafn o ŷd yn ei amser,' eto gwyddai pawb fod colli ei chartref, a'r holl drallodion yn yr hen fro wedi effeithio yn drwm arni, a phrysuro ei diwedd. Cafodd bob caredigrwydd yn nhŷ ei mab ond hoff gan hen bobl eu haelwyd eu hunain, a'r tawelwch distaw nas gellir ei gael o dan gronglwyd lle megir plant ieuanc. Myn eu hysbrydoedd nwyfus hwy fyw mewn sŵn a miri beunydd, tra y mwynha yr hen bobl, fu yn eu hamser yn llon a gweithgar, eu horiau yn gorffwyso ar ôl lludded y dydd. Daeth tyrfa fawr i'w hebrwng hithau; tyrfa a'u mynwesau yn llawn o deimlad, ac yn nesaf at y teulu cerddai Syr Tudur Llwyd, a Nisien Wyn. Nis gallai Lady Llwyd adael ei hystafell, er y dymunai fod yn ymyl William Williams pe yn bosibl, ond gorfu iddi fodloni aros adref a gadael ei lle i Syr Tudur a Nisien.

Y noson honno daeth glaw trymach nag arferol, cawodydd o ddefnynnau breision, a'r gwynt yn griddfan, ei sŵn megis wylofain yn y coed oddeutu'r Friog, a gwasgai Rhiannon ddwylaw Boba ynghyd â griddfannai hithau hefyd.

'O! Boba, Boba, mae y tri allan yn y glaw, a minnau fan yma,' ac ocheneidiai fel un a'i chalon yn torri.

Ceisiai yr hen wraig ei chysuro, gwyddai hithau yn dda am yr un teimlad. Cofiai Boba yr arteithiau a ddioddefodd ei hunan pan ddaeth y storm gyntaf wedi rhoddi ei mam yn y pridd, ac oni bai am ei thynerwch a'i chydymdeimlad digon tebyg nas gallasai Rhiannon ieuanc ddal ei phrofedigaethau chwerwon ac y buasai teulu'r Hafod Olau yn gyfan heb un ar goll yn gorwedd yn hen fynwent Llangynan. Ond arweiniodd yr hen wraig dlawd – o bethau'r byd sydd yr awron, eithr yn aeres 'y pethau a ddarparodd Duw i'r rhai a'i carant Ef' – feddwl tyner Rhiannon yn araf ond yn sicr i ymdawelu, neu fel y dywedai Boba, i ymostwng o dan alluog law ei Thad yn y nefoedd. Deallai Boba, hefyd paham yr oedd Rhiannon yn Y Friog, ac er ei bod yn caru Syr Tudur â chalon gywir ddiolchgar, eto serch plentyn at riant gofalus oedd, nid y cariad angerddol yn colli dros y glannau oedd yn natur Rhiannon i'w roddi unwaith am byth yn ei hoes i'r un galluog i'w ennill. Ymwelwyd â'r Friog gan amryw o'r mawrion boneddigaidd a drigent yn y cylchoedd, ac wrth gwrs dilynwyd hwy gan yr haid o gynffonwyr na feddant un reol bywyd ond eiddo'r mwnci, sef efelychu eu huwchafiaid bydol.

Derbyniai Rhiannon hwy yn deilwng o Lady Llwyd, ac er ceisio ni chafodd neb le i bigo brychau yn ymddygiadau yr eneth a ddaeth o ffermdy'r Hafod Olau yn Feistres hen blasty'r Friog. Addolai Syr Tudur ei wraig ieuanc, ac edmygai Nisien Wyn ei dull boneddigaidd, oedd gymaint uwchlaw eiddo'r rhan fwyaf o'r boneddigesau ddeuent yno i basio barn arni. Canys yr adeg honno, fel yn awr, nid oedd gwaedoliaeth nac arian bob amser yn sicrhau ymddygiadau boneddigaidd, na chwaith foesau da. Mynnai Syr Tudur i Nisien wneud ei gartref yn Y Friog Deallai ei lygaid craff ef y cwmni oedd y dyn ieuanc i Rhiannon, a'r cydymdeimlad ysbrydoedd fodolai rhyngddynt megis brawd a chwaer, ond yr oedd Nisien â'i fryd ar daflu ei hunan i waith ei fywyd, sef torri iau Toriaeth a gorthrwm oddi ar ysgwyddau ei bobl, a threfnodd i fyned yn ôl at y pendefig caredig a'i fab ymhen ychydig wythnosau. Yn y cyfamser symudai y ffermwyr eu dodrefn a'u da o'u hen gartrefi i rywle neu gilydd y bu iddynt gael mangre i roddi eu traed i lawr, druain. A gorweddai Mr Harris, y Plas Dolau, yn ei wely weithiau, ac ar lwth brydiau eraill yn ceisio gwella ei goes. Nid torri yr asgwrn oedd y ddamwain ond anafu cig a chroen yn friwiau poenus. Daeth Francis Glyn yno mewn atebiad i erfyniad ei fodryb, neu feallai i lythyr Dyddgu fechan yn gofyn am y blodau gario'r dylanwad cryfaf, ac yr oedd rhyw ddyhead yn ei enaid am gael bod yn agos i Rhiannon yn ei gofid. Cerddai y gŵr ieuanc yn ôl ac ymlaen, ei galon yn drom o'i fewn, tra y pasiai y llwythi dodrefn ef, neu y gwartheg a'r eidionau, ac anifeiliaid eraill angenrheidiol i stocio fferm. Cai ambell gipolwg ar Dyddgu, ac aeth i fynychu y felin i siarad â John Meredydd ynghylch helyntion y fro, a byddai yn sicr o glywed pa fodd yr oedd Lady Llwyd cyn cychwyn i ffwrdd, ac anaml iawn yr elai oddi yno heb i'r eneth fechan fyned gydag ef ran o'r ffordd. Pan na fyddai neb ond hwy eu dau yn bresennol, ei hatgofion melys am Hafod Olau, a'r teulu bychan dedwydd yno barablai Dyddgu wrth ei chyfaill, a thrwy gyfrwng y plentyn deallodd Francis Glyn gymeriad Rhiannon Gruffydd. Yng ngoleuni geiriau Dyddgu aeth ei cholli yn fwy gofid iddo nag erioed, yn gymaint â bod ei rhinweddau yn peri iddo ei charu fwyfwy. Cofiai yn fynych y bore y bu Elin dlawd yn ei gynghori i ddweud wrth Miss ei fod o'i hochr hi, a melltithiai ei ffolineb yn peidio torri ar draws popeth a gofyn yn blaen i Rhiannon am ychydig funudau o'i hamser. Dywedai wrtho ei hun bob dydd y byddai yn well iddo adael yr ardal, er hynny, arhosai ddiwrnod ymhellach, ond nid elai yn agos i'r Friog. Ambell waith elai i ben boncyn lle y gwelai ffrynt y plas, ac wedi aros yno yn hir feallai y deuai Rhiannon i gerdded yn ôl ac ymlaen ar y lawnt. Wedi ei gwylio am ysbaid, ymaith ag ef a'i galon yn llawn chwerwedd tuag at ei ewythr, a'i feddyliau cymysglyd yn methu credu yn y Daioni mawr tra y teyrnasai drygioni o'i gwmpas. Un noson tra yn synfyfyrio am y pethau hyn, ac yn cerdded yn araf tua'r Plas Dolau heibio'r meini gwynion a garai Olwen, gwibiodd rhywun fel drychiolaeth dros ei lwybr. Neidiodd yntau i gymeryd gafael ynddo beth bynnag oedd, ond yn rhy hwyr. Tybiai Francis Glyn na fu i un wiwer erioed redeg yn gynt ar hyd y coed, na'r creadur hwnnw, beth bynnag oedd. Y foment nesaf clywai rywun yn sibrwd yn ei ymyl ac ochneidiau trwmlwythog yn esgyn o fynwes mor alarus â'i eiddo yntau. Safodd yn y fan, a chlywai y geiriau a leferid,

Does heno yn aros ond meini'n cyfamod
A'r lleuad a'r sêr wenent gynt arnom ni.

Anghofiodd Francis Glyn ei hun a'i drallod, ac aeth at y fan lle y canfyddai rywun ar ei liniau yn ymyl y meini, a deallodd mai Nisien Wyn oedd. Cyffyrddodd yn dyner â'i ysgwydd a dywedodd 'Mewn trallod fel ein gilydd yntê, Mr Wyn?'

Cododd Nisien ar ei draed, a rhoddodd ei law i'r llall yn ddistaw. 'Yr wyf yn myned ymaith fory, nis gallaswn fyned heb ffarwelio â'r fan yma sydd mor gysegredig imi. Chwi gofiwch, Mr Glyn, fy hen gartref, yr unig gartref fu gennyf fi, fu Plas Dolau a'i amgylchedd.'

'Ie, ac yno y dylasech fod eto, Mr Wyn. O! gobeithio eich bod yn gwybod mor groes i'm teimladau i yw ymddygiadau fy ewythr.'

Cerddai y ddeuddyn ieuainc fraich ym mraich erbyn hyn trwy'r coed ar hyd llwybr gydag ochr y clawdd terfyn cyd-rhwng stad Y Friog a'r eiddo'r Plas Dolau.

'Gwn eich bod mewn trallod mawr, Mr Glyn, fel finnau, ac mae hynny yn peri i mi ofyn ai ni allwn fod yn gyfeillion. Deallais eich bod yn hoff o'r rhai annwyl sydd wedi ein gadael, pa ryfedd i neb eu caru, onidê, bob un ohonynt? Hwyrach y byddai yn help i chwi Mr Glyn pe dywedwn i dipyn o hanes y dyddiau gynt wrthych, fel y deallwch chwithau hefyd fod serch Olwen yn eiddof fi ac nad oedd bosibl iddi garu neb arall, pa mor ragorol bynnag fyddai.' Ac aeth Nisien dros lawer o'i hen hanes, ac yna daeth at eu cyfamod wrth y meini, yr enwau y galwent y meini gwynion hefyd 'gobaith, cariad, amynedd,' y cynlluniau ar gyfer eu dyfodol, tlysni digymar Olwen, sirioldeb wyneb tywyll Rhiannon, a'i gofal am ei chwaer, ac yn olaf oll, ei hangof perffaith ohoni ei hun yn nyfnder y profedigaethau, pan ddiflannodd eu holl ddedwyddwch, yn union fel y clywodd y cwbl gan Boba. 'Sonia Syr Tudur am fyned â hi ymaith i deithio, ond fy hunan tybiaf fod yn well i Rhiannon fod adref yn ceisio helpu y bobl o'i deutu, yn gofalu am y tlodion, a phawb sydd mewn helbul. Teimla hi a minnau i'r byw drosoch, Mr Glyn, ond feallai wedi i chwi ddeall na fuasai bod Olwen yn fyw yn gwneud un gwahaniaeth, y bydd hynny yn rhyw ychydig o gymorth i chwi.'

'Beth?' a safai Francis Glyn yn ddisymwth, ac ebe fe yn gynhyrfus, 'Beth ydych yn feddwl, Mr Wyn?'

'Tybiodd Rhiannon, a dywedodd wrthyf fi, eich bod wedi gosod eich serch ar ein Holwen anwylaf, Mr Glyn.'

Cododd Francis Glyn ei ddwylaw at ei wyneb, a griddfannodd yn uchel, 'Na, na, fy nghyfaill, ni fu i mi garu Olwen. Edmygwn ei phrydferthwch – pwy allai beidio? – ond o'r funud gyntaf y gwelais i hi, deallais nad oedd iddi ond pur ychydig o amser ar ein daear ni. O! Mr Wyn, Rhiannon Gruffydd a garai Francis Glyn, ac nis gallaf beidio caru Lady Llwyd chwaith. Hi yw byd a bywyd i mi er pan welais hi gyntaf erioed yn dyfod tuag atom ar gefn ei merlen mor llon ac iach, ac nid yw yn llai i mi heddiw. Fy unig gysur yw nas gŵyr hi. Deuthum yma mor gynted ag oedd yn bosibl i fod yn gefn iddi yn y tywydd pan gefais lythyr Dyddgu. Yr oeddwn wedi bod yn Ffrainc yn chwilio ynghylch rhyw faterion o dwyll oedd yn fy ngofal. Deuais yma, ond yn rhy hwyr. Y bore hwnnw gwnaed fy Rhiannon i yn Lady Llwyd Y Friog. Duw a'm cymorth, os oes un yn rhywle, nis gwn i, er i mi geisio credu fod gymaint allaf.'

'Francis', gan ei gyfarch wrth ei enw, 'mae'n well i chwithau ddyfod gyda mi fory hefyd. Ni wnewch fy nghamddeall, ond i chwi fel i minnau, nid oes ond gwaith all ein helpu nid i anghofio, ond i ddioddef ein poenau. Mae'r wlad fel ninnau yn ochain o dan yr iau orthrymus fu'n achos o'r holl drueni. Rhaid i ni ddatod y rhwymau, fel y bydd yn lle gormes, ryddid, yn lle trais, oddef ein gilydd mewn cariad. Un ydym mewn galar, un fyddwn yn ein sêl dros iawnderau ein pobl.'

A chymerodd Francis Glyn ei law estynedig.

'Yn nydd y frwydr byddaf gyda chwi. Collasom bopeth annwyl i ni ein dau. I'r gelyn a'n hysbeiliodd, Nisien, nid oes dangnefedd.' Ac, felly, â'u dwylaw ymhleth y bu i'r ddeuddyn ieuainc selio eu cyfeillgarwch.

Yr ochr arall i'r clawdd esgynnodd ochenaid llawn ing o fynwes arall nas clywodd y ddau gyfaill ieuainc mohoni.

Pennod XXIX
Cymundeb y Saint

Pan symudodd Lady Llwyd o'r Hafod Olau i'r Friog, ni soniwyd gair am na llan na chapel yn fan y disgwylid iddi addoli, ac o hynny hyd farwolaeth ei mam a'i chwaer, ni bu hi abl i'w gadael hwy i fyned i unman. Elai Syr Tudur yn ôl ei arfer i Langynan bob bore saboth, ac ambell dro yn y nos i'r capel yn y pentref, ond ni fu Syr Tudur yn ei fywyd mewn un math o foddion gras ar noson waith. Er hynny, bonheddwr crefyddol iawn, un allesid ddisgrifio fel dyn uniongred o'r hen stamp, oedd efe, a dyn yn byw ei grefydd yn ei holl gysylltiadau, fel tirfeddiannydd, a meistr hefyd, yn ei ofal tadol am dlodion yr ardal heb feddwl am holi beth oedd eu syniadau na'u credo ynghylch y daearol, na chwaith yr ysbrydol. Ond y bore saboth cyntaf wedi i Nisien gychwyn i ffwrdd, dangosodd gwyneb Syr Tudur fel y gwerthfawrogai efe barch Rhiannon i'w hen arfer ef o fyned i'r llan yn y bore pan ddaeth hi ato i'r neuadd wedi ymwisgo yn barod i fyned allan, ac y gofynnodd iddo yn ei dull ieuanc swynol,

'Gaf fi ddod gyda chwi. Carwn ddod i dŷ Dduw unwaith eto, fel y galwai 'nhad bob lle i addoli ynddynt.'

Rhoddodd Syr Tudur ei fraich iddi, ac arweiniodd hi i'r cerbyd, a diolchodd iddi am ei chwmni. Wedi cyrraedd porth y fynwent, sibrydodd hithau y carai fyned heibio 'eu cartref hwy,' ac aeth Syr Tudur â hi at y fan y gorweddent gyda'i gilydd. Cododd hithau ei golygon tua'r nef a gofynnodd gyda symlrwydd plentyn, ei llygaid mawrion tywyll yn treiddio i'r eangder pell, 'Ydyw yr Arglwydd yn gwybod popeth Syr Tudur, yntê creu byd a phawb, a gadael iddynt wedi hynny, wnaeth Efe? Mi fuasai'n dda gan fy nghalon i allu bod yn siŵr fod yna nefoedd, ond wn i ddim.'

Llanwodd llygaid Syr Tudur at yr ymylon, 'Fi siŵr bod yna

nefoedd, Rhiannon fach. Nhw i gyd yno, a nhw deall y drefn *first rate* yno; nhw gwbod mwy lot fawr na ni. Chi peidio dowtio bod Tad ni wrth y llyw, er ni dim gwbod pam Fo distaw, a dynion drwg yn cael *free hand* i boeni pobol da, gonest. Ond fi siŵr bod Fo yna, er fi dim gweld yn glir. Fi dim hir iawn eto heb gweld yn well,' ac ymhen ennyd ychwanegodd, 'Ni ceisio credu, Rhiannon, bod y Tad trugarog yn gneud cwbwl yn iawn, er Fo dim deud pam wrth y plant, yntê?'

Crynai gwefusau Rhiannon, ond nis ynganodd air, ac aeth ymlaen ym mraich Syr Tudur i hen sêt Y Friog. Ychydig iawn o bobl oedd yn y llan, ond ni wybu Rhiannon hynny. Clywai Mr Prys yn darllen y salmau a garai ei thad, a'r darnau o Efengyl Ioan glywsai ei mam yn ei hadrodd o'i chof gymaint o weithiau. Gwrandawai arnynt yn mynd dros y credo gyda'i gilydd, ac ailadroddai hithau y geiriau yn ddistaw ei hunan. 'Cymun y saint,' fel pe hwy roddent i'w hysbryd y cysur mwyaf. 'Cymun y saint. Beth yw ystyr y geiriau?' gofynnai i Mr Prys ar y diwedd. 'Ai meddwl fod yna gymundeb cyd-rhwng y saint yw'r ystyr?'

'Ie, Lady Llwyd, *communion of saints* yn ôl y Saesneg, yntê? Mae'n dda iawn gennyf fi eich gweld yn medru dod atom, Lady Llwyd.'

Edrychodd Rhiannon tua'r fan lle y gorffwysai ei hanwyliaid, ac ebe hi, megis wrthi ei hun yn Saesneg '*I believe in the communion of saints*'. Trodd at Mr Prys, 'Diolch i chwi Mr Prys, diolch yn fawr.' Dywedodd Syr Tudur ei fore da arferol, ac aethant yn ôl tua'r Friog yn y cerbyd. Pwysai Rhiannon ei phen ar y clustogau a phlethai ei dwylaw ynghyd.

Gwyliai Syr Tudur hi yn ddistaw. Deallai efe Rhiannon yn ddigon da i'w gadael i fyfyrio ei hunan. Gwyddai Syr Tudur yr enillai ei wraig ieuanc y frwydr ar ei holl amheuon yn y man, ond nid trwy i undyn o'r tu allan geisio ei gorfodi i gredu y gwirionedd fel yr ymddangosai iddynt hwy, a diau i ddoethineb yr hen foneddwr fod o fendith anhraethol i Rhiannon yn ei hadfyd. Yn ôl ei addewid cadwodd hi fel cannwyll ei lygaid.

Tua phump o'r gloch prynhawn yr un saboth wele Lady Llwyd eto wedi ymwisgo ac yn myned i'r llyfrgell at Syr Tudur.

'Rydw i am fynd i'r capel heno, mae William Williams yn pregethu yno, medda Boba. Fyddwch chwi ddim yn unig hefo'r llyfrau yma, fyddwch chi, Syr Tudur?'

'Fi meddwl gwell i fi gofyn cwestiwn chi yn y bore, Rhiannon. Fi leicio'n da bur dod i capel os chi bodlon.'

A myned a wnaethant gyda'i gilydd, fel yn y bore i'r llan.

'Fi rioed aros yn seiat capel, gwell i fi mynd i hwylio'r cerbyd,' ebe Syr Tudur pan orffennodd y bregeth, ond gwenodd Rhiannon arno, a rhoddodd ei llaw ar yr eiddo ef a sibrydodd, '*I believe in the communion of saints*', ac arhosodd yn seiat y capel wrth ochr ei wraig. Effeithiodd yr olwg ar Rhiannon gymaint ar William Williams, fel y bu am rai munudau yn methu rheoli ei deimladau, yn eistedd â'i law dan ei ben tra y gofynnai Morus Siôn yn ei ddull cwta ef, 'oedd yna rywun wedi aros ar ôl,' ac yr edrychai yn syth ar Syr Tudur Llwyd. Cododd William Williams ar ei draed, a dywedodd mor dda oedd ganddo ef weled Lady Llwyd yno, a diolchodd i Syr Tudur am aros gyda'r praidd yn y fan honno. 'Mae'r hen gapel yma yn wag iawn heno i Lady Llwyd, 'nghyfeillion i. Mae'r sêt fawr yma yn wag, mae sêt yr Hafod Olau yn wag, a does obaith byth i'r lleoedd gweigion yma lenwi iddi hi, ond trwy ffydd. Yn y credo ddywedir yn eich eglwys chwi, Syr Tudur, ceir eich cred yng nghymundeb y saint. Yr ydym ninnau hefyd yn credu nad ydyw ein rhai annwyl yn y byd gwell ddim wedi eu colli o'r gymdeithas, cymundeb y saint,

Y mae'r gymdeithas yma'n gref,
Ond yn y nef, hi fydd yn fwy.

'"Wedi marw, wedi ein gadael," dyna ein dull ni o siarad, onidê? Fy nghyfeillion, peidiwch â gadael i ni ymdroi ym myd y beddau, dowch i ni roi tro yn amlach, nid tua'r bedd yn y graig lle y bu Crist croeshoeliedig yn gorwedd ynddo am ryw dridiau byr, ond at Grist byw wedi ei goroni â gogoniant ac anrhydedd. Nid at y fan gysegredig y rhoddwyd y daearol i orffwys ynddi hyd fore'r atgyfodiad, ond "i gymanfa a chynulleidfa y rhai cyntafanedig," "ac at ysbrydoedd y cyfiawn y rhai a berffeithiwyd."' Eisteddai Elin Tyn'ffordd yn ymyl Dyddgu, ystyriai y plentyn fod Elin yn ei gofal hi gan fod Lady Llwyd yn ei hymddiried i fyned yno i edrych beth oedd yn eisiau yn y bwthyn bob wythnos. Gwrandawai Elin yn astud ar William Williams, canys rhybuddiai Dyddgu hi yn feunyddiol fod 'drwg edrych o gwmpas yn y capel, fod yn rhaid edrych ar y pregethwr a gwrando arno.' Rhoddodd ysgydwad i Dyddgu ac ebe hi mewn math o sibrwd uchel, clywadwy i bawb, 'Mae o'n deud bod Iesu Grist yn fyw. Pam na ddaw O yma os ydi O'n fyw? Rydw i wedi chwilio pob man amdano Fo. Mi ddeudodd rhywun bod o wedi marw: ma' pawb yn marw ne'n mynd i ffwrdd. Lle mae O? Pam na ddaw O yma?' Aeth yr erfyniad dwys, taer, at galon y bobl, ac wrth edrych o'u cwmpas ar y seti gweigion yn yr hen gapel, a chofio am yr wynebau annwyl eisteddent yno oeddynt wedi ymadael, rhai i'r bedd, eraill i ardaloedd pell, dechreuodd y gynulleidfa wylo y dagrau heilltion. Cododd Syr Tudur Llwyd ar ei draed ac ebe fe yn y llais mwyn a hoffai tlodion Bro Cynan, 'Fi meddwl William Williams dim deud peth i neb crio, *friends* bach. Fi diolch fawr iddo fo, a fi deud yn blaen fi credu cwbwl Williams Williams deud heno. Os chi rhoi drws heb 'i cau i fi, fi leicio dod yma hefo Lady Llwyd, yn leicio helpu gwaith chi yma. Fi meddwl os ni yn credu yn cymundeb y saint, gwell i ni helpu pawb a dim ffraeo hefo neb. Byd yma a lot o gwaith i saint gneud o'n byd da, a pobl ffraeo am capel a llan, a credo a *sects*, nhw gneud fawr dim ond ffraeo, ond ni ceisio bod yn saint, a gneud gwaith saint, ni siŵr o bendith Iôr ar gwaith hwnnw. Fi gwbod hi amser caled i credu dim da yn Llangynan, ond fi meddwl dim merthyr rioed wedi bod na fo gneud gwaith mwy i'n byd ni wrth farw nag wrth fyw. Chi byw llawer ohonoch chi i gwbod pam y petha drwg yma yn hen fro ni, falle fi wedi myned i orffwyso ymhell cynt, ond fi darllen adnod yn ffordd fi fy hun y prynhawn heddiw, "Er gwerth ych prynwyd" medd y Beibl, a fi meddwl adnod felly, "Er gwerth y prynwyd rhyddid gwlad ni," a fi yn meddwl tra gwlad ni yn bod, neb gollwng ango hanes hi flwyddyn hon, chi *friends* i fi i gyd, fi gneud peth fi fedru. Lady Llwyd hi nabod chi gwell, a hi dangos i fi beth i neud. Fi dim gwell i deud na *God bless you friends* wrth chi bob un.'

Cododd hen ŵr penwyn mewn cornel, ac ebe efe mewn llais crynedig llawn o deimlad, 'Coffadwriaeth y cyfiawn sydd fendigedig, ond enw'r drygionus a bydra.' Mi rydw inna'n credu yng nghymundeb y saint, ffrindia. Yn y ffosydd a'r rhigolydd rydw i wedi arfer byw, a fuo mi ddim yn werth i neb fy maeddu fi, does gin i yr un fôt i neb, ond pe basa mi faswn yn yr un bicil ymron â'r rhai ydan ni wedi golli nad oedd yr hen fyd yma ddim yn deilwng ohonynt. 'Dwn i ddim yn iawn sut i ddeud fy meddwl, mae'r rhan fwya' ohonoch wedi cael tipyn bach mwy o ysgol na mi, ond y peth sy arna i eisio ydi cael rhyw fath o gofgolofn yn yr hen fro yma am y seintia oedd pawb yn gwybod mai dyna beth oeddan nhw. Mi leiciwn i weld i henwa nhw oddi fewn i'r muriau yma, a mi fedra i sbario hanner coron ne well, er tloted ydyw i, os medar rhywun cyn hir neud rhyw lun o drefn ar y peth.'

Neidiodd dau neu dri eraill ar eu traed i ategu geiriau yr hen frawd arferai dorri ffosydd. Trodd Elin Tyn'ffordd ei golwg tua'r fan yr eisteddai John Thomas, Hafod Olau, erbyn hyn, ei wedd yn wgus, ac ebe hi yn y sibrwd uchel oedd mor dreiddgar, 'Well i chi beidio gweiddi, mae gwas bach Harris y Sgriw yn gwrando, a mae o'n meddwl bod Iesu Grist wedi marw. Ond os ydi William Williams yn deud y gwir i fod o'n fyw mi fydd O yma o gwmpas i betha ryw ddwrnod heb i neb i ddisgwyl O, a mi fydd yn holics o row yma, hwyrach mae Harris y Sgriw a'i weision fydd wedi marw'r dwrnod hwnnw, a dyna lle bydd y bobol wrth 'i bodd.'

Ni chymerodd William Williams un sylw o eiriau Elin, druan, ond diweddodd y seiat gyda gweddi fer ond llawn o deimlad, a phan gododd y gynulleidfa i ymadael aeth at sêt Y Friog yn ochr y pulpud. Estynnodd Rhiannon ei llaw iddo. 'Fedra i ddweud dim heno, William Williams, ond fy mod yn credu yng nghymdeithas y saint, ac yn gweddïo cymorth fy anghrediniaeth.' Cyn fod y gair olaf o'i genau dyna John Meredydd y melinydd ymlaen, ei wedd yn gynhyrfus ac ebe fe, 'Mae meistr Plas Dolau wedi marw, mae'r newydd wedi dyfod rŵan.'

'Mr Harris?' ebent oll yn unllais.

'Nage, nage, nid Mr Harris, stiward ydi o. Y Sgweiar 'i hun sydd wedi marw yn Ffrainc.'

Pennod XXX
Cyn i'ch crochanau glywed y mieri

Parodd y newydd am farwolaeth perchennog etifeddiaeth eang Plas Dolau gynnwrf nid bychan ym Mro Cynan. Ofnai y bobl nad oedd dyddiau drygfyd ond dechrau iddynt hwy oedd yng ngweddill, a chyrchent yn lluoedd tua'r efail, neu i'r pentref bob un gyda'r nos i glywed rhyw newydd ynglyn â'r mater ollbwysig iddynt hwy. Ac ni fu raid iddynt ddisgwyl yn hir. Ymhen tua thair wythnos neu fis wedi claddu y Sgweiar, fel y galwent ef, daeth gair i Mr Harris yn ei erchi i baratoi y Plas ar gyfer y perchennog newydd gan ei fod ef a'i foneddiges ac amryw gyfeillion ar fedr dod yno i ymweled â'i etifeddiaeth. Hefyd eu bod yn bwriadu dyfod â'r gweinidogion anhepgorol er eu cysur gyda hwy, ac y disgwylid i Mr Harris ofalu fod y lle yn barod i'w derbyn, wedi iddo ef weled sut drefn oedd yno ar bethau y gellid hwylio ar gyfer y dyfodol. Yn canlyn ceid rhif y rhai oeddynt yn gofyn lle, ac er ei fraw, buan y deallodd Mr Harris, na byddai yno gornel i neb ymron i gysgu yn y Plas, ond y dieithriaid a'u gweinidogion. Canfu pawb o'i ddeutu fod rhywbeth yn y gwynt. Aeth Mrs Harris i daflu golwg ar yr ystafelloedd uwchben y llidiardau mawr oeddynt wedi eu hadeiladu ynghanol math o dŵr pedaironglog yn fynedfa i lawnt y Plas. Yna danfonwyd dwy forwyn yno i'w glanhau, a chyneuwyd tanau ynddynt am ddeuddydd nes gwresogi y lle trwyddo; ac wedi ymweliad arall o eiddo Mrs Harris, rhoddwyd gorchymyn i fyned â'i holl bethau personol hi a Mr Harris i'r ystafelloedd hynny, a threfnwyd un ohonynt yn ystafell wely, a'r llall yn fath o barlwr. Cyrchwyd merched o fysg gwragedd y seiri, a gweision eraill i'r Plas Dolau i olchi, a glanhau a sgwrio y lle, a hwbiai Mr Harris o gwmpas, er fod ei goes yn ei boeni, rhag i un peth yn y trefniadau beri anfodlonrwydd i Mr Meyrick, y meistr newydd.

Trodd Ned William y saer i efail Huw Huws tua'r adeg yma i holi am ryw styfflau. Cas beth Ned oedd gorfod myned yn agos i dafod Huw, ond pan fyddai angen am waith cywrain, efe oedd y gof gorau o lawer, a rhaid oedd myned ar ei ofyn, tafod neu beidio.

'Dyma nhw i ti, Ned, tri dwsin yntê?' Nid oedd obaith i'r gof ddysgu dweud yn amgen na 'chdi Ned' wrth yr hwn elwid gan lawer erbyn hyn yn 'Mr Williams, y stiward coed.'

Edrychai Ned ar bob un o'r styfflau yn ofalus, ac ebe fe:

'Ydyn maen' nhw'n iawn. I gownt y Plas maen' nhw i fynd.'

'Popeth yn iawn,' atebai'r gof, 'ond be sy'n bod, Ned? Rwyt ti a dy ben yn dy blu yn arw heiddiw, a chitha'n partoi y Plas i'r Sgweiar newydd hefyd. Sgwn i sut bydd o'n leicio'r drefn sy ar betha o gwmpas i eiddo? Os nag ydw i'n misio, mi welodd o'i stad yn dipyn taclusach pan fuo fo am dro yn y Plas stalwm. Mae Hafod Olau wedi mynd yn anodd iawn 'i nabod esys, a thipyn o altrad mewn amal i fan.'

''Dwn i ddim be sy ar John, mae'r lle yn gwilydd 'i weld,' ebe Ned megis wrtho'i hun.

'Be sy arno fo? Does dim arno fo, ond bod y cythraul heb 'i ddysgu o sut i ffarmio yto, er cimin o law ydyn nhw hefo'i gilydd,' atebodd Huw Huws yn sarrug.

'Mi elli di fod yn blaen, Huw. Rwyt ti ar stad Syr Tudur, ac os oeddat ti'n saff cynt, rwyt ti'n saffach rŵan, a chditha mor bell yn llyfra Lady Llwyd, ond mae'n hawdd gweld i lawr acw nad ydi Mistar ddim ar gefn 'i geffyl yr wsnos yma; mae o yn y felan dros 'i ben. Mae o a Mistras yn gorfod mynd i'r rŵms wrth ben y giatia achos does dim lle iddyn nhw na neb yn y Plas. Mae acw hylltod o griw yn dŵad. Neith *cook* Mistar mo'r tro; maen' nhw yn dŵad â'u *cook* 'u hunain, a bwtler, a ffwtmyn, a choetshmon. Mae y Plas wedi droi 'i tu chwyneb allan.'

Safodd Huw Huws, ei freichiau mawrion cyhyrog yn estynedig i fyny, ac ebe fe yn ddifrifol, '"Hyn a wnaethost, a mi a dewais; tybiaist dithau fy mod yn gwbwl fel ti dy hun; ond mi a'th argyhoeddaf, ac a'u trefnaf o flaen dy lygaid." Dyna'r gair yntê, Ned? Ac mae Harris y Sgriw yn gorfod troi allan i gysgu. Di-fai gwaith iddo fo, mi neith les iddo fo, gobeithio, i wybod beth ydi'r teimlad o orfod troi o'i nyth cysurus. Ha ha,' a chwarddai y gof yn ddigofus.

''Dwn i ddim be sy yn y peth i chwerthin, anlwc heb 'i ddisgwyl ydi'r helynt yn ôl 'y marn i,' ac edrychai Ned William yn gilwgus ar y gof.

'Hwyrach o d'ochor di, Ned, ches di mo dy ran o'r sbleddach eto, ai do? Mi achubodd Jac Tomos y blaen arnat ti, ond deill hi ddim bod yn waeth yma i bobol eraill, cofia, nag yr wyt ti a Harris y Sgriw a'i garsiwn wedi gneud hi. Ac mi all fod yn well, gobeithio y bydd hi, y daw'r Bod mawr o gwmpas 'i betha, chwedal Elin: dyn a'i helpo.' Yna ychwanegodd yn athrist, 'ond sut bynnag y bydd petha, chawn ni byth mo'r hen Langynan fel cynt. Ddaw Rhobat Gruffydd, a'i deulu ddim yn ôl i'r Hafod Olau, na'r hen Sioned William, coffa da amdani. Ond beth 'na i'n dechra cyfri? Mi fydd ôl ych dwylo duon chi ar yr hen fro yn bur hir yto. Tendiwch chi bydd raid i chi dalu'r ffyrling eitha. Pwy ŵyr na fydd y mesur yn dŵad yn ôl i chi yn fuan.'

'Paid a drogan dryga, da chdi. Ond rwyt ti yn dy le, Huw. Ma'n chwith iawn gen inna ar ôl teulu'r Hafod. Roedd yr eneth acw'n sâl yr wythnos ddwetha, a'r wraig acw yn crio ac yn deud mor ffeind oedd Gwen Gruffydd pan oedd hi'n sâl o'r blaen. A dydw inna ddim y peth fuom i cin i mi ddechra slotian. Diwrnod du oedd diwrnod claddu Mr Wyn i'r ardal yma. Mi fydda Boba yn arfer deud bod hi'n gweld hi'n braf iawn ar bobol dduwiol wedi marw, am wn i nad oedd hi'n iawn,' ac ocheneidiodd Ned William, ac ymaith ag ef.

Y diwrnod a nodwyd ganddo, wele Mr Meyrick yn dyfod i'r Plas Dolau, a phe buasai ei hunan, diau na wnaethai ei ddyfodiad un gwahaniaeth i neb yno. Arferai y gwas fyddai amlaf o'i gwmpas ddweud na ofalai ei feistr sut yr elai pethau, ond iddo ef gael ei bibell, a'i ddiod, yr hon a yfai o gwpan arian yn null tancard hen ffasiwn. Ond daeth yr Anrhydeddus Mrs Meyrick gydag ef, a gwelai hi gymaint â llawer dau. Yr oedd yn ferch i ryw Farwn Seisnig, ac felly o waedoliaeth bendefigaidd, a meddai y foneddiges ben ar ei hysgwyddau fuasai o werth i Brif Weinidog, neu Arglwydd Ganghellydd. Rheolai Mrs Meyrick ei thŷ a'i thylwyth, a'r holl diroedd a feddent. Er nad oedd eu moddion ond prin i'w sefyllfa hwy cyn iddynt ddyfod i feddiant o etifeddiaeth y Plas Dolau, eto trefnai Mrs Meyrick y cwbl gyda'r fath ddeheurwydd fel na fu iddi erioed fethu talu bil mawr na bach yn ei ddiwrnod, na gorfod benthyca arian, neu geisio byw yn rhad ar y Cyfandir am rai misoedd o'r flwyddyn i guddio eu tlodi, yn ôl arfer llawer o rai tebyg iddi mewn ystyr fydol. Gwnaethai Mrs Meyrick, pes ganesid hi yn ddyn, Ganghellydd y Trysorlys gyda'r gorau fu erioed yn aelod o un weinyddiaeth. Gan mai merch oedd, gorfu iddi ymfodloni ar ofalu am ei thai a'i thiroedd. Ofnai ei gweinidogion hi, ond parchent hi hefyd: ni chafodd yr un ohonynt gam ganddi, ac ni chymerai hithau chwaith anghyfiawnder oddi wrthynt hwy.

'Well i neb beidio ceisio twyllo Mrs Meyrick,' ebe un o'r morwynion ddaeth gyda hi, 'os gnewch chwi ymddwyn yn iawn mae hi'n feistres *tip-top*, ond gwyliwch dreio ei gneud hi, mi fydd hi'n siŵr o ffeinidio'r cwbwl. Wn i ddim sut, ond mi neith, a gwae chwi wedi hynny. A hi ydi'r *boss*, neu fel y deudwch yng Nghymru yma, y hi sy'n gwisgo'r bais a'r clos, a mae'n dda hynny.'

Ymhen deuddydd wedi iddi gyrraedd, anfonodd Mrs Meyrick am Mr Harris a llyfrau'r stad gydag ef, ac ni fu y goruchwyliwr, druan, erioed dan y fath groesholiad manwl. Mynnai Mrs Meyrick ddeall y rheswm paham y ceid cymaint o gyfnewidiadau diweddar ymysg y tenantiaid. Holai Mr Harris nes ei yrru i ddryswch a phenbleth. Ofnai ddweud y gwir wrthi: nis gwyddai a feddai gredo crefyddol neu wleidyddol, ac ni bu ond ychydig amser cyn deall na wnâi dim ond gwirionedd y tro i'r foneddiges. Yn sydyn gofynnodd iddo pwy oedd ei chymdogion, a gorfu i Mr Harris – wedi pesychu a thagu, ac enwi yr offeiriad, a Mrs Jenkins, Cefn Mawr, a Mrs Meyrick yn dweyd '*Pooh*!' mai am deuluoedd boneddigaidd yr ymofynnai hi – gofio fod Syr Tudur Llwyd yn gymydog agos. Cofiodd Mrs Meyrick hefyd pwy oedd Syr Tudur, ac am yr adeg flynyddoedd lawer cyn hynny y bu iddi hi hoffi ei gwmni, a thybied nad oedd yn ei bywyd wedi gweled neb i'w gymharu iddo, a'i siomedigaeth pan gipiwyd hi gan ei mam o'r naill fan i'r llall o gyrraedd y Cymro. Nis dychmygodd hi na'i mam mor ddianghenraid oedd y cynlluniau, ond glynodd yr atgofion yng nghalon y ferch, a mynych y gofidiodd y fam am nas gwyddai fod Syr Tudur yn '*such a desirable party*.'

Holodd Mr Harris yn fanwl ynghylch Y Friog, a deallodd fod yno wraig ieuanc. Ond i bob gair fentrai y dyn, druan, ddweud heb fod yn ganmoladwy am Syr Tudur, torrai Mrs Meyrick ar ei draws yn ei dull awdurdodol, a dywedai '*Pooh.*' Meddyliodd Mr Harris y dywedai fod Syr Tudur wedi pleidleisio i'r Rhyddfrydwyr. Chwarddodd Mrs Meyrick yn uchel, ond cyn iddi ateb, wele'r bwtler yno, yn dwyn dau gerdyn gwyn ar ei blât arian. Cymerodd ei feistres hwy a darllenodd 'Syr Tudur Llwyd,' 'Lady Llwyd.' Cododd ar ei thraed, dywedodd wrth Mr Harris am ddod ati yr un amser fory, ac heb gymaint â gair iddo, ymaith â hi i dderbyn ei chymdogion.

Denwyd Mrs Meyrick gan y rhywbeth hwnnw yn wyneb

Rhiannon feddai y fath ddylanwad ar bawb o'i deutu, ond nas gallai neb ei esbonio, ac o'r funud gyntaf y gwelodd Mrs Meyrick hi yn ei galarwisgoedd, adlewyrchent y galar oedd yn ei hwyneb llwyd, cyffyrddwyd â llinynnau tyneraf calon y foneddiges o'r Plas Dolau.

Deallodd llygaid craff Mrs Meyrick fod trallod Lady Llwyd yn fwy o gryn lawer na'r cyffredin o drallodion a gofidiau bywyd ac, er ceisio, nis gallai gredu fod yr enaid edrychai arni trwy y llygaid mawrion tywyll yn un fuasai yn debyg o werthu ei hun er mwyn arian na theitl. Cymharai Mrs Meyrick berson hardd Syr Tudur Llwyd, heb ei anurddo gan anfoesoldeb nac anghymedroldeb o un math ar hyd ei fywyd, a'r bonheddwr y gelwid hi ei hun ar ei enw, â lliaws eraill o'i chydnabod. Ond er gorfod addef fod Syr Tudur yn tra rhagori arnynt oll, eto, methai Mrs Meyrick â deall y briodas, canys nid oedd bosibl coleddu meddyliau megis pe buasai yn un o ferched ieuainc ffasiynol y farchnad briodasol yn Llundain am Lady Llwyd. Nis gwyddai hi eto mai merch amaethwr oedd y foneddiges ieuanc y bu iddi ar y foment gyntaf o'r bron deimlo megis mam tuag ati, ac ni wnaeth un gwahaniaeth i'w theimladau chwaith pan wybu, ond daeth deall sefyllfa deuluaidd Y Friog yn bwnc nas mynnai Mrs Meyrick ei droi o'r neilltu.

Holodd ei gweinidogion, holodd Mrs Harris, galwodd yn Y Friog ei hunan, ac ymhyfrydai yn yr hen blas a'i amgylchedd. Gwelai mor dyner oedd Syr Tudur tuag at ei wraig, ac fel y canlynai ei lygaid caredig bob symudiad o'i heiddo, ond nid oedd Mrs Meyrick yn nes i ddod allan o'i dryswch yn eu cylch na phan aeth yno. Gan fod y trigolion mor anwybodus o'r iaith Saesneg ag oedd Mrs Meyrick o'r Gymraeg, methent â deall ei gilydd neu diau na fuasai raid iddi fod yn ei thywyllwch ond pur ychydig ynghylch Lady Llwyd, na chyfnewidiadau eraill ymddangosent yn rhyfedd iawn i'r foneddiges wrth chwilio hanes eu hetifeddiaeth. Ond ni fu i'r anhawsterau namyn symbylu ei hawydd hi am y goleuni, ac un bore ymaith â hi am dro ei hunan ar draed o'r naill amaethdy i'r llall; weithiau yn cael ychydig eiriau Saesneg heblaw *yes* a *no*, ac yn y diwedd wedi cerdded milltiroedd a phastwn mawr yn ei llaw fel pe am ddringo'r Alpau, trodd i fewn i efail Huw Huws. Nid oedd y gof yn rhyw lawer o Sais, ond deallodd Mrs Meyrick ddigon i benderfynu y mynnai hi fyned hyd at wraidd y dirgeledigaethau, a chymerodd gyngor Huw i fyned i holi William Williams y pregethwr, neu John Meredydd, a chychwynnodd ar ei thaith, er ei bod yn lluddedig erbyn hynny.

Ond cyn iddi fyned encyd o ffordd, daeth Dyddgu i'w chyfarfod. Edrychodd Mrs Meyrick ar y plentyn a foesymgrymai iddi nid fel yr ymostyngai yr ardalwyr cyffredin, eithr fel pe yn blentyn o sefyllfa hollol gydraddol â gwraig y Sgweiar. Safodd y foneddiges a dechreuodd holi yr eneth, a chafodd y siaradai yr eneth fechan Saesneg mor lithrig â'i Chymraeg. Eisteddodd y ddwy ar gamdda gerrig, arweiniai i lwybr byr i fyned i'r felin, yn lle cwmpasu ar hyd y ffordd. Yno y buont am awr gron, Mrs Meyrick yn holi, a Dyddgu yn ateb, a'r naill ddirgelwch ar ôl y llall yn peidio â bod yn ddirgelwch mwy i'r foneddiges.

Wedi hynny ymaith â Dyddgu tuag adref, a Mrs Meyrick hefyd ar ei hunion i'r Plas Dolau heb holi rhagor ar neb, er iddi gyfarfod ag amryw o'r ardalwyr ar ei ffordd, pob un yn cyfarch eu meistres newydd yn dra gostyngedig ac ofnus yr olwg arnynt, fel pe heb fod yn sicr pa fath oedd, a chan ei bod hithau wedi arfer byw mor heddychol a phawb ddibynnai arni, a gweinyddu cyfiawnder iddynt oll yn ddiwahaniaeth nis gallai ddygymod â golygon drwgdybus trigolion Llangynan. Mynnai Mrs Meyrick, os yn bosibl, bawb o'i chwmpas yn bobl ewyllysgar yn eu gwasanaeth. Aeth i'r llyfrgell, a chyn ymolchi, nac ymwisgo yn gysurus ar gyfer cinio ar ôl lludded y dydd, ysgrifennodd lythyr bychan at William Williams y pregethwr, canodd y gloch ac archodd i'r bwtler anfon un o'r gweision gyda'r nodyn a disgwyl am atebiad. Pan yn cychwyn tua'r pentref cyfarfu y gwas Mr Harris, yr hwn a'i holodd ynghylch ei neges, a phan wybu beth ydoedd newidiodd ei wedd. Aeth i'r parlwr uwchben y llidiardau, a dechreuodd yn grynedig ddweud wrth Mrs Harris fod Mrs Meyrick wedi anfon llythyr i'r pregethwr, ac wedi bod ar hyd y dydd ei hunan yn rhywle o'r naill fferm i'r llall. 'Mi anfonais i Ned i gadw golwg a dyna'r stori oedd ganddo yn dod yn ôl.'

'Feallai mai dyna ffordd Mrs Meyrick o adnabod y bobl, yn lle mynd yn ei cherbyd atynt,' ebe Mrs Harris.

'Ond beth all hi fod eisiau gan William Williams, y pregethwr yna? Ac mi welais i â'm llygad sut y cyfeiriwyd y llythyr, ac yr oedd wedi rhoddi '*Reverend*' arno. Meddyliwch, galw siopwr yn '*Reverend*,' fel pe buasai'r dyn yn offeiriad. '*Reverend*' yn wir. Yr oedd colli'r *Squire* yn golled fawr iawn ym Mhlas Dolau. Yr ydwyf fi mewn tipyn o oed, a welais i erioed ddim daioni os dynes fyddai yn ben. Gwyddai yr Apostol Sanctaidd Sant Paul mai y lle iddynt hwy oedd bod yn ddarostyngedig i'w gwŷr. Ychydig o ferched yr oes yma sydd yn fodlon yn eu lleoedd priodol, ac am ryw reswm annirnadwy i mi, rhyw lipryn o ddyn allant droi o gwmpas eu bys bach, fydd y merched yma fynnant fod yn feistri yn briodi bob amser. Gwae ni erioed i'r un ohonynt ddyfod i'r Plas Dolau, ddeuda i.'

Gwraig gall iawn oedd Mrs Harris. Ni wnâi byth dynnu'n groes â'i phriod, ac oblegid ei doethineb hi, galluogid y ddau i osgoi cwerylon teuluaidd, felly nis ynganodd air, er y gallasai hi fel llawer o'i blaen edliw a dweud 'Mi ddywedais i fod perygl erlid gormod ar y bobl.'

Daeth y gwas yn ôl ac atebiad William Williams i'w

feistres, ac wedi ei ddarllen, gorchmynnodd hithau i'r bwtler ofalu pan ddeuai y '*Reverend*,' William Williams yno yn y bore, fyned ag ef i'r llyfrgell, a'i hysbysu hi ar unwaith o'i ddyfodiad.

Mawr oedd y dyfalu yn y siop beth a fynnai yr Anrhydeddus Mrs Meyrick â'r pregethwr, ond daeth John Meredydd a Huw Huws i fewn cyn myned i'r seiat yn y capel, ac wedi i'r naill a'r llall ddweud yr hyn a wyddent am y dull y treuliodd Mrs Meyrick y dydd, deallodd William Williams fod y rhod yn troi tua Plas Dolau, a Mrs Meyrick yn bur wahanol i'r perchennog blaenorol.

'Wel, gyfeillion bach, mi a' i yno, a mi ddywedaf y gwir wrth ateb y cyfan. Mae pob un ohonoch yn gwybod hynny. Gresyn, gresyn,' ychwanegai, 'fod cael yr hen ardal yn union fel o'r blaen mor amhosibl.'

'Dyna ddeudais inna, William Williams. Biti na fasa Mrs Meyrick yma dipyn cynt,' ebe Huw Huws, 'mae wyneb Lady Llwyd, druan fach, yn dangos mor fawr 'i hiraeth hi am 'i theulu. Ond gwell hwyr na hwyrach i roi ffrwyn ymhen Mr Harris a'i gatals tua'r Plas yma.'

Nid oedd y dynion wedi sylwi fod Elin Tyn'ffordd wedi dyfod i'r siop ac yn gwrando yn astud ar eiriau Huw Huws. Nesaodd ato, a gofynnodd y cwestiwn oedd byth a beunydd ar dafod Elin. 'Ydi Iesu Grist wedi dŵad? Mi glywais i Rhobat Gruffydd yn deud na fedra neb arall roi ffrwyn ymhen Mr Harris ond Iesu Grist. Ddoth O o gwmpas i betha o'r diwadd?'

Gwenodd John Meredydd yn garedig ar Elin dlawd, ac ebe efe, 'Wedi anfon morwyn i neid 'i waith, y mae O, dwi'n meddwl Elin. Gobeithio mod i'n iawn, a'i fod E ei hun yma hefo ni hefyd.'

Anghofiodd Elin ei neges, a ffwrdd â hi bron colli ei gwynt heb droi ar dde nac ar aswy yn syth tua'r Friog. Cerddai

Rhiannon yn ôl ac ymlaen ar y lawnt yn ffrynt y Plas, yn ôl ei harfer yn fynych yn llwydni'r cyflychwyr. Gwelodd Elin hi, a rhedodd tuag ati heb fyned yn agos i'r 'dyn sy'n gneud gwaith dynes' na neb arall, ac ebe hi â'i hanadl yn ei gwddf, 'Mae O wedi dŵad, Miss, a'i forwyn hefo Fo, wedi dŵad, ac wedi rhoi ffrwyn ymhen Harris y Plas. Wedi dŵad, Miss bach, a raid i chi byth grio yto. Miss Glws gyrrodd O yma, yntê, pan a'th hi i'r nefoedd? Mae'n dda gen i. Mae arna i eisio deud wrth Boba. Mi fydd yn falch, mi a' i yno.'

Ceisiodd Rhiannon gael rhyw fath o ben llinyn ar stori Elin, ond nid oedd fawr ddoethach. Swm yr oll ddywedai yr eneth oedd fod 'Iesu Grist wedi dŵad, a'i forwyn hefo Fo,' ac na fyddai eisiau wylo mwy, ac ymaith â hi ar ei rhedeg hyd at fwthyn bychan Boba, ac wele hi yn traddodi yr un genadwri yn y fan hon yn ei dull sydyn diragymadrodd ei hun. 'Mae O wedi dŵad o'r diwadd. Ydi mae O, mi eis i i ddeud wrth Miss – dyna ei henw ar Rhiannon pan yn gynhyrfus ei theimladau – mae hi wedi crio digon es meityn. Mae O wedi dŵad, rhaid i mi fynd i ddeud wrth mam. Medda mam wrtha i "ddaw O ddim," ond mae O wedi dŵad. Hwrê, mae O wedi rhoi ffrwyn ymhen Harris y Plas,' a throdd ar ei sawdl tua'r drws heb sylwi fod Dyddgu yn eistedd ar stôl drithroed yn ymyl y tân, ac wedi bod yn darllen i'r hen wraig. 'Byth sydd yn bod, Dyddgu fach?' gofynnai Boba, ei hwyneb yn gythryblus tra yn gwylio camre Elin, 'beth all fod wedi digwydd i Elin? Mae hi'n waeth nag arfer heno.'

'Doedd hi ddim fel bydd hi pan yn lluchio'r cwbl o'i chwmpas, Boba,' yna cofiodd Dyddgu am ei hymddiddan ei hun â Mrs Meyrick, a dywedodd y cwbl wrth Boba. 'Hwyrach bod yna ryw reiat yn y Plas, Boba, ac Elin mor wirion wedi clywed.'

Ond cyn nos drannoeth gwybu pawb fod chwyldroad ofnadwy ym mhlas Dolau. Ymhen tua dwy awr wedi ymadawiad William Williams oddi yno, gorfu i Mr Harris brofi beth oedd derbyn rhybudd i ymadael ei hunan, ac ni fu y goruchwyliwr fyth yr un fath, meddai'r bobl, ar ôl yr adeg honno ym mhresenoldeb Mrs Meyrick. Cafodd y rhybudd wedi ei arwyddo gan y meistr tir ei hun, ond cafodd yn ychwanegol wybod meddwl Mrs Meyrick am ei ymddygiadau yr un pryd gan y foneddiges mewn iaith na fu i neb o'r blaen feiddo bod mor ddi-dderbyn-wyneb gydag ef. Ofer oedd apêl Mr Harris am drugaredd, mor ofer ag y bu erfyniadau hen drigolion Llangynan iddo yntau.

Aeth y newydd fel tân gwyllt trwy yr ardal o'i chwr, a thaenid yr hanesion rhyfeddaf, y rhan fwyaf ohonynt yn eithaf di-sail ynghylch yr helynt, ond ynghanol y tryblith, gwyddent bob yr un fod y ffaith fawr yn wirionedd, sef nas gallai Harris y Sgriw ddrygu neb mwyach. Rhedai Elin yn ôl ac ymlaen gyda'r genadwri, 'Iesu Grist a'i forwyn wedi dŵad.' 'Mae O wedi dŵad, Jac Tomos' ebe hi wrth denant yr Hafod Olau, 'hel di dy bac, dwyt ti 'run o'i bobol O. Mi gei di fynd at Dic Tŷ Poeth i smocio poethwal, dyna i ti.'

Aeth Lady Llwyd i ymweled â Boba pan glywodd y newydd, a'r cyfarchiad cyntaf a gafodd gan yr hen wraig oedd, 'Mae Jael yma, Rhiannon, Jael gwraig Heber y Cenead? Welis i rioed mor ffond ydi'r Arglwydd o drystio 'i waith i ferched, 'ngeneth i, nid dyma'r tro cynta iddo Fo ddymchwelyd teyrnasoedd trwyddom ni.' A rhedai y dagrau ar hyd y rhychau yng ngruddiau Boba.

'Ddôn nhw ddim yn ôl, Boba,' sibrydai Rhiannon.

'Naddo, 'ngeneth i, na ddôn. Ond sut mae pennill Olwen fyddai hi'n ganu i ni yn Hafod Olau?

Pwy gwyna iddynt hwy,
    Y teulu dedwydd llon?
Sydd wedi myned trwy
    Ofidiau'r ddaear hon;

Gadawsant oll ar ôl ymhell,
Bod gyda Christ sydd lawer gwell.

Am ennyd bu distawrwydd, yna ebe Rhiannon. ‘Gymaint o ddioddefaint dianghenraid fu yma yntê, Boba? Mae yn anodd maddau i Mr Harris, ac yr oedd Syr Tudur yn dweud mai i’r edifeiriol y gorchmynnir i ni faddau.’

Ysgydwodd Boba ei phen ac ebe hi, ‘Ches i rioed le i feddwl fod y rheiny oedd yn sefyll wrth y groes wedi edifarhau, eto, gweddïai’r Iesu mawr am faddeuant i’r rheiny. Mi ddaw ’ngeneth i i fedru maddau yn y man.’

‘Wel, Rhiannon fach,’ ebe’r hen wraig, nis arferai hi un enw arall pan y byddent yn unig eu dwy. ‘Mae yma wers ddifrifol yn yr amgylchiadau, beth bynnag. Maen’ nhw’n dangos i ni mor bwysig ydi bywyd iawn hyd yn oed yr ochor yma. Yr un fath oedd hi yn amser y Salmydd. Cyn i’ch crochanau glywed y mieri, Efe a’u cymer hwynt ymaith megis â chorwynt yn fyw. Peth sydyn iawn ydi digofaint yr Anfeidrol pan ma’i awr O wedi dŵad i ddial Ei etholedigion.’

Pennod XXXI
Troad y rhod

Misoedd rhyfedd ym mro Cynan fu y rhai hynny wedi i Mrs Meyrick ddod yno i drefnu stad Plas Dolau. Gwelid hi yma a thraw yn y lleoedd mwyaf annisgwyliadwy: weithiau ar ei cheffyl, bryd arall ar draed yn edrych ar y meysydd a'r beudai, ac yn taflu ei llinyn mesur ar ddull ei thenantiaid o ofalu am eu tiroedd. Dyna oedd y pwnc pwysig yn ei golwg hi. Rhyw greaduriaid digon tebyg i'w gilydd yn ôl barn Mrs Meyrick oedd y Torïaid a'r Rhyddfrydwyr pan yn derbyn ei miloedd yn y flwyddyn, ac nid oedd hi yn poeni ei phen yn eu cylch, ond ystyriai fod diofalwch un o'i ffermwyr ynghylch ei dir a'i adeiladau yn fater nas gellid ei anwybyddu am foment. Waeth faint o '*tanciw kindly'* nac un math arall o foesgarwch roddid iddi yn y dull mwyaf gwasaidd gan John Evans, Tyddyn Dafydd, ni fu Mrs Meyrick fawr o dro cyn rhoddi ar ddeall iddo y dylai adael llonydd i fusnesion pobl eraill, ac aros o gwmpas ei eiddo ei hun, gan na fynnai Mrs Meyrick, ebe hi '*no good for humbugs on my land*'. A chyfarfu Mrs Jenkins, Cefn Mawr â'i gwell: nid oedd wiw actio'r twrne na'r *lady* gyda Mrs Meyrick, dangosai iddi yn fuan beth ddisgwyliai y meistr a'r feistres newydd. Nid oeddynt yn fodlon i'w pobl na'u hanifeiliaid roddi iddynt un anghlod, a rhaid oedd codi'r gwrychoedd, agor y ffosydd, a symud ymaith bopeth tebyg i anhrefn heb sôn am fudreddi. Ac weithiau caent glywed y gwahaniaeth y sylwai y foneddiges arno yn etifeddiaeth Syr Tudur Llwyd.

'*If I were a blind woman, I think I could yet tell where I step from our property into his*,' ebe un tro wrth y bonheddwr wasanaethai fel goruchwyliwr iddi yn ei hen gartref, wedi iddo ddod i'r Plas Dolau i gynorthwyo Mrs Meyrick yn ei hymdrechion i adfer trefn. Ni chafodd neb ond John Thomas yr Hafod Olau, Ned Williams y saer, a Mr Harris, rybuddion i ymadael o'u swyddi, na'u tiroedd, ond rhoddwyd ar ddeall i'r oll ar ba amodau y gallent ddisgwyl trigo mewn tangnefedd. Meddwodd Ned fwy nag erioed wedi colli y swydd o fod yn 'stiward coed,' ac un noson pan yn myned tuag adref yn lled hwyr o'r ystafelloedd uwchben y llidiardau oddi wrth Mr Harris, gwelai rywbeth yn ysgubo heibio iddo ac yn chwyrnu. Ceisiodd Ned redeg, yn lle hynny syrthiodd ar ei hyd, ac wrth syrthio tarawodd ei ben yn y maen gwyn a elwid Amynedd gan rianedd yr Hafod Olau, ac yno y bu yn gorwedd ac yn hollol anymwybodol hyd nes y daeth 'Pitar' yr hen geidwad helwriaeth heibio cyn myned adref i gysgu, canys diddymodd Mrs Meyrick yr arferiad o wylio'r coedydd yn y nos gyda'r geiriau oeddynt mor gydweddol â'i chymeriad hi, '*There will be no dishonest people on my land here or anywhere.*'

Cododd Pitar Ned, ond buan y deallodd fod yn rhaid cario y saer tuag adref. Aeth i chwilio am un o gerbydau y Plas, ac felly yr hebryngwyd Ned Williams y noson honno i'w dŷ. Er bod rhyw ychydig o amser yn ôl iddo, ni weithiodd efe byth mwy. Anafodd ei ben gymaint fel nad ystyrid ei fod 'cyn galled â phawb' yn ôl dull y trigolion o siarad.

Mor ryfedd yw troadau olwyn fawr Rhagluniaeth! Pan ddaeth yr amser i Mr Harris gychwyn o'i ystafelloedd uwchben llidiardau Plas Dolau, yr unig anheddle allodd gael i roddi ei droed i lawr ynddo oedd plasty bychan perthynol i Syr Tudur Llwyd. Petrusai yr hen fonheddwr dipyn pan ddaeth Mrs Harris yno i ofyn am y lle wedi clywed ei fod yn wag, ac ni roddai ateb o fath yn y byd cyn ymgynghori â Rhiannon. 'Hi gweld pellach o lawer na fi,' ebe fe. Ond canlyniad yr ymgynghori fu i Mr Harris gael y tŷ.

'Mae colli cartref yn brofedigaeth mor fawr, pwy wyf fi i wrthod dinas noddfa,' ebe Lady Llwyd, 'oni wn i yn well na neb arall beth yw cael cysgod rhag y dymestl?' ac edrychodd gyda llygaid tyner, diolchgar ar Syr Tudur.

'Wn i ddim fi iawn ai peidio? Fi ofni fi hunanol, a dim gweld yn iawn,' atebodd Syr Tudur. Ers amser cyn hynny arferai yr hen fonheddwr wylio symudiadau ei wraig ieuanc gyda dwyster yn ei wyneb fel pe yn ofni i un awel groes ddod eto i'w chyfarfod, a llawenychai weled ychydig o arwyddion ei bod yn ceisio cymeryd diddordeb mewn bywyd. A helpai Mrs Meyrick ef, canys yn Y Friog y treuliai y foneddiges honno ei horiau hamddenol, a bu ei chwmni yn lles i Rhiannon trwy beri iddi anghofio ei gofidiau ei hunan weithiau wrth wrando ar Mrs Meyrick. Nid oedd Lady Llwyd yn sant eto chwaith, ac nis gallai beidio teimlo mesur o foddhad nas goddefid i John Thomas lychwino mwy ar ei hen gartref. Gan fod yr Hafod Olau mor agos i Blas Dolau, penderfynodd Mrs Meyrick wneud yr hen amaethdy hardd yn breswylfod i oruchwyliwr yr etifeddiaeth, a'r peth cyntaf oedd anfon John Thomas, yn ôl i'w siop oddi yno, 'i gribddeilio tipyn eto,' ebe Huw Huws, 'mae o'n giambler ar y gwaith hwnnw, ond ŵyr o ddim mwy am ffarmio na ŵyr twrch daear am yr haul.'

Er iddo gael tŷ wrth ei ben ni fu un cysur i Mr Harris ynddo, dechreuodd y briwiau ar ei goes ailagor ac ychydig iawn allai efe ymlwybro ar bwys ei ffon, a chyn pen hir aeth i fethu codi o'i wely. Dioddefai boenau arteithiol nad ymddangosai gwybodaeth meddygon na gofal Mrs Harris yn alluog i'w lleddfu.

Dyddiau rhyfedd oedd y rhai hynny yn Llangynan. Yma a thraw gwelid twr o bobl yn ymddiddan â'i gilydd yn ddistaw fel a geir mewn ardaloedd pan fydd yno bethau anodd eu deall yn digwydd. Yr oedd hyd yn oed Elin Tyn'ffordd yn ddistawach nag arfer. Elai yn ôl ac ymlaen i'r Friog, a cheisiai Rhiannon oleuo yr enaid tywyll fel yn y dyddiau a fu, ond digon tebyg oedd Elin: methu gweled Iesu Grist a chwilio amdano, ond yn siŵr fod 'O o gwmpas i betha' wrth weled y cyfnewidiadau. Yna wedi adfer yr Hafod Olau oddi mewn ac allan, cynigiwyd y lle fu yn eiddo ei dad i Nisien Wyn. Ofnai Rhiannon iddo ei wrthod. Gwyddai hi mai ar gais Syr Tudur y rhoddwyd y cynnig iddo, ac nid heb achos, canys lle unig iawn i Nisien oedd yr Hafod Olau heb fanon dlos a garai er yn blentyn. Eithr derbyn y cynnig wnaeth y dyn ieuanc, a mawr fu llawenydd yr ardalwyr. Codwyd dirprwyaeth i fyned i ddiolch i Mr a Mrs Meyrick, a threfnwyd cyfarfod undebol yn yr ysgol Frytanaidd i groesawu Nisien Wyn. Eto cyfarfod mor llawn o'r lleddf a'r llon oedd. Cofiai pawb am y rhai a hunasent, ac er fod yno lawer llygad gwlyb pan ddywedodd William Williams air amdanynt eto ni fynnasai y rhai a adawyd eu gollwng yn angof y diwrnod dedwydd hwnnw yn Llangynan.

Tra y cerddai John Meredydd a William Williams, un bob ochr i Nisien Wyn o'r cyfarfod, gwibiodd Elin Tyn'ffordd o'r tu ôl iddynt, ac ebe hi, 'Dydw i ddim 'run fath â Miss Glws, a 'da i byth, medda mam, os nag a' i i'r nefoedd. Ble mae Harris y Sgriw wedi mynd? Mae o wedi cychwyn i rywla?' Druan o Elin, rywfodd neu gilydd deuai hi o hyd i bob newydd bron o flaen undyn, eto anaml y taenai hi un chwedl gelwyddog: gwirionedd fyddai newyddion Elin bron bob amser, ac felly y tro hwnnw. Pan oedd yr hen ardalwyr yn croesawu yn ôl i'w plith y goruchwyliwr newydd, anadlodd Mr Harris ei anadl olaf mewn poenau arteithiol oddi wrth gorff a meddwl. Druan ohono, yn ymchwydd yr Iorddonen, pan yn wynebu ar fyd yr ofnai glywed y cwestiwn, 'Ble mae Abel dy frawd di?', ynddo y dechreuodd ei gydwybod ddeffro, ac nis gallai gweddïau ei wraig, na chymun offeiriadol, na dim arall, roddi iddo dawelwch meddwl.

Bore bythgofiadwy yn ardal Llangynan oedd yr un yr hebryngwyd gweddillion Mr Harris i fynwent Llanfair. Daeth

Francis Glyn yno at ei fodryb i drefnu y gymwynas olaf, ac wedi ymgyngori â Nisien, a chyfeillion eraill, penderfynwyd i'r cynhebrwng fod yn gyhoeddus yn ôl arfer y wlad. Arweiniai y ffordd i Lanfair heibio hen gartref William Williams, a'r hwn y gorfu i'w hen fam ymadael oblegid egwyddorion ei mab. Cerddai dau offeiriad yn gyntaf, a dilynai amryw o'r plwyfolion hwy, yna deuai yr elor-gerbyd, ac yn nesaf ato y cerbyd lle yr oedd Mrs Harris, a pherthnasau iddi, a cherddai Francis Glyn a Nisien Wyn gydag ef wedi hynny, yna y gweddill o'r orymdaith. Wedi i'r elor-gerbyd gyrraedd ar gyfer hen annedd Janet Williams, safodd y ceffylau yn sydyn. Ceisiodd y gyrrwr mewn pob rhyw fodd gael gan y ddau fyned ymlaen. Daeth dynion eraill ato i'w helpu, ond i ddim pwrpas: safai y ddau geffyl fel pe wedi eu hoelio wrth y ddaear heb symud ber. Am hanner awr dda safodd y bobl hefyd, pawb oll wedi eu meddiannu â dychrynfeydd, ac yn ofni a chrynu o flaen golygfa mor ddieithrol. O'r diwedd deallwyd mai ofer hollol oedd pob ymgais i gael y ceffylau ymlaen, a thynnwyd hwy yn rhydd, rhwymwyd cortynnau gafwyd o'r amaethdy wrth yr elor-gerbyd, a gorfu i'r dynion dynnu yr elor-gerbyd i'r fynwent eu hunain. Golygfa ddifrifol oedd nad â byth dros gof yr un o'r gwyddfodolion.

Nid gwaith hanesydd yw esbonio yr amgylchiad. Digon yw dweud fod eto rai yn fyw yng Nghymru a wyddant mai gwir yw. Yn yr eglwys ac o gylch y bedd edrychai y bobl ar ei gilydd, fel pe heb fod yn sicr beth i ddisgwyl nesaf, a diau fod llawer ohonynt yn teimlo yn ddiolchgar pan guddiwyd yr hyn oedd farwol o Mr Harris o'u golwg. Ac nis gallai neb feddwl na siarad am ddim ond am yr amgylchiad difrifol am ddyddiau lawer yn Llangynan. Ceisiodd Syr Tudur Llwyd gadw yr hanes oddi wrth Rhiannon rhag peri iddi flinder ysbryd. Feallai mai dyna paham yr aeth ei hunan i dalu ymweliad â

Mrs Harris a'i nai – fel y galwai hi Mr Glyn, er mai nai Mr Harris oedd efe – heb ofyn i Rhiannon fyned hefyd. Aeth Francis Glyn gydag ef ran o'r ffordd yn ôl i'r Friog, a phan safent i ganu'n iach â'i gilydd, dywedodd y gŵr ieuanc, 'Syr Tudur, mi ddymunwn i chwi wybod fy mod i yn credu fod Duw yn bod heddiw, gweddïwch drosof. Rhyw ddigon gwan yw'r golau eto, ond nis gallaf mwy beidio credu yn Nuw, ac nid oes esboniad ar y byd yma imi ond yng ngoleuni y byd anweledig. Cofiwch amdanaf.'

'Cofio, fi cofio amdanoch chi, Mr Glyn, fi dim medru peidio. Fi gwbod ar ôl noson honno fi chwilio am Nisien – a chlywed chi deud gofid calon chi – bod anodd i chi caru fi, ond chi credu, Mr Glyn, fi meddwl dim am chi na neb, ond cadw nhw o'r tywydd mawr. Fi gneud hynny mor dda gallwn i hyd hyn. Ond fi da iawn clywed chi credu. Pawb da yn credu, fi gweld pawb gneud peth o ryw gwerth yn byd yma yn credu. Pobol heb credu dim *use*. Fi gobeithio chi credu llawer iawn. Fi ddim yma hir iawn eto, fi leicio gwybod pawb annwyl i fi yn cerdded hyd llwybr Iesu Grist. Hwnna'r llwybr gore, Mr Glyn. Felly bydde Robert Gruffydd yn siarad â fi. Hwyrach fi dim gweld chi eto, Mr Glyn, ond hynny dim pwys, fi disgwyl gweld chi yn gwlad well *by and bye*.'

'Syr Tudur, mi wnaf fy ngorau. Dyna eiriau olaf Robert Gruffydd i mi, fy annog i rodio y ffordd yna fel chwithau. Diolch i chwi,' a chrynai gwefusau y dyn ieuanc tra yr ychwanegai 'peidiwch â gomedd i mi ddiolch i chwi hefyd am a wnaethoch, ac ydych yn wneud... i... i... iddynt hwy, mwy o lawer na allaswn i.'

Pennod XXXII
Cadw noswyl

Bu Francis Glyn yn petruso am ychydig funudau wedi i Syr Tudur Llwyd ei adael. Ai myned yn ôl at ei fodryb, ynte troi tua'r Hafod Olau i chwilio am ei gyfaill Nisien Wyn oedd y peth gorau iddo wneud? Edrychai o'i ddeutu, ac ymrithiai llu o atgofion o'i flaen wrth syllu o'i gwmpas. Cofiai am y groesffordd nad oedd nepell oddi wrtho lle y bu'r cyfarfod politicaidd rhyfedd hwnnw. Dychmygai weled wyneb Rhiannon tra yn mwynhau araith y gweithiwr roddodd ben ar stori Mr Jones mor ddidrafferth. Gwelai wyneb swynol Olwen dlos, ei gwallt fel aur gawod yn disgyn dros ei hysgwyddau, a griddfannai y dyn ieuanc yn uchel. Pan yn y cyfyng-gyngor yma daeth Dyddgu fechan heibio iddo, ac ebe hi yn ei dull sydyn, 'Rydw i'n mynd i weld Boba. Ddowch chi, Mr Glyn?' Gafaelodd yntau yn llaw y plentyn yn ddistaw ac ymaith â hwy gyda'i gilydd.

Aeth Dyddgu i fewn ar ei hunion i Tyn'rardd, gan weiddi wrth y drws, yn ôl arfer yr hen drigolion 'Oes yma bobol?'

'Oes, Dyddgu, oes. Tyrd i fewn 'ngeneth i,' atebai yr hen wraig o'i chornel yn ymyl y tân.

'Mae yma bobol ddiarth, Boba. Mae Mr Glyn wedi dod i ofyn sut mae Boba, hefo mi.'

Cododd yr hen wraig ac estynnodd gader iddo, a chymerodd Dyddgu ei stôl hithau, ac eisteddodd y tri.

'Dyma ni fel tri throed trybadd, yntê?' a gwenai Boba arnynt, 'Mae'r eneth fach yma wedi sôn llawer iawn amdanoch chi wrtha i, Mr Glyn. Mae Dyddgu yn driw iawn i'w ffrindia.'

'Mae'n ddigon anodd i neb edrych arnaf fi fel ffrind yn yr ardal yma, Boba,' atebai'r dyn ieuanc, 'os caf finnau roddi enw Dyddgu arnoch. Deuthum i i'ch mysg yn nechrau gofidiau yr ardal, onid do? A fy ewythr, brawd fy mam, fu'r achos o'r cwbl.' Ocheneidiai Boba, 'Wel, mae Mr Harris wedi gorfod ateb drosto ei hun, Mr Glyn, ydi, ydi, a rwsut well gen i beidio deud gair bach am y marw. Mae o wedi mynd, a fedra i ddim peidio teimlo dros ych modryb, Mr Glyn. Rydw i yn o hen ond wybûm i erioed am y fath amgylchiad ag fu yng nghynhebrwng eich ewythr, naddo yn wir. Mae arna i ofn i mi feddwl lawer tro na fydda fo ddim marw fel pobol erill, ond 'ddyliodd 'y nghalon i ddim basa'r anifeiliaid direswm dan yr arweiniad i ddangos anfodlonrwydd y Duw mawr.'

Edrychai Dyddgu ym myw llygad y dyn ieuanc, ac ebe hi gan bwyntio at Boba, 'Mae Boba'n meddwl fod yr Arglwydd ym mhob man yn gneud popeth. Ydi O, Mr Glyn?'

Cyn iddo gael amser i ateb, ebe Boba, 'Yn llunio goleuni, ac yn creu tywyllwch, yn gwneuthur llwyddiant, ac yn creu drygfyd. Myfi yr Arglwydd sydd yn gwneuthur hyn oll.'

Bu distawrwydd am foment, neidiodd Dyddgu ar ei thraed, 'Dydw i ddim yn leicio'r adnod yna, Boba, mae yna rai gwell lawer iawn. Chwiliwch am un arall erbyn do' i yn f'ôl. Rydw i am fynd i weld Mr Wyn i Hafod Olau,' ac ymaith â hi ar ei rhedeg. Edrychodd Boba arni. 'Plentyn rhyfedd iawn yw Dyddgu, Mr Glyn, ond mi neith les i 'machgen i tua'i gartref unig yn y fan yna. Mae hi'n byw ac yn bod cyd-rhwng yr Hafod Olau a'r Friog, a hi ydi'r ffisig gora wn i amdano fo ym mhob un o'r ddau gartre. Ie, ie.' Cododd Boba ei golwg, ei llygad yn edrych ar y dyn ieuanc o'i ben i'w draed, yna ebe hi, 'Mae'n dda iawn gin hen wraig blaen fel fi ych cyfarfod chi, Mr Glyn. Hwyrach na wela i monoch chi eto.'

'O! peidiwch Boba,' ebe Francis Glyn, 'peidiwch oll â ffarwelio â mi fel hyn. Dyna ddywedodd Syr Tudur Llwyd ychydig bach yn ôl, a dyma chwithau eto.'

'Wel, Mr Glyn, wel, mae rhai mwy annhebyg na mi wedi gorfod cychwyn ar rybudd digon byr, ond hyn oeddwn i'n mynd i ddeud, mi wn i dipyn bach amdanoch chi. Mae Syr Tudur Llwyd a minnau yn hen gyfeillion, er bod cimin o wahaniaeth sefyllfa rhyngon ni, a mae o a finna, wedi iddo fo ddeud wrtha i yn gwybod amcan go lew sut fath o dywydd rydach chi wedi bod yno fo yn ych ieuenctid, achos dydach chi ond ifanc eto, oed go ifanc i mi ydi y deg ar hugain, Mr Glyn. Dydw i yn mynd i ddeud dim rhagor am ych profedigaethau chi, Mr Glyn, fedra i o bawb ddim bychanu'ch colled chi. Does neb yn nabod Rhiannon gystal â'r hen Foba, ond rydw i yn gweddïo llawer drosoch chi'ch dau am iddo Ef roddi tangnefedd Ei Hun i chi. Ac mi leiciwn i ddiolch i chi, Mr Glyn, am gadw eich trallodion i chwi eich hun. Does neb ŵyr mor agos i'r geulan y bu Rhiannon: allasai 'ngeneth i ddal dim mwy. Sut y daliodd hi gimin ydi'r dirgelwch yn wir. Ga' i ddiolch i chitha hefyd am anghofio yr hunan, a chofio pobol erill yn y ddrycin, Mr Glyn. Mi neidiodd Rhiannon i'r adwy cyd-rhwng y gelyn a'i rhai annwyl, bendith arni, ond mi fydd ôl y frwydyr arni tra bydd hi byw.'

Gafaelodd Francis Glyn yn y law denau gymalog, a gwasgodd hi at ei fynwes yn ddistaw. Ymhen ennyd, ebe fe wrth yr hen wraig, 'Nid oeddwn deilwng, Boba, dyna'r gwir. Pan ddeuthum i i'r ardal yma y tro cyntaf, anghredadun oeddwn i. Pe cawswn ddymuniad fy llygaid, fe allai y gwnaethwn fwy o ddrwg iddi nag o les, ond erbyn heddiw, mae'n wir fod y golau yn ddigon gwan, ond yr wyf yn ceisio ei ddilyn er hynny. Fedra i ddim mynd yn ôl i'r tir tywyll eto, Boba. Er y cyfan mae'n dda iawn i mi fod wedi eich adnabod bob un yn Llangynan. Ffarwél, Boba. Gobeithio pan ddeuaf yn ôl ryw dro na fydd yma un cartref arall yn wag. Rhaid i minnau fyned ar ôl Dyddgu at fy nghyfaill cyn ymadael.' Ac felly bu, a Boba yn sefyll yn y drws yn gwylied ei gamre, ac yn sibrwd, 'Dyn a aned i flinder fel yr eheda gwreichionen i fyny.'

Erbyn iddo gyrraedd Hafod Olau safai Nisien a Dyddgu ar y lawnt yn prysur dynnu'r cynlluniau i gael y gerddi blodau yn ôl i'r hen drefn. Dyddgu yn dweud pa fath flodau arferai fod ym mhob un ohonynt, pan ofalai Rhiannon ac Olwen amdanynt. Cerddodd Nisien i gyfarfod ei gyfaill, ac wedi ei gyfarch, cyfeiriodd at Dyddgu a dywedodd, 'Oni feddaf *chatelaine* ragorol, Francis? Mae'r ddynes fach yma wedi penderfynu gwneud a all hi, ac mae hynny yn gryn lawer i gael yr Hafod yn ôl i'w le. Mae yma dipyn o wahaniaeth y tu fewn o angenrheidrwydd, ond eto llai na feddyliwch hefyd. Mae llawer iawn o'r hen bethau wedi dyfod yn ôl, a rhwng cof Dyddgu a'm hen atgofion inna, nis gallaf lai na gorfod addef fod yr oll yn bur debyg i'r hen ddull.'

Cytunai Francis Glyn fod golwg yr Hafod Olau yn debyg i'r hyn arferai y cartref dedwydd fod, a dangosai Nisien y naill ddodrefnyn ar ôl y llall gan ddweud, 'Anfonodd Rhiannon y rhai yma yn ôl i mi,' neu 'Cadwodd Syr Tudur y pethau yna rhag i ddwylo halog eu cael,' a thra y cerddai y ddeuddyn ieuainc o'r naill ystafell i'r llall yn ymddiddan â'i gilydd, clywent lais Dyddgu yn canu ymysg y llwyni oddi allan. 'Roeddwn i'n dweud wrth John Meredydd ddoe bod Dyddgu yn anhepgorol i mi yn yr Hafod yma. Pan fydd fy hiraeth am y dyddiau gynt ymron â'm llethu, daw Dyddgu â'i syniadau rhyfedd, a storïau am holl helyntion y cyfanfyd, ynghyd â'i hysbryd llon a nwyfus a chwâl yr holl gymylau o'i blaen, ac heb yn wybod i mi fy hun gwelaf innau y goleuni disglair tu hwnt i'r cymylau. Sieryd am fy Olwen dlos wrthyf weithiau, ac wrth wrando arni, byddaf yn gorfod teimlo nad oedd Olwen yn gymwys i unman fel i'w chartref nefol, ac nas gallasai hi fyth ddal stormydd oerion byd heb wywo. Dyna, ebe Rhiannon, yw ei chysur hithau, fod Olwen a'i thad a'i mam wedi mynd o gyrraedd poen, nas gall neb byth mwy beri iddynt golli deigryn. Tra y byddwn ninnau yma nid oes dim gwell nag i ni geisio ymdawelu a gweithio dros eraill, gweithio er lles ein gwlad a'n cenedl. Mae Mrs Meyrick wedi gwahodd Charlie a'i dad yma am dro y mis nesaf: byddaf yn falch eu gweled.'

Edrychai Francis Glyn o'i flaen yn synfyfyriol, ac ebe megis wrtho ei hun, 'Ie, fan yma y dywedodd Robert Gruffydd wrthyf fod y golau yn bod p'run bynnag a welwn i o ai peidio.'

'Nisien, yr wyf fi yn dechrau cael cipolwg ar y goleuni er dued yw ffurfafen fy mywyd, ac mae'n dda iawn gennyf glywed eich bod chwithau yn derbyn ychydig gysur. Ofnwn i amdanoch pan glywais eich bod am fentro byw yn eu hen gartref hwy eich hunan. Ond cwmni da yw plentyn i ymlid gofidiau ymaith,' ond tra y siaradai, gwelai Francis Glyn, Dyddgu yn gwibio yn ôl ac ymlaen, yn rhoddi carreg wen yn ei lle mewn cornel, yn adfer canghennau o'r eiddew gwyrdd i'w lle ar hyd ochr y deildy, eto yn parhau i ganu y nodau mwyaf swynol, ac ystyriodd fod amser Dyddgu i fod yn blentyn yn byrhau. Yna taflodd y dyfodol o'r golwg, ni fynnai dywyllu y presennol i Nisien wrth sôn am anawsterau posibl, ond wedi ffarwelio ag ef, ac erfyn arno beidio bod yn hir heb ymweled ag ef yn y brifddinas, galwodd ar Dyddgu i'w hebrwng tua thŷ ei fodryb.

'Ond, Francis, deuwch chwithau yma hefyd,' ebe Nisien.

'Ddim yn fuan eto. I beth, ond i'ch gweld chwi?'

'A finna,' ebe Dyddgu yn siriol, 'mae yma lot o bobol yn ych leicio chi, Mr Glyn.'

'Wel, mae Mrs Harris yn symud i ffwrdd, a fydd gennyf yr un esgus.'

'Does dim eisio hel sgusion,' ebe Dyddgu gan ddawnsio o gylch y lawnt.

Gwenodd y dynion ieuainc, yna dywedodd Francis Glyn hanes ei ganu ffarwél â Syr Tudur Llwyd. 'Mae'n dda iawn gennyf na fu i mi erioed ddweud yr un gair i'w boeni. Gwnaeth lawer mwy i bawb na allaswn i ar fy ngorau.'

Ac yna ymadawsant, a chyn y nos yr oedd Francis Glyn wedi cefnu ar Llangynan heb goleddu un gobaith dyfod yn ôl.

Y noson honno eisteddai Lady Llwyd yn ei hystafell ei hun ar ôl swper. Aethai Syr Tudur i'r llyfrgell yn ôl ei arfer am tua hanner awr, ond edrychai Lady Llwyd ar y cloc a gwelai fod dros awr, a'i bod yn myned yn hwyr, yn amser i'r gweinidogion gau y tŷ dros y nos, a hwylio i gysgu. Cerddodd i fewn i'r llyfrgell, ac yno gwelai Syr Tudur a'i ben yn gorffwys ar ei freichiau, ei hen Feibl mawr yn gorwedd yn agored oddi tanynt ar y bwrdd. Tybiodd Rhiannon ei fod wedi cysgu wrth ddarllen, ac aeth ato, a rhoddodd ei llaw ar ei ysgwydd. Ond am y tro cyntaf erioed ni chymerodd yr hen fonheddwr un sylw o gyffyrddiad y llaw honno, ac nis atebodd y llais tyner yn galw arno. Dychrynodd Rhiannon, a rhedodd at y gloch a chanodd hi lawerodd o weithiau. Rhedodd y gweision a'r morwynion hefyd i edrych paham y bu'r fath sŵn o'r llyfrgell, ac yno gwelsant eu meistres ieuanc ar ei gliniau wrth ymyl Syr Tudur, yn dweud ei enw, yn erfyn arno ei hateb, ac yn cusanu ei ddwylo oeddynt yn prysur oeri yn yr angau. Bu efe farw fel y bu fyw, yn dawel a digyffro megis pe yn symud o un ystafell i'r llall. Aeth yn gyffro er hynny drwy'r Friog. Cariodd y bwtler ei Feistres i'w hystafell ei hun, ei hwyneb yn welw fel yr un yr oeddynt newydd ei adael yn y llyfrgell. Danfonwyd cenadwri at Nisien Wyn i Hafod Olau, a meddyliodd un o'r morwynion am gyrchu Boba at ei Meistres. Yr oeddynt yno mewn byr amser, a'r geiriau cyntaf glybuwyd gan Rhiannon oedd, 'O Boba, Boba, mae Olwen yn cyfarfod Syr Tudur â llond ei dwylo o flodau ens meity', a ninnau ein hunain. O, Boba, Boba, cawse fo ddim ond deud "*Goodbye*" wrtha i, yntê.'

Gwyddai Boba fod Rhiannon yn caru Syr Tudur Llwyd am

ei ddaioni tuag ati hi a phawb, ac ni wnaeth ond sibrwd, 'Doedd dim eisio, 'ngeneth i. Fydd neb yn deud "*Goodbye*" wrth gadw noswyl. Mae amser gorffwyso Syr Tudur wedi dŵad, diolch am 'i gael o cyd. Ni frysia'r hwn a gredo.'

Pennod XXXIII
Ewyllys olaf Syr Tudur Llwyd

Mawr oedd pryder trigolion Llangynan pan glywsant fod yr un fu'n gyfaill a chymwynaswr iddynt bob yr un fel y byddai'r angen wedi ymadael â'r fro a garai gymaint, rhag y gallai yr etifeddiaeth fyned i ddwylaw estron, ac i'r Friog beidio mwy â bod yn gartref duwiol tawel yn eu mysg. Ofnai rhai o'r hen denantiaid bopeth, ond tybiai eraill fod Syr Tudur yn un o'r dynion call fuasai yn sicr o fod wedi trefnu ei dŷ pan mewn iechyd ar gyfer yr alwad, pa bryd bynnag y deuai. Elai Mrs Meyrick yno yn ôl ac ymlaen, a holai Rhiannon ynghylch y dyfodol, a chware teg iddi cynygiai gartref i'r weddw ieuanc os ceid nad oedd Y Friog yn eiddo iddi mwy. Ond bu Nisien Wyn yn dweud yr un peth o flaen Mrs Meyrick, ac ateb Rhiannon iddo oedd, 'Wn i ddim byd eto, Nisien, ond beth bynnag yw ewyllys Syr Tudur, mi wnaf fi bopeth yn union fel y dymunai ef. Os cafodd amser cyn ei fyned i drefnu ar fy nghyfer, gallaf fod yn bur siŵr iddo ofalu amdanaf. Beth?' ebe, gan godi ei hwyneb tua'r nef, 'beth fu ei fywyd ers amser bellach, ond gofal amdanaf fi, a phawb oedd yn annwyl i mi. Mor wag yw'r byd hebddo, Nisien. Mor dda oedd, yntê?' Yna ychwanegodd, 'Ond os bu iddo orfod ein gadael heb drefnu dim, deuaf i'r Hafod Olau yn ôl eich cais: bydd yn dda gennyf gael fy hen gartref yn barod i'm derbyn, a'm brawd yn agor y drws i mi.'

Ond diwrnod y cynhebrwng, wedi rhoddi Syr Tudur Llwyd i orwedd yn ymyl ei riaint yn hen fynwent Llangynan, wele ei gyfreithiwr yn gofyn am bresenoldeb Lady Llwyd yn y llyfrgell, ac yn enwi ychydig gyfeillion eraill yn yr ardal, yn eu mysg, Mr Nisien Wyn, Mr Prys yr offeiriad, Mr John Meredydd y melinydd, a Mr Williams y pregethwr. Ac yno yn eu gŵydd hwynt y darllenwyd yr ewyllys yn yr hon y gadewid etifeddiaeth y Friog i Rhiannon: Lady Llwyd, yn ddiamodol, heb un math o delerau yn gysylltiedig â hi. Y plasty prydferth a'r cwbl oedd ynddo, ac o'i ddeutu, i fod yn eiddo iddi, ac os byddai rywbryd yn ddymuniad Lady Llwyd i ymbriodi ag arall, a bod iddi blant, fod yr etifeddiaeth i fyned i'r mab hynaf, os heb fab, i ferch. Os heb etifedd, gadawai Syr Tudur ei wraig yn rhydd i wneud fel y mynnai hi mewn perffaith ymddiriedaeth yn ei doethineb, a'i deall da. Gadawodd gymynroddion mewn arian i'w wasanaethyddion yn Y Friog er cof am eu gwasanaeth cywir iddo, hefyd hanner can' punt i William Williams i'w helpu yn ei fasnach i gael ei ben uwchlaw'r dwfr wedi i helynt yr etholiad beri iddo gymaint o golled. Can' punt i John Meredydd, y melinydd, mewn ymddiriedaeth ar gyfer rhoddi addysg i'w ferch fechan Dyddgu. A gofynnai i Lady Llwyd ofalu am dlodion y fro fel yr arferent wneud o'r Friog. Deg punt i Boba, a deg arall i Mr Prys, yr offeiriad, er atgyweirio ychydig ar bulpud eglwys Llangynan, a dyna gynnwys ewyllys a thestament olaf Syr Tudur Llwyd. Ond ar ei diwedd wele godisil, yn hwnnw gadewid i Nisien Wyn, mab ei hen gyfaill, amryw bethau fu yn eiddo ei dad pan ym Mhlas Dolau, ac a brynwyd gan Syr Tudur Llwyd adeg ei farwolaeth, ac hefyd ei ffon ef ei hun, yr hon a roddwyd iddo gan ei denantiaid ar ddydd pen ei flwydd fel arwydd o'u parch tuag at eu meistr tir. Yn olaf gadawai y fodrwy a wisgai ar ei law i Francis Glyn i'w atgofio am eu hymddiddanion gyda'i gilydd. '*He will understand why I bequeath to him my ring which hath for its motto: I trust.*' Lady Llwyd, a Mr Nisien Wyn yn ysgutorion, yr olaf er mwyn rhoddi help i Lady Llwyd gyda'r trefniadau.

Pan wybu y gymdogaeth hanes yr ewyllys, nis gallent beidio â datgan eu llawenydd y naill wrth y llall. Deallent hwy yn eithaf da nas gallasai Syr Tudur drefnu yn well ar gyfer ei denantiaid na gadael yr oll yn nwylaw Lady Llwyd, ac na ddigwyddai iddynt hwy ddim niwed tra y daliai hi yr awennau. Ymfalchïai Dyddgu unwaith eto ym meddiannau Rhiannon. Creadures fechan ysgafn ei meddwl oedd hi, a deuai o hyd i ryw gymaint o awyr las y tu arall i bob cwmwl tywyll. Felly, er colli ei chyfaill a hoffai gymaint – Syr Tudur Llwyd – dechreuodd Dyddgu geisio troi y nos yn ddydd i bawb o'i chwmpas, a bod 'y ffisig gore' iddynt yn ôl dull Boba o siarad. Mynnai Mrs Meyrick gael Lady Llwyd o unigedd Y Friog, ond nis gellid perswadio Rhiannon i symud oddi yno hyd yn oed am noson hyd nes y byddai holl ddymuniadau Syr Tudur wedi eu trefnu yn ôl ei ewyllys ef. Yna ceisiai Mrs Meyrick ei darbwyllo fod yn rhaid iddi gael rhywun yn gwmni, ond meddai tawelwch Y Friog swyn i ysbryd Rhiannon, a gorfu i Mrs Meyrick ddeall nad oedd dim yn alluog i roddi y fath fwynhad i Lady Llwyd a cheisio gofalu am ei phobl o'i chwmpas, rhoddi tro i Tyn'ffordd i edrych am Elin a'i mam, oddi yno i weled Boba, ac i'r Hafod Olau at Nisien. Bryd arall elai tua'r pentref i ymweled â William Williams, a byddai mor barod ag y bu ei thad erioed i gyfrannu i'r capel â'i waith. Wedi marw Syr Tudur elai Rhiannon i Langynan yn y bore yn union fel o'r blaen, ac yna i'r capel yn y pentref y gweddill o'r dydd, ac ar noson waith. Synnai y bobl ei bod yn parhau i fyned i'r llan, ond nid yn hir y buont cyn penderfynu fod ym mryd Lady Llwyd wneud popeth a barai hyfrydwch i Syr Tudur yn ei fywyd, wedi iddo ef fyned i fro distawrwydd. Dywedai Huw Huws y gof fod rhoddi amnaid i Lady Llwyd ynghylch rhyw fath gynllun o eiddo Syr Tudur yn ddigon, y gwneid y gwaith ar unwaith, beth bynnag fyddai. Ac yn y dull tawel defnyddiol yma y treuliai hi y dyddiau. Ryw ddiwrnod cerddodd tua'r felin. Gwelodd John Meredydd hi, ac aeth i'w chyfarfod.

'Mae llwch yr hen felin yna yn difetha dillad duon Lady Llwyd, ddowch chwi i'r ty?'

Aeth hithau, ac wedi myned i fewn ac eistedd a dechrau siarad â'r melinydd a'i wraig, gofynnodd iddynt eu barn hwy ynghylch addysgu Dyddgu yn ôl dymuniad Syr Tudur yn ei ewyllys.

'Buaswn i yn ei dysgu fy hun, John Meredydd, ond ychydig o ddawn i ddysgu neb feddaf fi rwy'n ofni. Rydw i wedi treio fy ngore i ddysgu Elin Tyn'ffordd, a rywsut ychydig iawn o ôl y dysgu sydd arni,' ebe Rhiannon. 'Mae'n well o lawer gen i dreio dysgu petha fy hun na cheisio eu dysgu i eraill.'

Ond canlyniad yr ymweliad oedd i Dyddgu dreulio mwy o'i hamser nag erioed yn Y Friog, bob yn ail â'r Hafod Olau fel cynt yn 'nawn y dydd, a danfonid hi a'i brodyr yn y bore i'r dref gyfagos lle y cedwid ysgol ragorol i ychydig nifer o blant yr uchelwyr gan fonheddwr oedd yn ysgolhaig o radd uchel, a chan fod y plant yn dyfod yno o dan nawdd Lady Llwyd, Y Friog, a hwythau yn gallu manteisio yn well na'r cyffredin ar eu haddysg, cymerodd yr ysgolfeistr ddiddordeb neilltuol ynddynt.

Ymadawodd Mrs Harris o'r ardal mor fuan ag oedd bosibl iddi ar ôl claddu ei gŵr, ac ychydig iawn o amser fu Ned Williams y saer fyw ar ôl hynny. Mewn amser mor fyr, gwaith anodd oedd amgyffred sut y bu i un ardal wledig gyfnewid cymaint.

Pan dderbyniodd Francis Glyn y fodrwy adawodd Syr Tudur Llwyd iddo, newidiodd ei wedd. Cyflwynwyd hi iddo gan Nisien Wyn yn y brifddinas ymhen tua mis ar ôl darllen yr ewyllys, crynodd ei wefusau wrth geisio dweud gair, a chrynai ei law wrth afael ynddi.

'Mae'n dda iawn gennyf fi, Nisien, i mi gael y fraint o adnabod Syr Tudur Llwyd. Gwisgaf hi tra byddaf byw. Deall y rhodd, ydwyf, ac ni fydd i mi byth fod yn annheilwng o'r rhodd, nac o ymddiried y rhoddwr,' a chrymodd ei ben.

Pennod XXXIV
Goleuni yn yr hwyr

Aeth rhai blynyddoedd heibio heb nemor o gyfnewidiadau cynhyrfus ym mro Cynan. Cerddai y bechgyn i efail y gof gyda'r nos megis cynt, a hyfforddai John Meredydd ei gymdogion yn egwyddorion rhyddid yn fwy dyfal nag erioed; yr egwyddorion y bu Robert Gruffydd farw drostynt. Erbyn hyn ceid y *Ballot Act* ar ddeddflyfrau'r wlad er amddiffyniad i'r werin bobl rhag gormes y tirfeddianwyr a'u gweision offeiriadol. Pan yn dechrau rhoddi'r *ballot* mewn gweithrediad cyn i'r werin ddeall ei werth chwaraewyd llawer o driciau isel i'w dychryn a'u bygwth gan ddynion a alwent eu hunain yn fonheddig, a chofir yn hir yng Nghymru am y noson y cadwyd y pleidleisiau mewn gwesty, a'r papurau llosgedig ddarganfyddwyd yn y bore gan un o'r morwynion. Dyma'r tro olaf i beth tebyg allu digwydd yn hanes ein gwlad, a byddai yn burion heddiw i blant Gwalia gofio maint y pris a dalwyd am eu rhyddid hwy. Am y sir lle ceir hen blwyf Llangynan, ni fu cymaint o helyntion ynddi, er i aml un dipyn yn ffolach na'i gilydd, er mwyn ennill cydnabyddiaeth ei blaid beri trafferth etholiadol, nid oedd o un diben, sir rydd fu hi er brwydr fawr 1868. Ym mro Cynan teyrnasai tangnefedd. Hwyliai Nisien Wyn holl feddiannau etifeddiaeth y Plas Dolau er budd y perchennog a'r rhai a ddibynnent arno am eu cysur. Gofalai Rhiannon am bob un o'i phobl hithau o'r mwyaf hyd y lleiaf ohonynt. Ar ddiwrnod talu'r rhent, hulid y bwrdd yn y neuadd, a derbyniai Lady Llwyd hwynt ei hunan, ac eisteddai i gydfwyta gyda'i phobl. Gweithredai Emrys Puw, mab Deborah o bentref y capeli, fel ei chlerc, ac efe dderbyniai y rhenti.

Diwrnod ar ei ben ei hun oedd hwnnw yn hanes Emrys pan gymerwyd ef i helpu Lady Llwyd, ac ni chafodd meistres erioed ffyddlonach gweinidog: byddai ar ei deheulaw neu ar yr aswy yn gweled ei waith fel y daeth yn fuan iawn yn anhepgorol iddi. Ni fynnai Rhiannon mwy na Syr Tudur Llwyd ymddiried cysur ei phobl i oruchwyliwr. Nis gwyddai hi ond am un Nisien Wyn. Addefai yn rhwydd y gallai fod ei debyg, ond nis adnabyddai hi hwynt, a chymerai ormod o amser iddynt hwythau pes gallai gael un wrth ei bodd i ymgydnabyddu â'r hen denantiaid y gwyddai hi amdanynt hwy a'u hanghenion bob yr un, a'r canlyniad fu iddi feddwl am Emrys Puw ym mhentref y capeli. Pobai Deborah y wics gystal ag erioed, er bod ei mab yn mynd a dod i'r Friog bob dydd.

Treuliai Boba ei hen ddyddiau mewn tawelwch. Ymwelai Rhiannon â hi yn feunyddiol, a gofalai am ei holl anghenion. Byddai Dyddgu hefyd yn ôl ac ymlaen ym mwthyn Boba, a mawr fu'r helynt pan ddaeth yn amser perswadio yr eneth i wisgo dillad llaesion a chodi ei gwallt. Edrychai yr hen wraig ar y cudynnau duon cyrliog, ac nis gallai beidio teimlo fod yn resyn eu caethiwo gyda phinnau gwallt, ond beth ellid wneud? Torrodd Dyddgu y ddadl ryw ddydd trwy afael yn y siswrn, a thorri ei gwallt yn rhy gwta i ddim ond i fod fel pen cyrliog bachgen, a chafodd ei boddhau am ei gwaith trwy i Nisien Wyn ddweud fod ei phen yn brydferthach nag erioed, ar wahân i'r cysur o fod heb ddwsin mwy neu lai o binnau heyrn ar ei phen. Beth tybed fuasai Dyddgu yn feddwl o ferched yr oes hon a'u gwallt wedi ei glymu mewn *curling pins* ddydd a nos, oddigerth ychydig oriau yn y prydnawn i rodianna o gwmpas i ddangos y cyrls gwneud, heb ystyried fod natur yn deall yn well na hwy pa fath wallt a weddai i'w hwynebau. Setlodd Dyddgu y dillad llaesion mewn ffordd bur effeithiol hefyd. Os oedd raid iddi fyned i barlyrau Y Friog, neu'r Plas Dolau, meddai wisg i'r pwrpas, ond nis gallai un dewin ddarbwyllo Dyddgu fod cario rhyw lathen o gynffon ffrog yn ei dwylo pan gerddai o gwmpas y wlad yn beth yn ei le, ffasiwn neu beidio. Ychydig iawn boenai y ffasiwn ar Dyddgu Meredydd, ond parai caethiwed merched i ffasiwn ofid blin iddi, ac am ryddhad ei rhyw oddi wrth bob llyffethair a dueddai i'w cadw mewn cyflwr israddol y breuddwydiai Dyddgu y nos, ac y meddyliai y dydd.

Deallodd Mrs Meyrick, Plas Dolau fod rhywbeth yn wahanol i enethod eraill yn Dyddgu, a chymerodd hi i'w llyfrgell ei hun, yno rhoddodd un o'r casgliadau gorau o lyfrau yn y wlad ar hawliau merched at wasanaeth yr eneth. Treuliodd Dyddgu oriau meithion yn plymio i'r dwfn yn y fan honno. Elai wedi hynny i'r Friog, lle y teyrnasai merch gyda'r fath ddoethineb dihafal, oddi yno i'r Hafod Olau i gael barn Nisien ar y traphlith y mynnai hi gael rhyw fath o ben llinyn arno. Yn ystod yr holl amser nid oedd Francis Glyn wedi bod yn agos i Langynan. Ceisiodd Nisien ganddo ddyfod ond ysgydwai ef ei ben, 'na Nisien, nis gallaf fi ddod, Lady Llwyd Y Friog yw Rhiannon, ac nid ei chyfoeth garaf fi.'

Ofnai Nisien nad oedd bosibl gwneud dim iddo, eto credai yn ei galon fod teimladau cynnes ym mynwes Rhiannon tuag ato, canys holai amdano weithiau, beth oedd yn wneud, a siaradai amdano yn dyfod i'r Hafod Olau, a'i ymgom gyda'i thad, ac unwaith pan ddaeth Elin Tyn'ffordd i'w cyfarfod eu dau yn cerdded ac y chwarddodd Elin gan ddweud, 'Y gŵr bynheddig clws hwnnw fydd yn rhoi hanner coron i mi sydd o'ch ochor chi, Miss,' aeth wyneb Rhiannon yn wridog drosto, ac yna yn wyn. Pan mewn rhyw benbleth, arferai Nisien ddweud yr helynt wrth Dyddgu, ac wedi cynllunio a threfnu y naill beth ar ôl y llall, a methu gweled yn eglur, penderfynodd ddweud cymaint a wyddai ef o'r hanes wrth ei oracl ieuanc. Ac felly fu. Wedi iddo orffen, safodd Dyddgu yn syn am foment, a'i llaw ar ei thalcen yn fyfyrgar, yna ebe hi, 'Mae'n amser i mi ddweud; mi a' i yno'r munud yma,' ac ymaith â hi tua'r Friog, a chyn pen yr awr gwyddai Rhiannon am gyfarfyddiad Francis Glyn a Dyddgu ddydd ei phriodas hi a Syr Tudur Llwyd.

'Mae'n dda iawn gen i, Mr Glyn, mae o wedi bod yn gofalu amdana i pan oeddwn i ffwrdd yn yr ysgol a phawb ohonoch chi ymhell, bell, a mi roedd Syr Tudur Llwyd yn ffrind iddo fo hefyd. Mae o'n edrych yn ddrwg iawn, a mae lot o wallt gwyn ar 'i ben o, ond ddaw Mr Glyn ddim yma bai na fasech chi'n dlawd, heb iddo fo gael rhyw air. O! Miss Rhiannon,' gan lithro i'r hen enw yng ngrym ei theimladau, 'beth ga' i ddweud?'

Rhoddodd Rhiannon ei dwylo ar ei hwyneb, dechreuodd y dagrau redeg, a deallodd hithau fod allweddau ei chalon ym meddiant Francis Glyn.

'Beth ga' i ddweud?' ebe Dyddgu eilwaith, 'ga' i ddweud wrth Mr Glyn bod chi'n gwybod hanes y diwrnod hwnnw, a base'n dda gennych ei weled? Ga' i ysgrifennu fel yna?'

Gwenodd Rhiannon trwy ei dagrau, ac ebe hi, 'Ffrind cywir yw Dyddgu, yntê? Beth ddaw ohonom pan ddygir hi oddi arnom yn y fro yma?'

'O, dydw i ddim am fynd i ffwrdd. Mae yma ormod o waith i edrych ar ych ôl chi i gyd, a waeth i mi fan hyn i helpu pobol na rhywle arall,' ebe Dyddgu, ac ymaith â hi yn ôl i'r Hafod Olau.

'Wel, does neb ar y ddaear fel Dyddgu,' ebe Nisien, a gwenai yn serchog ar yr eneth. 'Beth yn y byd wnaethem hebddi?' 'Debyg fod yn rhaid i rywun fod yn yr hen fyd yma i drwsio gwaith pobol eraill, a waeth i mi wneud hynny am wn i. Dyna beth â digon o'i eisiau, beth bynnag. Mae rhywun yn gwneud potes o'i fywyd byth a beunydd, a fydda i ddim i lawr am job,' a chwarddai Dyddgu yn siriol. Cyn iddi yn brin orffen llefaru, gwelai y ddau rai o weithwyr y Plas Dolau yn dynesu ac yn cario rhywun ar blanc, a chot wedi ei daflu drosto. Pan ddaethant at lidiart lawnt yr Hafod Olau cyfarfu Nisien Wyn a Dyddgu hwy.

'Elin Tyn'ffordd, Syr,' ebe un o'r dynion mewn atebiad i gwestiwn Mr Wyn, 'syrthio o dan goeden pan oedden ni'n 'i thynnu hi lawr hefo rhaffa 'na'th hi. Wydda neb bod hi yno.' Griddfannodd Elin, a deallodd Nisien fod bywyd ynddi ac anfonodd was ar geffyl i gyrchu'r meddyg yn ddiymdroi. Cariwyd Elin i'w bwthyn, a rhoddwyd hi ar y gwely, ei mam yn cerdded yn ôl ac ymlaen gan ddweud, 'Mi wyddwn i, Dyddgu, bod hi'n siŵr o ladd 'i hun ryw ddiwrnod, a dyma hi wedi gneud, ond fydda hi byth yn llonydd.'

Daeth y meddyg, ac ni feddai un llygedyn o obaith am adferiad i Elin, 'Y peth tebycaf, Miss Meredydd, yw na ddaw yn ymwybodol eto.' Ond siaradai Elin yn ddi-baid, soniai am y rhaffau ym mhentref y capeli, chwarddai yn aflafar a chanai y penillion etholiadol, a galwai ar Dyddgu, yna yr oll o deulu yr Hafod Olau wrth eu henwau. Daeth Rhiannon ati, ac erfyniai arni hi ei helpu i fod fel, 'Miss Glws'. Galwai ar Dyddgu am bennill arall, yna holai lle yr oedd Iesu Grist. Rhoddodd oriau olaf Elin oleuni iddynt ar lawer pwnc dyrys fuont hyd hynny yn ddirgelwch ym mhlwyf Llangynan. Ychydig amser cyn ei myned i ffwrdd, daeth dyn dieithr i'r bwthyn. Aethai i'r Hafod Olau, a dywedwyd wrtho fod, 'Mr Wyn a Miss Meredydd newydd gychwyn i Tyn'ffordd,' gadawodd yntau ei fag i'r forwyn, ac aeth ar eu hôl. Gwlychai Dyddgu wefusau gwelw Elin, a siaradai Nisien a Rhiannon yn ddistaw yn ymyl y ffenestr fechan. Yn ddisymwth clywsant lais o'r gwely yn gweiddi. 'Dyma Iesu Grist wedi dŵad o gwmpas 'i betha, mam. Raid i mi ddim gweithio yn i le o yto. Ydi Miss Glws yna?' Syllodd ar Francis Glyn, ac mewn llais tyner erfyniol dywedodd 'Iesu Grist, Iesu Grist, mae arna i eisio bod fel Miss Glws, gown gwyn, Iesu Grist, fel hi. Rydw i'n treio bod 'run fath â hi, mi ŵyr Miss.' Caeodd ei llygaid am foment, gan sibrwd, 'Iesu Grist, Iesu Grist,' yna agorodd hwynt drachefn, a syllodd o'i chwmpas, ac ebe hi 'Fydda i ddim yn fwgan hefo Iesu Grist.' Dynesodd Rhiannon at y gwely a gwelodd Elin hi, ac amneidiodd yn ei dull rhyfedd ei hun arni. 'O! Miss, mae o o'ch ochor chi, mi ddeudodd wrtha i. Ga' i fynd i'r nefoedd, Iesu Grist? 'Na'n nhw ddim deud Elin wirion wrtha i fan honno os bydda i fel Miss Glws â ffrog wen.' Am funud yn rhagor cymysgai enwau Iesu Grist a Dyddgu ieuanc, yna syrthiodd i lesmair tawel, ac ni wybu neb y foment yr ehedodd ysbryd Elin, druan, at yr Hwn a'i rhoes.

Daeth dwy gymdoges garedig ymlaen i gymeryd gofal o'r hyn oedd farwol ohoni, ac wedi dweud gair wrth y fam, cychwynnodd Francis Glyn a Nisien Wyn, a dilynodd Lady Llwyd a Dyddgu hwynt.

'Ac Elin fu'n dychryn pobl, Dyddgu, ac yn chwarae triciau yn yr ardal,' ebe Rhiannon yn synfyfyriol.

'Mi fydd mam yn dweud bod pobol fel Elin yn gyfrwys iawn, ac mi roedd hi yn ych caru chi, ac am ddial 'i llid ar bawb a'ch poenai,' atebai Dyddgu. 'Hwyrach bod hi'n treio'i gorau fod yn dda, a bod hi erbyn hyn wedi gweled Iesu Grist.'

'Amen,' ebe Rhiannon yn ddrylliog ei theimladau.

'Roedd 'i Thestament hi yn 'i phoced pan syrthiodd y goeden. Byddai hefo hi ym mhob man,' ond cyn i Dyddgu ddweud gair yn ychwaneg, safodd y ddau gyfaill i ddisgwyl y merched ar y groesffordd.

Yn y fan honno cyfarchodd Francis Glyn a Rhiannon Llwyd ei gilydd gyntaf. Dywedodd Nisien y byddai'r te yn barod yn Hafod Olau, a gwahoddodd hwynt oll yno. Ac yn ei hen gartref, ar aelwyd ei mebyd, wedi i Nisien a Dyddgu fyned ynghylch rhyw segur swydd, yr estynnodd Rhiannon ei llaw i Francis Glyn gan ddywedyd, 'Yr wyf yn gwybod y cwbl heddiw. Diolch i chwi am eich parch tuag ataf, a'r hunanaberth er fy mwyn.' Gafaelodd yntau yn dynn yn ei llaw ac ebe fe, 'Rhiannon Gruffydd oeddwn i am ofyn amdani i'ch tad, mae meistres Y Friog ymhell uwchlaw i mi, ond lle bynnag bydd Rhiannon rhaid i mi ei charu.' Gwenodd Rhiannon yr wên oleuai ei hwyneb, ac nas gwelwyd arno ers llawer blwyddyn, ac ebe hi, 'Mae ar Feistres Y Friog fwy o eisiau help nag oedd ar yr eneth welsoch chwi gyntaf. Nid wyf fi yn meddwl y gallaf byth fod eto yn union fel cynt: mae'r dioddef wedi bod yn rhy fawr, ond os gellwch ddygymod â mi fel yr wyf, gwnawn ein gorau i fyw er lles ein cyd-ddynion. Mae sirioldeb ieuenctid wedi'm gadael i, ond...'

Nis dywedodd Rhiannon ragor: yr oedd ei phen ar fynwes ei hanwylyd, a'i henaid hithau wedi'r holl ystormydd yn llonyddu yn ei gariad. A daeth Boba i fewn, wedi i Dyddgu fod yn ei gwahodd hithau i'r te, ac ebe hi yn ei dull tawel, a'i hwyneb yn llawn llawenydd, 'Mae'n dda iawn iawn gin Boba weld bod chi am ddal yr ymbarelo wrth ben 'y ngeneth i. Mae 'i braich hi wedi cyffio. Dyn annwyl, Mr Glyn, mi wn i'n well na neb bod Syr Tudur Llwyd, coffa da amdano, yn disgwyl basech chi wedi helpu Rhiannon ymhell cyn hyn. Mae tipyn o falchder yn burion o beth yn 'i le, ond mae o wedi difetha mwy o fywyda na dim wn i amdano fo.'

'Yr ydwyf yn credu eich bod yn eich lle, Boba, ond tra yn gwisgo modrwy un a barchwn mor fawr ar fy llaw, nid oedd bosibl i mi fod yn annheilwng o'i ymddiried. Nid balchder yn unig a'm cadwodd i draw, Boba, credwch fi.' Yna mewn rhyw sibrwd distaw ychwanegodd 'nis gallwn i gynnig bywyd gydag anghredadun i Rhiannon. Erbyn heddiw gallaf ofyn iddi helpu fy nghamre cloffion i rodio'r ffordd y ceisiodd ei thad fy arwain i'w golwg: heddiw yr wyf yn Gristion. Nid wyf mwyach yn dal fy Nuw yn gyfrifol am boenau a phechod y byd. Nid wyf yn deall nemor fwy na phan y ceisiwn bendroni ynghylch pethau rhy anodd i mi, ond yr wyf yn cofio cyngor Syr Tudur i mi, sef peidio ceisio chwilio am y pethau y bu i

Dduw eu cuddio hyd nes y gwêl Efe yn dda eu hegluro i ni.'

'Da 'machgen i,' ebe'r hen wraig, ei llais yn crynu gan deimlad. 'Da 'machgen i, yrŵan mi wn i bydd 'y ngeneth i a'i thraed ar y graig. Y graig na ddaw yr un moryn drosti hi, na ddaw, Rhiannon, i'ch tynnu chi i'r dwfn oddi arni hi. Bendith arnoch chi, 'mhlant i, mae O wedi deud, mi a dalaf i chwi y blynyddoedd a ddifaodd y ceiliog rhedyn, a mae O'n bur siŵr o fod i fyny a'i addewid. Mi glywais i Rhobat Gruffydd yn deud laweroedd o weithia, fod *honour* Jehofa tu cefn i'w addewidion. Cha i ddim bod yma yn hir trwy drefn amser, 'mhlant i. Rydw i wedi cael mwy o lawer o flynyddoedd na'r addewid, a mi fydda i yn chwilio amdanyn nhw pan a' i dros yr afon, ac yn deud yr hanes.'

Safai Nisien a Dyddgu yn ei hymyl tra y llefarai Boba. Trodd yr hen wraig ei llygaid atynt a gwenodd yn serchog. 'Fel yna mae petha, yntê, Nisien,' ebe hi, 'a bydd goleuni yn yr hwyr.'

Cododd Nisien Wyn ei olygon tua'r fan yr hongiai darlun Olwen ar y mur, ac atebodd, 'dyna un o eiriau olaf Olwen i mi cyn i'm gychwyn o'm cartref, "a bydd goleuni yn yr hwyr," Boba, ac mae ei hysbryd pur yn llawenhau yn llawenydd ei brawd a'i chwaer heddiw, onid yw? O rydw i'n 'i gweld nhw i gyd yn nes atom lawer nag ydym erioed wedi amgyffred, a phetai'n clustiau ni yn ddigon tenau clywem hwy yn cydymdeimlo â ni yn y cysur fel yn yr adfyd, oni wnaem?'

'Wel, mae'r te yn barod, a mi ddylith Margiad nad ydi o ddim wrth ych bodd chi os ewch chi i grio yn lle i yfed o,' ebe Dyddgu, 'ac mae yma grempog hefyd.'

Gwenodd pawb, a dywedodd Nisien, 'Mae Dyddgu fel y gneuen, y cnewyllyn yn iach drwyddo. Fedr neb arall chwaith fod yn afiach yn hir yn y fath awyr, fedran nhw Boba?' Ond Rhiannon atebodd gan roddi ei braich dros ysgwydd Dyddgu, a chusanodd ei thalcen. 'Perlyn mwyaf gwerthfawr Llangynan yw Dyddgu, ei henaid fel ei henw yn llawn o ddydd, heb ddim o liw'r nos yn agos ati yntê,' ond wedi un drem serchog i wyneb Rhiannon, hwyliodd Dyddgu bawb i'w gader, a dechreuodd dywallt y te, gwaith arferai wneud yn fynych yn yr Hafod Olau i Nisien. Er nad oedd un o'r rhai annwyl eisteddent gynt wrth y bwrdd yno wedi eu hanghofio, eto teyrnasai rhyw dangnefedd tawel yn yr hen ystafell nas bu ei debyg yno ers llawer blwyddyn. Diau fod Rhiannon yn agos i'w lle. Nid yw bosibl dwyn baich gofidiau'r byd, ac wedi hynny allu adfer yn ôl ysgafnder ieuenctid; eithr trwy drugaredd ceir ym mhebyll y cyfiawn y mwynhad a'r tangnefedd distaw sydd yn dilyn y stormydd, nas gŵyr ond y pererinion o ddinas distryw ddim amdano, pan ddeuant i ben ambell i fynydd hyfryd ar eu ffordd, newydd iddynt ddianc o afael cawr anobaith a gadael castell amheuaeth ymhell o'r tu ôl iddynt.

Ymhen tua mis ar ôl y dydd bu farw Elin, priodwyd Francis Glyn a Rhiannon – Lady Llwyd. Ond ni fynnai hi rialtwch a miri, er y dymunai ei thenantiaid wneud coelcerthi a chwifio banerau. Perswadiodd William Williams y pregethwr hi i adael eu ffordd eu hunain i'r bobl i ddangos eu teimladau da tuag ati, ac y gallai hithau blesio ei hun trwy gael y seremoni drosodd mor syml ag oedd yn weddus. Ac felly y bu. Cafodd yr hen bobl hanner pwys o'r te gorau, a phlant y fro wledd o de a bara brith, ond y wledd orau o lawer i Boba a William Williams a llu o hen gyfeillion oedd gwylio wyneb dedwydd Rhiannon. Teimlent oll wirionedd geiriau Boba, 'Mae 'ngeneth i yn y cysgod, ac er na 'neith hi na 'run ohonom ni anghofio blynyddoedd yr wylofain, eto i gyd mae'r adnod honno yn wir amdani hi "Wele y gaeaf a aeth heibio, y glaw a basiodd, ac a aeth ymaith".'

Nid aeth Francis a Rhiannon Glyn ar draws gwlad i dreulio eu dyddiau cyntaf gyda'i gilydd, canys nis gwyddent hwy am unman mor brydferth â hen blasty'r Friog, ac yno y dymunent ddechrau byw dan y gronglwyd a garent. Yn hwyr y dydd, pan wyliai Dyddgu a'i thad a'i brodyr y coelcerthi yn fflamio ar ben y bryniau, daeth Nisien Wyn tuag atynt, ac wedi siarad am ychydig amser â hwy, gafaelodd yn llaw Dyddgu a gofynnodd iddi fyned gydag ef am ennyd fechan. Edrychai John Meredydd ar eu hôl, ac yna aeth at ei wraig i'r tŷ, a bu y ddau yn siarad â'i gilydd yn hir. Arweiniodd Nisien Wyn Dyddgu hyd at y meini gwynion o dan gysgod y derw, ac yn y fan honno yn llwydni'r cyflychwyr dywedodd wrthi holl hanes ei serch at Olwen Gruffydd, dangosodd iddi enwau'r meini: amynedd, gobaith, cariad. Yna gan edrych yn ddyfal ar yr wyneb ieuanc llawn cydymdeimlad ag ef o'i flaen, ebe fe, 'Dyddgu, mae Olwen yn y nefoedd heddiw, a minnau fy hun yn Hafod Olau, ond fedra i ddim bod yno yn hwy fy hun. Mae miwsig yn sŵn troed Dyddgu i mi, yn cerdded yn ôl ac ymlaen ar hyd y tŷ, ac mae nodau llais Dyddgu i mi yn beroriaeth dlysaf daear. Rwy'n gwybod mod i'n llawn deuddeng mlwydd hŷn, ond mae gormod o eisiau fy Nyddgu arnaf i gofio dim ond fy mod yn ei charu. Dyddgu, nid yw'r ffaith imi garu Olwen er yn fachgen hyd awr ei marwolaeth, yn gwneud fy serch ronyn llai heddiw at eneth fach arall sydd wedi goleuo fy mywyd er pan ddeuthum yn ôl. O! Dyddgu, does dim ar y ddaear all oleuo fy mywyd i eto ond presenoldeb yr eneth fach honno sydd erbyn hyn wedi myned yn fawr, ac wrth dyfu ei hun, wedi gwreiddio a thyfu yn fy nghalon innau yr un pryd.'

Pwysai Dyddgu ei phen ar y maen a elwid cariad. Yn y ffurfafen gwelai y lloer yn dyfod i'r golwg ac yn taflu ei goleuni ar y meini gwynion, ac yna yn ei dull hanner direidus ei hun dywedodd 'mae'r meini yna yn glws iawn, ond hwn yw'r maen gorau i mi heno, yntê?' Ac atebodd Nisien Wyn hi mewn ffordd hollol annisgwyliadwy i Dyddgu, ac ebe hi wrtho, 'Gormod o wastraff yn y dechrau yw peth fel hyn, Nisien, well i ni roi tipyn heibio at ddiwrnod glawog.'

Chwarddodd Nisien yn uchel. Meddai ysbryd ieuanc nwyfus Dyddgu, na fynnai roddi lle i bruddglwyf o un rhyw yn agos ati, ddylanwad mor gryf arno, fel nad rhyfedd iddi ei arwain o dir hiraeth a galar i fwynhau bywyd eto unwaith.

'Ro'n i'n meddwl mai i hyn y deuai hi,' ebe Boba pan glywodd y newydd, 'Mae Dyddgu i'r dim i Nisien, ac mi fydd Hafod Olau'n batrwm o gartre. Dyddgu, 'ngeneth i, 'neith dim di yn anhapus yn hir 'dwy'n meddwl.'

Plethodd Dyddgu ei dwylo ar fraich ei thad, ac atebodd, 'Na 'neith, os na fydda i wedi gneud rhyw ddrwg fy hun. Mi fûm i'n anhapus iawn, yn'do dad, wedi i mi gladdu lot o'r malwod yn fyw, wedi i mi flino chware hefo nhw nes deudodd Llew y byddent yn siŵr o ffeindio'u ffordd i atgyfodi.'

'Twt, twt, Dyddgu,' ebe'r hen wraig, eto chwarddai er ei gwaethaf, 'mi fedri ddeud straeon hirnos gaea faint y fynni di eto 'ddyliwn. Wel, byd gwyn i chi'ch dau ddeuda i, a gora po ora, yntê John Meredydd?'

Ond Rhiannon lawenychai fwyaf o bawb. Bu hi yn ofni lawer gwaith rhag y byddai i Nisien dreulio ei fywyd yn unig. 'Ac eto,' ebe hi wrth Dyddgu, 'medd Nisien galon mor fawr, mae digon o le ynddi i goffadwriaeth ein chwaer, fy Olwen dlos, ac i'r wraig ieuanc anwyla' groesodd riniog drws un cartre erioed.'

'Mi fydda i'n meddwl bod hi'n gwenu arna i oddi ar y mur, ac yn falch mod i'n ceisio gwneud Nisien yn hapus,' ebe Dyddgu yn dyner.

Cymerai Huw Huws y gof arno ei fod yn diolch nad oedd pob dynes fel Dyddgu, 'ne nhw fasa yn fembars o *Parliament* a phopeth achos mi naetha fistar corn arno ni bob un o dan yn trwyna fel rydan ni yn y fan yma, a 'run ohonon ni'n gwbod chwaith.'

Am Mrs Meyrick o'r Plas Dolau, pentyrrai hi roddion i Dyddgu, yn enwedig llyfrau. Galwai hi yn bob math o enwau swynol, a gwariodd arian lawer i ddathlu dydd y briodas yn ôl ei mympwy ei hun. Mynnai Mrs Meyrick ddangos i'r bobl alwai hi yn grachfoneddigion gymaint oedd parch teulu'r Plas Dolau i ferch y melinydd. Gyda'r nos safai Nisien Wyn a Dyddgu ar lawnt Hafod Olau. Canai yr adar eu cerdd hwyrol, tra y machludai yr haul megis byd o dân yn suddo i ganol y môr. Yna gwelent y pyst o ambr yn y pellter yn goleuo y nen. Trodd Nisien ei lygaid ar ei wraig ieuanc a gwasgodd hi at ei fynwes.

'Dyddgu, mae'r meini wedi para yn wynion. Gwnes a allwn i fod yn amyneddgar mewn ingoedd enaid, ceisiais obeithio bod o ryw ddefnydd yn y byd yma, i helpu eraill, a rhoddodd Duw i mi gariad yn help i minnau. Fy Nyddgu, fy nhrysor, "A bydd goleuni yn yr hwyr." Ychydig feddyliai Olwen a minnau y noson honno pa fodd y deuai y goleuni, ond daeth er hynny yn ei ffordd Ef. Y ffordd orau yn sicr.'

'Nisien, wnewch chwi gofio nad oes ynof fi un gronyn o eiddigedd am eich bod yn cofio am Olwen. Peidiwch ofni siarad amdani yn ein cartref: bydd ei henw hi fu yno yn cartrefu o'n blaen ni fyth yn gysegredig, a'i hwyneb prydferth oddi ar y mur yn bendithio ein haelwyd.'

'Dyddgu, fy anwylyd, awn i fewn i'n Hafod Olau.'

Epilog

Ar fore braf ym mis Mehefin gwelid tyrfa o bobl yn ymgasglu at hen gapel bro Cynan yn eu dillad gorau, er nad oedd hi yn ddydd saboth, nac yn ddiwrnod cyfarfod pregethu. Wedi myned i mewn y peth cyntaf i dynnu eu sylw oedd llian gwyn yn hongian ar y pared yn ymyl ochr y pulpud y tu cefn i set Y Friog. Eisteddai Rhiannon Glyn a Dyddgu yn y set honno gyda'i gilydd, ac yn y sêt fawr gyda William Williams y pregethwr, John Meredydd y melinydd, a'r blaenoriaid eraill, eisteddai Mr Edwards, yr Aelod Seneddol dros y sir, a Mr Glyn Y Friog, a Mr Wyn yr Hafod Olau, un bob ochr iddo. Dechreuwyd y gwasanaeth trwy ganu pennill a darllen a gweddïo, wedi hynny galwyd ar Mr Edwards, yr Aelod Seneddol, i annerch y cyfarfod. Meddai y bonheddwr dafod y dysgedig, a gallai lefaru gyda huawdledd fel rheol, ond y bore hwnnw methai yn lân â myned yn ei flaen, a gorfu iddo fwy nag unwaith gymeryd seibiant i geisio llywodraethu ei deimladau. Deallai Mr Edwards y mawr bris a dalwyd am ei aelodaeth seneddol ef, ac nid dyn i gicio yr ysgol ar hyd yr hon yr esgynnodd, yn ôl arfer rhai, oedd Mr Edwards, ond bonheddwr, a chalon fawr ddiolchgar ganddo yn gwaedu dros ddioddefaint y ffyddloniaid. Wedi iddo orffen llefaru dynesodd at y llian ar y pared a gafaelodd yn y llinyn a hongiai un ochr iddo, cododd Rhiannon a chymerodd afael yn y llinyn yr ochr arall, ac ebe hi yn ei llais clir melodaidd gyrhaeddai i bob cwr o'r hen gapel, 'Yr ydym yn dadorchuddio y tabled hwn er gogoniant i Dduw, ac er mwyn egwyddorion rhyddid. Hefyd er cof am ferthyron annwyl 1868.'

'Amen,' ebe'r dyrfa yn unllais, a chyn i sŵn eu Hamen yn brin ddarfod dyna rywun yn dechrau canu, a phawb yn uno:

Bydd myrdd o ryfeddodau
    Ar doriad bore wawr,
Pan ddelo plant y tonnau
    Yn iach o'r cystudd mawr;
Oll yn eu gynau gwynion,
    Ac ar eu newydd wedd,
Yn debyg idd eu Harglwydd
    Yn dod i'r lan o'r bedd.

A chanu ardderchog fu yno. Wedi i'r cwbl fyned drosodd, tyrrai y bobl i weled y tabled o farmor gwyn a'r llythrennau euraidd oeddynt gerfiedig arno, 'Er cof am Ferthyron Etholiad 1868,' ynghyd â'u henwau bob yr un. Yr enw cyntaf oedd Janet Williams, mam William Williams, y pregethwr, yna enw Robert Gruffydd, Hafod Olau, ei wraig garuaidd, a'i ferch brydferth a thyner, ac felly ymlaen drwy'r rhestr heb anghofio yr un o'r rhai fu yn dal baner rhyddid i fyny, ac wrth hynny yn marw yn wyneb ymosodiadau creulon y gelyn. Os myn fy narllenydd hynaws weled y tabled, erys hyd heddiw yn yr hen gapel gwledig yn 'sir y menig gwynion,' fel y byddo i'r oesau a ddêl ar eu hôl ddwyn ar gof i'w plant a'u hwyrion am genedlaethau lawer, hanes dioddefiadau Plant y Gorthrwm yn eu hymdrechion i 'dorri pob iau, a datod rhwymau anwiredd a thynnu ymaith feichiau trymion,' ac mai er gwerth y prynwyd Cymru rydd.

GEIRFA

bolól	bwci bo.
bôm	dail bôm: bawm, balm, gwenynddail.
cáritor	cymeriad, neu hynodrwydd hanfodol; S. *character*.
celpan	celpen: cernod, bonclust.
cetal	cetl, cetel: padell, crochan bach.
complêt	cyflawn; S. *complete*.
cwrbitsh	cwrbits: cosfa, curfa, cweir.
crymwyta	c(r)ymowta: crwydro, galifantio.
gwasanaethyddion	gweision fferm.
gweinidogion	gweision fferm.
gwyddfodolion	y sawl sydd yn bresennol.
hadyd	had ŷd, sef ceirch, haidd neu wenith.
minceg	teisen fintys; S. *mint cake*.
printan	print, prynt: clap o fenyn, stamp pren cerfiedig at roi patrwm ar fenyn; printan o fenyn.
swat	pen-isel, â'i gynffon rhwng ei goesau; tawel, distaw.
wicsen (ll. wics)	bynnen neu deisen fach; S. *bun, teacake*.

Teitlau eraill yng nghyfres Clasuron Honno

Telyn Egryn
gan Elen Egryn
Gyda rhagymadrodd beirniadol gan Ceridwen Lloyd-Morgan a Kathryn Hughes

Telyn Egryn (1850) gan Elin neu Elinor Evans (g. 1807) o Lanegryn, Meirionnydd, yw un o'r cyfrolau printiedig cyntaf yn y Gymraeg gan ferch. Mae ystod thematig ei cherddi yn eang ac mae ei hymgais i hybu delwedd y Gymraes ddelfrydol – merch dduwiol, barchus a moesol – yn rhan o'r ymateb Cymreig i Frad y Llyfrau Gleision. Cynhwysir cerddi gan feirdd benywaidd a gydoesai ag Elen Egryn yn atodiad i'r gyfrol hon.

978 1870206 303 | £5.95

Dringo'r Andes & Gwymon y Môr
gan Eluned Morgan
Gyda rhagymadrodd beirniadol gan Ceridwen Lloyd-Morgan a Kathryn Hughes

Ganed Eluned Morgan (g. 1870) ar fwrdd llong y Myfanwy pan oedd honno'n cludo gwladfawyr o Gymru i'r Wladfa Gymreig a oedd newydd ei sefydlu ym Mhatagonia. Perthyn Eluned felly i ddau fyd Cymreig: yr hen famwlad a'r Wladfa newydd. Adlewyrchir y ddau fyd hwn yn *Dringo'r Andes* (1904) a *Gwymon y Môr* (1909), llyfrau taith sy'n dangos arddull fywiog, sylwgar a phersonol Eluned Morgan ar ei gorau.

9781870206457 | £5.95

Sioned
gan Winnie Parry
Gyda rhagymadrodd beirniadol gan Ceridwen Lloyd-Morgan a Kathryn Hughes

Un o glasuron llenyddiaeth plant yw *Sioned* (1906) gan Winnie Parry (1870–1953). Ceir ynddi anturiaethau merch ifanc, ddireidus a'i hymwneud â chymdeithas Anghydffurfiol ac amaethyddol Sir Gaernarfon yn y bedwaredd ganrif ar bymtheg. Roedd gan Winnie Parry y ddawn i adrodd stori ac i gyfleu cymeriad deniadol, ac mae ei gwaith yn nodedig am ei arddull dafodieithol naturiol a byrlymus.

9781870206037 | £6.99

Pererinion & Storïau Hen Ferch
gan Jane Ann Jones
Gyda rhagymadroddion gan Nan Griffiths a Cathryn A. Charnell-White

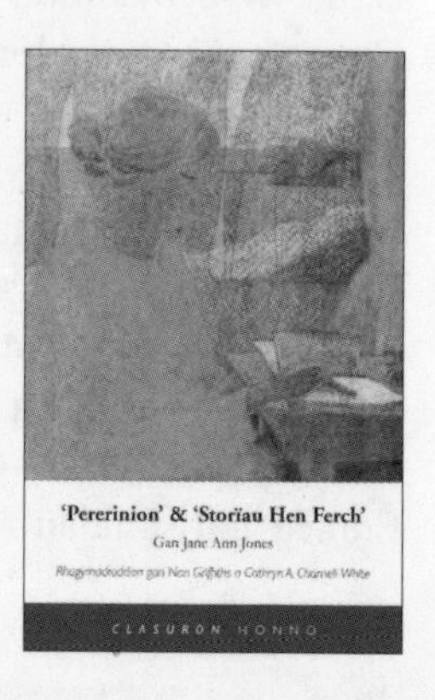

Ysgrifennai Louie Myfanwy Davies (1908–68) o dan y ffugenw Jane Ann Jones am ei bod yn trafod themâu mor feiddgar a phersonol. Nofela hunangofiannol chwerwfelys ynghylch perthynas merch ifanc â dyn priod yw 'Pererinion'. Taflwyd y deipysgrif wreiddiol i'r tân gan gyn-gariad yr awdur, ond darganfuwyd y copi a gyhoeddir yma (am y tro cyntaf erioed!) gan Nan Griffiths yn 2003. Merched godinebus, dibriod, creadigol a dewr a drafodir yn *Storïau Hen Ferch* (1937) ac mae'r awdur ar ei gorau yn archwilio ymwneud pobl â'i gilydd.

971870206990 | £7.99

Cerddi Jane Ellis
Golygwyd gan Rhiannon Ifans

Bardd a chanddi gysylltiadau â'r Bala a'r Wyddgrug oedd Jane Ellis (1779–c.1841) ac mae ei hemyn adnabyddus, 'O deued pob Cristion', yn un o hoff garolau Nadolig y Cymry. Y casgliad hwn o'i cherddi, a gyhoeddwyd gyntaf yn y Bala yn 1816, yw'r gyfrol brintiedig gyntaf yn y Gymraeg gan ferch. Y mae'r cerddi yn taflu goleuni ar bynciau amrywiol a phwysig: y cylch profiad benywaidd, yr emyn yng Nghymru, hynt Methodistiaeth, twf diwydiannaeth, a datblygiad canu menywod yng Nghymru'r bedwaredd ganrif ar bymtheg.

9781906784188 | £7.99

Llon a Lleddf a Storïau Eraill
gan Sara Maria Saunders (S.M.S.)
Golygwyd gan Rosanne Reeves

Atgofion yr awdur o'i phlentyndod yn Llangeitho, Ceredigion, yw sail y straeon a leolir yng nghymuned ddychmygol Llanestyn ac sy'n cyfleu effeithiau diwygiad mawr 1858–9. Yn y straeon a leolir ym Mhentre Alun, try atgofion S.M.S. yn ddathliad o effeithiau ysbrydol a moesol diwygiad 1904–5. Mae'r straeon yn amlygu dawn dweud yr awdur a'i ddiddordeb mewn pobl – a'r 'Ddynes Newydd' yn enwedig! Ceir yma ddetholiad o'r cyfrolau *Llon a Lleddf* (1897), *Y Diwygiad ym Mhentre Alun* (1907) a *Llithiau o Bentre Alun* (1908).

9781906784492 | £8.99